/

D0324356

10|18
12, avenue d'Italie — Paris XIIIe

ANNA,
OÙ ES-TU ?

PAR

PATRICIA WENTWORTH

Traduit de l'anglais
par Bernard Cucchi

10│18

INÉDIT

« *Grands Détectives* »
dirigé par Jean-Claude Zylberstein

Sur l'auteur

Patricia Wentworth, pseudonyme de Dora Amy Elles, est née en 1878 à Mussoorie (Inde). C'est à la suite d'un concours organisé par le *Daily Mail*, en 1923, que le public découvre les romans policiers de Patricia Wentworth, déjà connue pour ses ouvrages historiques. Cinq ans plus tard, elle crée un détective hors du commun : Miss Maud Silver. Prototype de l'*armchair detective*, Miss Silver, tout comme sa cadette Miss Marple (qui ne verra le jour qu'en 1930, sous la plume d'Agatha Christie), est une délicieuse vieille dame douée d'un sens de l'observation hors pair. Héroïne d'une trentaine d'intrigues, Miss Silver assurera dès lors la renommée de Patricia Wentworth, décédée en 1961.

Titre original :
Anna, Where Are You ?

© Patricia Wentworth, 1953.
© Éditions 10/18, Département d'Havas Poche, 2000,
pour la traduction française.
ISBN 2-264-03095-X

PROLOGUE

Il était quatorze heures trente, par un sombre après-midi de septembre, quand Anna Ball descendit le perron du 5, Lenister Street, une valise à la main. Avant que la porte se referme, la servante de Mrs. Dugdale, une femme d'un certain âge, eut le temps de la voir prendre à gauche, en direction du bout de la rue, où la circulation faisait rage. Ce n'était pas encore la cohue, mais Lenister Street avait connu des jours meilleurs. Le bruit du trafic montait comme une marée. Le jour où il deviendrait insupportable, Mrs. Dugdale devrait déménager.

Agnes descendit dans la cuisine, au sous-sol, et annonça à Mrs. Harrison, la cuisinière, que Miss Ball était partie, et bon débarras ! Mrs. Harrison leva les yeux de la bouilloire qu'elle venait d'ôter du feu.

— Je ne crois pas avoir entendu de taxi.

— Elle n'en a pas pris. Elle est juste allée au bout de la rue avec sa valise à la main.

Mrs. Harrison commença à verser de l'eau bouillante dans une théière brune aux formes trapues.

— Elle prendra probablement un bus. Eh bien, ce n'est pas trop tôt, Dieu merci !

Anna Ball descendit la rue. Si le ciel était couvert, il ne pleuvait pas encore. A défaut de pluie, ils auraient peut-être droit à une de ces nappes de brouillard qui collent au sol. Elle se réjouissait de ne pas avoir à marcher beaucoup, mais ce n'était rien à côté du plaisir qu'elle éprouvait d'avoir quitté Mrs. Dugdale. Quoi qu'il lui en coûtât, il n'était plus question de redevenir dame de compagnie. Les enfants étaient déjà suffisamment insupportables, quant aux malades des nerfs, qu'on les pique comme de vieux chiens !

Parvenue au bout de la rue, elle attendit le bus d'Hammersmith. A cette heure de la journée, il n'y avait pratiquement pas de file d'attente. Elle posa sa valise sur le trottoir, soulagée de ne plus avoir à la porter.

Debout derrière une femme corpulente, en bleu marine, et une vieille femme en noir tassée sur elle-même, elle passait complètement inaperçue. Son pauvre tailleur gris foncé était aussi mal coupé que mal porté. De taille moyenne, ni grande, ni forte, elle manquait totalement de classe, elle n'avait aucun style, rien qui pût la distinguer de ces milliers de jeunes femmes obligées de travailler pour vivre. On lui aurait donné aussi bien vingt que trente ans. De fait, elle semblait née pour se fondre dans la grisaille de la foule.

Le bus arriva et elle y monta à la suite des deux autres voyageuses. A l'évidence, celles-ci auraient été bien en peine de se souvenir de sa présence. La femme corpulente allait finir la journée et passer la nuit chez sa fille mariée. Elle était déjà tout au plaisir d'imaginer la joie de ses petits-enfants découvrant ses cadeaux. C'était l'anniversaire d'Ernie, qui avait drôlement grandi. Mais il ne fallait pas oublier la petite Glad — elle aussi aurait droit à son cadeau.

La femme âgée était affalée sur son siège, la tête à l'aplomb des genoux. Cela faisait dix ans maintenant qu'elle n'avait plus connu une place stable, une famille où elle aurait pu se sentir chez elle. Trois mois chez Henry, trois autres chez James, et trois encore chez Annie, puis chez May. L'épouse de Henry avait ses qualités, mais cette fille que James avait épousée ! Le mari d'Annie était un peu trop prétentieux. Tous les mêmes, ces instituteurs — le monde entier devait se plier à leur loi. Quant à la pauvre May, elle avait fait de son mieux, mais quelle idée d'épouser un type pareil ! Bien sûr, les conseils avaient été inutiles. Elle dodelina de la tête, se souvenant de l'époque où elle avait une vraie place, avec des enfants qui étaient encore des enfants. Elle avait su leur donner une bonne éducation, mais, aujourd'hui, ils n'avaient plus besoin d'elle.

Anna Ball songeait à son prochain emploi. Advienne que pourra. Peut-être que tout irait bien. Une chose était sûre, il n'était plus question de se laisser marcher sur les pieds. S'occuper de trois enfants n'était déjà pas une sinécure, mais il n'y avait rien de pire qu'un enfant unique. Un de ces enfants gâtés qui vous traitent comme un jouet. Au moins, quand ils sont trois, ils savent s'amuser ensemble.

Au premier arrêt après la grand-rue, elle descendit et attendit au bord du trottoir. Une voiture apparut et s'arrêta à sa hauteur. Elle y monta avec sa valise. La portière claqua et la voiture se perdit dans la circulation.

1

C'est une banalité de dire que le danger ou les difficultés prennent souvent une apparence trompeuse. Ainsi, un nuage anodin, perdu dans le ciel, est parfois annonciateur d'une violente tempête. Quand Miss Maud Silver, par un beau matin de janvier, ouvrit son *Times* et, après avoir épluché le carnet des naissances, des mariages et des décès, en vint aux messages intimes groupés sous le titre « Annonces personnelles », elle ne se doutait pas qu'elle allait prendre connaissance des premiers éléments d'une des affaires les plus dangereuses et les plus perturbantes de sa nouvelle existence. Cela faisait maintenant bon nombre d'années qu'elle avait quitté ce qu'elle considérait comme son expérience pédagogique, au profit d'une carrière de détective privé. Sa nouvelle vie professionnelle lui permettait d'occuper un appartement à Montague Mansions et de jouir d'un confort modeste mais indéniable. Pendant des années, son ambition s'était bornée à vivre sous le toit d'autrui, dans l'attente de finir sa vie humblement grâce au maigre pécule qu'elle aurait pu mettre de côté. Il lui suffisait de regarder autour d'elle pour ressentir une profonde gratitude envers la Providence qui, elle en aurait mis sa main au feu, l'avait aiguillée sur une autre voie.

Elle était une sorte de croisé de la Justice et de la Loi. Son rôle consistait à refréner le crime et à protéger l'innocence. Elle y avait gagné beaucoup d'amis et tous ses désirs avaient été exaucés. Les photographies posées sur le manteau de la cheminée et le dessus de sa bibliothèque ou trônant, parmi d'autres objets, sur plusieurs petits guéridons révélaient que bon nombre de ces nouveaux amis étaient à la fleur de l'âge. Des hommes et des filles jeunes, des bébés de tous âges, souriaient dans des cadres d'une époque révolue — vestiges victoriens et édouardiens, recouverts de peluche, d'argent ou de peluche à filigrane d'argent. Ces cadres si peu faits pour mettre en valeur leurs occupants actuels allaient à merveille avec les rideaux bleu paon, le tapis de la même couleur, décoré d'une volute de fleurs aux tons vifs, les fauteuils éminemment confortables, en noyer finement ciselé. Le tapis, acheté depuis peu, maintenait la tradition victorienne. Il datait de l'époque où l'on s'éclairait encore au gaz. Miss Silver s'estimait particulièrement chanceuse d'avoir pu retrouver sa couleur favorite, et un motif qui lui rappelait la maison de son enfance. Elle avait tiqué sur le prix, mais l'objet était destiné à durer. Au-dessus des photographies accrochées sur trois des murs du salon, des reproductions de tableaux célèbres du XIXᵉ siècle — *Le Huguenot,* de Millais[1], ainsi que *L'Éveil de l'âme* et *Le Cerf aux abois* — observaient, impassibles, les temps présents.

Avec son ensemble vert cendré, au col attaché par une lourde broche en or sur laquelle étaient gravées en relief les initiales entrelacées de ses parents et où elle conservait quelques mèches précieuses de leurs

---

1. Millais (sir John Everett — 1829-1896). Peintre, dessinateur et graveur britannique. Un des fondateurs de la confrérie des préraphaélites. (*N.d.T.*)

cheveux, Miss Silver elle-même appartenait à ce décor. Elle avait des traits nets, délicats, une peau claire, une chevelure déjà largement grisonnante ramenée en une sorte de chignon sur la nuque enserré dans une résille et agrémentée d'une frange impeccable sur le front. Des bas de laine noire emmitouflaient ses minces chevilles et ses petits pieds, glissés dans des chaussons noirs plutôt élimés dont la pointe s'ornait de fausses perles. Sur n'importe quel album de famille, on n'aurait pas manqué de voir en elle la gouvernante ou la vieille tante célibataire.

Son regard parcourut lentement les annonces personnelles :

« Dame, cherche chambre d'hôte dans bonne maison. Très sociable. Aide en retour. Ni travaux pénibles ni cuisine. »

Apparemment, beaucoup de gens s'imaginaient encore qu'ils pouvaient obtenir quelque chose sans rien donner en échange. Quelques lignes plus loin, un autre texte en était l'illustration parfaite :

« Excellente maison cherche dame de bonne compagnie. Devra participer aux travaux du ménage, aimer les chats et posséder son permis de conduire. Capable de jardiner et de se lever tôt. Connaissances en apiculture souhaitées. »

— Mon Dieu ! s'exclama Miss Silver, avant de continuer à éplucher la rubrique.

Aux deux tiers de la colonne un prénom peu commun attira son attention. Anna — c'était si rare de voir ce nom orthographié de la sorte.

« Anna, où es-tu ? S'il te plaît, écris-moi. Thomasina. »

Avait-elle déjà rencontré quelqu'un s'appelant Thomasina ? Et n'était-il pas réconfortant de constater que ces prénoms surannés revenaient à la mode ? Ann, Jane, Penelope, Susan, Sarah... ils étaient enracinés dans la vie, dans l'histoire de l'Angleterre. Oui, elle les aimait, ces prénoms.

Rien d'autre ne retint son attention. Comment aurait-elle pu se douter qu'elle venait d'avoir vent — mais l'expression est bien trop forte — d'une affaire qui allait exiger d'elle la plus grande intrépidité et mettre à rude épreuve toutes les qualités qui lui avaient permis d'élucider tant de mystères ?

Elle tomba sur une demande particulièrement désinvolte :

« Soyez chic ! Jeune homme, 25 ans, sans argent ni qualification, a absolument besoin d'un travail. Pourquoi ne pas lui en proposer ? »

Quand les annonces personnelles n'eurent plus de secret pour elle, elle replia le *Times* et le mit de côté. Elle avait déjà pris connaissance des côtés les plus plaisants de l'actualité. Elle reviendrait plus sérieusement aux articles de fond, au courrier des lecteurs, etc., quand elle disposerait d'un peu de temps. C'était l'heure de son courrier. Elle s'installa devant son bureau-pupitre, un meuble solide et austère, et commença une longue lettre très affectueuse destinée à sa nièce, Ethel Burkett, qui avait épousé un banquier des Midlands.

Aucun membre de la petite famille ne fut oublié. Le cher John, si gentil, si travailleur — *J'espère qu'il s'est débarrassé du rhume dont tu m'as parlé.* Les trois garçons, Johnny, Derek et Roger, qui fréquentaient tous l'école désormais, et y obtenaient de bonnes notes. Sans oublier la petite dernière, Josephine, qui allait sur ses quatre ans — *C'est la coque-*

luche de toute la famille, je sais bien, mais prenez garde de ne pas trop la gâter. Un enfant gâté est rarement heureux ou bien dans sa peau, et il est source de beaucoup de malheurs pour son entourage.

Cela lui permit de glisser habilement une allusion aux désagréments provoqués par le comportement de la plus jeune sœur d'Ethel, Gladys Robinson. Toute à sa réflexion, un voile sévère durcit ses traits naturellement avenants.

Prenons l'exemple de Gladys. On ne saurait continuer à mettre son manque d'égards sur le compte de son extrême jeunesse. Ne va-t-elle pas avoir bientôt trente et un ans ? Or elle se montre de plus en plus égoïste et imprudente. J'ai bien peur que cela ne provoque un drame avec son mari. Andrew Robinson est quelqu'un de bien, qui a fait montre d'une patience sans bornes. S'il est aussi ennuyeux que cela, pourquoi a-t-elle prononcé ses vœux de mariage ? Vraiment, Gladys ne se soucie que de sa petite personne.

Gladys l'occupa encore un bon moment. L'appel de Thomasina Elliot à Anna Ball lui était complètement sorti de l'esprit.

2

— Je ne comprends pas pourquoi tu t'inquiètes pour cette femme, dit Peter Brandon.

Thomasina Elliot eut une réponse toute simple :

— Elle n'a que moi dans la vie.

Peter lui décocha un de ces regards hautains dont il avait le secret.

— Veux-tu dire par là qu'elle n'a personne d'autre qui puisse s'occuper d'elle, ou que tu ne connais personne d'autre dont tu pourrais t'occuper ? Parce que dans ce cas...

Thomasina l'interrompit :

— Personne d'autre que moi ne se soucie d'elle.

Ils étaient assis côte à côte sur un banc plutôt inconfortable dans une de ces petites galeries d'art qui ouvrent leurs portes en hiver. Les murs étaient recouverts de tableaux que Thomasina s'efforçait de ne pas voir. Elle avait déjà changé de place, car, sans être prude, elle s'était sentie gênée par le spectacle d'une grosse dondon en costume d'Ève et apparemment affligée d'oreillons. Réflexion faite, elle se dit qu'elle aurait mieux fait de ne pas bouger. Maintenant, elle avait sous les yeux une débauche de rouge magenta et d'orange, dans un tableau vraiment horrible montrant un squelette de femme sans tête qui brandissait une énorme poêle à frire. Du coup, elle était plus ou moins obligée de tourner la tête vers Peter. Elle aurait préféré éviter d'avoir à le faire, car cela lui donnait un air supérieur et importun, l'obligeant à se montrer très résolue, sans cesser de le rembarrer, et c'est bien plus facile quand on peut jouer d'un profil impassible. Mais elle était la première à savoir que la nature ne lui avait pas donné un de ces profils qui en imposent à votre interlocuteur. Il manquait d'harmonie, en fait il était tout sauf harmonieux, même s'il ne manquait pas d'un charme certain.

Pour Peter Brandon, l'affaire était entendue. Son visage était ce qu'elle avait de mieux, et plus particulièrement ses yeux, d'une incontestable beauté. Des yeux qu'on ne rencontrait pas souvent, du moins en Angleterre, mais, en Écosse, dont Thomasina était originaire, de grands yeux gris surmontés de cils noirs n'étaient pas du tout exceptionnels. Outre leur couleur gris clair, les yeux de Thomasina étaient dépourvus de la moindre nuance de bleu ou de vert. Peter avait eu l'occasion de remarquer qu'ils s'accordaient à merveille avec ses propres pantalons de flanelle. Leur originalité tenait au petit cercle noir qui entourait le rond gris clair de l'iris. En outre, ils étaient si bien mis en valeur par des cils charbonneux, et une peau resplendissante de santé, qu'il était impossible de ne pas y succomber. Peter les considéra d'un air qu'il voulait indifférent et répéta sa remarque initiale.

— Je ne comprends toujours pas pourquoi tu t'inquiètes pour elle.

Thomasina, qui n'avait pas vraiment l'accent écossais, sut trouver une voix plus mélodieuse pour lui répondre.

— Je viens de te le dire.

— C'est cette amie qui louchait, ou celle qui faisait un bruit de trompette bouchée avec son nez quand elle respirait? Tout en en étant horriblement consciente, bien sûr — tu vois de qui je parle?

Faisant fi de sa distinction naturelle, il ouvrit de grands yeux exorbités et produisit un borborygme nasillard.

Thomasina se retint de pouffer.

— Non, tu confonds avec Maimie Wilson. Et tu es vraiment méchant, car elle ne pouvait pas s'en empêcher.

— On aurait mieux fait de la noyer au berceau! Bref, qui était-ce, cette bonne femme, Anna... comment déjà?

— Ball, répondit Thomasina d'une voix quelque peu éteinte. Et tu as eu souvent l'occasion de la rencontrer.

— J'y suis : ta fête de fin d'études — chocolat à gogo et un tas de copines. Anna Ball, oui, je la remets maintenant... Une brune à la peau grasse, avec ce genre de regard qui vous lance des « Puisque personne ne m'aime, je vais dans le jardin me faire une salade de vers de terre ».

— C'est vraiment horrible!

— Je ne te le fais pas dire. La fille qui a besoin de sortir et de s'aérer. Totalement coupée de la société.

— Absolument pas. Tu n'y es pas du tout. On l'aimait beaucoup à cause de cela — elle était vraiment à l'écoute des autres. En fait, c'est tout le contraire — elle s'intéressait beaucoup trop à autrui.

Peter dressa l'oreille.

— Miss La Fouine?

— Oui, si tu veux.

Son bon cœur l'amena à relativiser :

— Un peu, oui.

— Eh bien, je comprends encore moins pourquoi tu t'inquiètes pour elle.

— Je me tue à te le dire : elle n'a personne d'autre que moi.

Peter enfonça ses mains dans les poches de son imperméable, comme s'il voulait signifier par là qu'il était temps de passer enfin aux choses sérieuses.

— Écoute-moi bien, Tamsine. Tu ne peux pas passer ta vie à recueillir les canards boiteux, les chiens errants et les femmes mal-aimées. Tu as vingt-deux ans — te souviens-tu de la première fois où je t'ai fait des guili-guili quand tu étais bébé? Tu avais deux ans, ou pas loin. Ça fait donc vingt ans qu'on se connaît. Tu n'as pas cessé, depuis ce temps-là, et il faudrait vraiment que tu changes. Au début, tu t'apitoyais sur de pauvres guêpes mourantes, ou des vers de terre mal en point, puis tu t'es consacrée à des chiens galeux et à des portées de chats faméliques. Si tante Barbara n'avait pas été une sainte femme, elle était bonne pour l'asile. Mais elle a cédé à tous tes caprices.

Pour être juste, Barbara Brandon était bien plus la tante de Thomasina que celle de Peter, car elle était née Elliot et s'était contentée d'épouser John Brandon, l'oncle de Peter. Elle était décédée depuis peu. Dans les yeux de Thomasina, un reflet mouillé apparut. Ils en devinrent presque insupportablement beaux.

— Elle était... si gentille, dit-elle, la gorge nouée.

Peter détourna les yeux. S'il continuait à la regarder, il allait craquer, et l'heure était à la fermeté. Il fallait rester maître de soi. Cela lui fut grandement facilité par Thomasina, qui, presque aussitôt, redressa la tête et dit, de manière complètement hors de propos :

— Pour commencer, je ne crois pas que tu m'aies jamais fait des guili-guili!

— Hein? Mais de quoi parles-tu?

Les femmes étaient vraiment incompréhensibles!

La fossette de Thomasina se creusa. Elle était assez profonde et placée en un endroit plus que charmant.

— Oh, de rien ! dit-elle.

Peter avait repris suffisamment d'aplomb pour la regarder bien en face.

— Écoute, ma petite, je m'en souviens comme si c'était hier. J'avais huit ans, en fait presque neuf. Inutile d'y voir une caresse, ce n'en était pas une. Tu avais de magnifiques boucles noires, très fournies, et je voulais m'assurer qu'elles étaient aussi rêches qu'elles en avaient l'air.

— Elles n'avaient pas l'air rêches !

— Elles étaient noires, mais elles semblaient aussi rêches que des copeaux de bois.

La fossette réapparut.

— Et comment étaient-elles finalement ?

Sa voix avait recouvré son accent chantant si troublant.

Peter se souvint de la douceur élastique de ses boucles autour de ses doigts. Elle les avait conservées. Il raffermit le ton.

— On aurait dit des plumes. Et maintenant ça suffit. N'essaye pas de changer de sujet. Nous ne parlons pas de tes cheveux, nous parlons d'Anna Ball. Un de tes chiens à trois pattes, déjà, à l'école, et, depuis, tu n'as cessé de lui servir de béquille. Aujourd'hui qu'apparemment elle a disparu dans la nature, au lieu de remercier ta bonne étoile, tu cherches à te compliquer la vie en essayant de la relancer.

— Elle n'a personne d'autre que moi dans la vie, répéta Thomasina, sans se démonter.

Peter eut un froncement de sourcil de mauvais augure.

— Thomasina, si tu continues à me rebattre les oreilles avec ça, je vais finir par me mettre en colère. Elle aura rencontré d'autres amis et refait sa vie. Pour l'amour du ciel, laisse-la vivre et oublie-la.

Thomasina secoua la tête.

— Non, elle est incapable de se faire des amis...
cela a toujours été son problème principal. Pendant la
guerre, tu sais, comme elle est à moitié allemande, ça
a été horrible pour elle. Elle en a fait un complexe
d'infériorité. Sa mère était une personne morbide —
d'ailleurs, tante Barbara l'a bien connue. Je crois
qu'Anna avait tout contre elle.

— Elle travaillait, oui ou non ?

— Tante Barbara l'avait placée chez un général et
sa femme, les Dartrey. Elle devait s'occuper de leur
enfant.

— Pauvre gosse.

— Certes, l'expérience fut loin d'être concluante.
Mais elle les a suivis en Allemagne, où elle est restée
plus de deux ans. Dans ses lettres, elle n'arrêtait pas
de se plaindre, mais elle a tenu bon. Les Dartrey sont
partis s'installer dans l'Est et ont inscrit leur fille à la
maternelle, pas loin de chez la mère de Mrs. Dartrey.
Anna a alors été engagée chez une de leurs cousines
qui cherchait une dame de compagnie. Elle n'y est
restée qu'un mois. La cousine était une riche invalide,
souffrant de problèmes nerveux, et, bien sûr, elles ne
se sont pas entendues. Anna m'a écrit pour me dire
qu'elle s'en irait quand elle aurait fait son mois. Elle
avait trouvé une nouvelle place. Elle devait me donner plus de détails dès qu'elle aurait commencé.
Depuis, elle ne m'a plus écrit. Est-ce que tu
comprends pourquoi je m'inquiète pour elle ?

— A vrai dire, non.

— J'ignore où elle se trouve.

— Cette femme chez qui elle était, la cousine des
Dartrey, elle doit bien le savoir.

— Elle prétend que non. Elle dit qu'Anna ne lui a
jamais rien dit. Elle est des plus évasives, le genre de
personne qui attrape une migraine dès qu'on lui
demande un nom ou une adresse. J'ai perdu une demi-

heure à l'interroger. Je crois que j'aurais mieux fait de m'adresser à une méduse.

— Est-ce que ça pense, les méduses ?

— Plus que Mrs. Dugdale — elle est inconsistante. Je n'ai rien pu en tirer. Crois-moi, Peter, je suis vraiment ennuyée. Anna m'a toujours envoyé au moins une lettre par semaine depuis des années. Et elle n'a jamais manqué de m'écrire pendant les vacances, et tout le temps qu'elle a passé chez les Dartrey.

— Tu ne dois donc rien ignorer de sa misérable existence, et des gens horribles qu'elle devait supporter.

— Oui, il y a de ça. Je lui servais de soupape de sécurité. Il faut avoir quelqu'un à qui se confier. Et puis, brusquement, plus rien. Cela fait quatre mois qu'elle a quitté Mrs. Dugdale, et depuis, pas un mot. Franchement, ça ne te semble pas bizarre ?

— Elle est peut-être à l'étranger ?

— Dans ce cas, pourquoi n'écrit-elle pas ? Quand elle était chez les Dartrey, elle l'a toujours fait. Et elle m'a annoncé qu'elle allait m'envoyer un autre courrier. Peter, tu ne crois pas qu'il y a quelque chose qui cloche ?

— Franchement, je ne vois pas ce que tu peux faire pour elle. Tu as déjà passé cette annonce absurde dans le *Times*, à laquelle personne n'a répondu.

— Qu'est-ce qu'elle avait de si absurde ?

— Tu cherches des ennuis, lâcha Peter. Tu ne connais pas ton bonheur. Pas de nouvelles, bonnes nouvelles.

Le visage de Thomasina s'empourpra.

— Je me ficherais bien d'avoir de ses nouvelles si j'étais sûre qu'elles sont bonnes. Mais suppose que non. Suppose que...

Elle n'avait plus envie de parler. Elle se sentait comme parvenue au coin d'une rue, hésitant à aller plus loin — que lui réservait la vie, à quelques pas de là? Son visage avait de nouveau son aspect habituel.

Peter insista.

— Maintenant, dis-moi donc ce que tu peux faire de plus.

— Aller voir la police, répondit Thomasina.

3

Environ une semaine plus tard, l'inspecteur Abbott prenait le thé avec Miss Maud Silver. L'affection qu'il lui portait ressemblait à celle d'un neveu pour une tante bien-aimée, mais elle se teintait d'une forme de respect qu'on n'accorde pas toujours à une tante demeurée vieille fille. Chez Miss Silver ce statut était parfaitement assumé. Elle n'en avait jamais désiré d'autre. Si elle se montrait très indulgente envers les jeunes couples d'amoureux, tout en tenant en haute estime les liens sacrés du mariage, elle n'avait jamais regretté son indépendance. Elle n'était pas la tante de Frank Abbott, mais les liens qui les unissaient étaient fort solides. Son humour irrévérencieux faisait un contrepoint délicieux à la singularité de son caractère, à son maintien guindé, à sa frange, aux fausses perles de ses pantoufles, à sa manie de citer à tout propos Lord Tennyson, au jeu rapide des aiguilles à tricoter entre ses petites mains d'une dextérité diabolique, à ses maximes morales et à ses principes inflexibles. Mais, il existait entre eux une tendresse plus profonde, une admiration et un respect mutuels qui, bien qu'implicites, étaient le ciment de leur relation. Depuis leur première rencontre, ces sentiments n'avaient cessé de grandir et ils étaient pour lui, lui avait-il un jour avoué, autant source de plaisir que de profit.

Il venait de faire généreusement honneur aux scones et aux trois variétés de sandwiches, sans oublier le gâteau fourré concocté par Hannah Meadows. Pas plus qu'aux sandwiches et aux scones, les visiteurs ordinaires n'avaient droit au miel que Mrs. Randal March envoyait à Hannah de la campagne, mais Mr. Frank était toujours reçu comme un prince. Non pas qu'Hannah estimât que le métier de policier convenait à un gentleman, non plus que celui de détective privé à une lady, bien qu'au fil des ans elle se fût habituée aux bouleversements de la société qui rendaient possibles de telles incongruités.

Personne n'aurait pu moins ressembler à un policier que le jeune homme qui à l'instant venait d'accepter une troisième tasse de thé. De sa coiffure parfaitement ordonnée, si bien lissée en arrière qu'elle semblait se refléter dans un miroir, à ses chaussures de bonne coupe, brillant de mille feux, tout en lui offrait l'image de la plus extrême élégance. Le costume, la pochette, les socquettes, la cravate — chaque détail relevait d'un choix raffiné. Il était à la fois grand et svelte. Le teint pâle, le nez allongé, les yeux d'un bleu délavé frappaient l'observateur. Il tendit la main vers la tasse qu'on lui offrait. Ses mains étaient remarquablement soignées, et semblaient aussi longues et fines que ses pieds, glissés dans les chaussures lustrées.

Il parlait de tout et de rien, tout en appréciant son thé. À l'entendre, le crime était en plein essor et les criminels leur filaient entre les doigts. Beaucoup de faux billets très bien imités circulaient. Des cambrioleurs avaient dérobé un des rares services de table en or appartenant au domaine privé, avant de se volatiliser. Aujourd'hui même, on déplorait un hold-up dans une banque.

— Ça n'arrête pas, il faut bien l'avouer. Une petite succursale dans la banlieue de Londres. Un de ces endroits qui n'ont jamais été un village, sans parvenir à ressembler à une ville. Un peu à l'image de ce qu'évoquait Tennyson quand il écrivit ces vers :

> *Elle hésitait sur ce qu'elle devait faire*
> *Au confluent du ruisseau et de la rivière.*

Sa citation n'était pas innocente, car l'amour immodéré de Miss Silver pour le grand poète victorien était connu. Elle releva tranquillement le défi.

— Vous n'ignorez pas que ce poème traite d'un contexte tout autre, puisqu'il évoque la virginité, et l'auteur de ces vers est Longfellow.

Il tendit la main vers un autre sandwich.

— Encore une belle citation de gâchée ! Bref, l'affaire s'est passée à Enderby Green. Le directeur de l'agence a été braqué et tué sur le coup, pauvre type. Juste avant la fermeture des bureaux, hier après-midi. Un jeune employé a écopé d'une balle dans l'épaule. Il peut s'estimer chanceux. La banque avait traité pas mal d'encaissements — on est en pleine période de soldes — et le braqueur a filé avec 1 500 livres. Comme d'habitude, c'est la même antienne : mais que fait donc la police ? On peut dire que nous sommes servis ! J'imagine que vous avez lu les journaux.

Miss Silver fit oui de la tête.

— Personne ne l'a vu ? Personne n'a entendu les coups de feu ?

— Il y avait un marteau-piqueur qui défonçait la rue en face. Je crois bien qu'on n'aurait pas même entendu le bruit d'une mitrailleuse, alors deux malheureux coups de revolver ! Le portrait du braqueur que nous a fait l'employé correspond, au bas mot, à quelques centaines de milliers de personnes — on sait seulement qu'il était rouquin, ce qui signifie qu'il portait une perruque. Cet employé a quand même fait preuve de présence d'esprit. Au moment du hold-up, il inscrivait quelque chose, à l'encre rouge, et il s'est arrangé pour laisser tomber quelques gouttes sur les billets qu'il a dû remettre. Selon lui, le type ne s'est aperçu de rien.

— Est-ce que l'employé s'en sortira?

— Oh, oui. En revanche, le directeur a été abattu de sang-froid — il n'avait aucune chance de s'en tirer. Un témoin a vu une voiture démarrer sur les chapeaux de roue. Il nous l'a décrite. Voiture volée, évidemment, abandonnée à moins d'un kilomètre du lieu du crime. L'ennui, c'est que ce scénario est un peu trop fréquent depuis quelque temps. Les gens commencent à se demander pourquoi on nous paye. Un jour, vous aurez peut-être la chance de me voir jouer de l'orgue de Barbarie au coin d'une rue, pour me faire quelques pièces. A moins que je n'organise ma propre disparition. *Mystérieuse disparition d'un célèbre inspecteur de police. Meurtre ou amnésie?* Vous voyez d'ici la une des journaux. Puis je referai surface et je vendrai mon histoire aux suppléments du dimanche. *Souvenirs d'un amnésique: mon séjour en Enfer.* J'avoue que cela ne me déplairait pas.

Miss Silver sourit.

— Mon cher Frank, vous dites de ces inepties...

Il prit un autre sandwich.

— Je me demande vraiment combien de personnes dont on est sans nouvelles et dont les épouses, maris, pères, mères, frères, sœurs, cousins ou tantes viennent nous casser les oreilles à Scotland Yard ont véritablement disparu.

Miss Silver remplissait sa tasse de thé.

— J'imagine que vous avez des statistiques, fit-elle remarquer.

— Je ne pensais pas à cela. Ma question est:

combien décident volontairement de larguer les amarres, parce qu'ils n'en peuvent plus de leur existence ? Le mari a connu une petite amie de trop, ou il a bu le verre qu'il fallait éviter. La femme a tellement asticoté son homme qu'il préfère partir avant de l'assassiner. La fille ou le garçon ne supportent plus les remarques quotidiennes : « Où étais-tu ? Qu'est-ce que tu as fait ? Avec qui étais-tu ? » La routine, au magasin, au bureau, à l'usine, les a menés à un point où ils ont le choix entre tout casser ou disparaître. Les statistiques ne traitent que de faits — personnes disparues, enlevées, ou abandonnées — tout comme pour du bétail. Les statistiques n'expliquent rien.

Miss Silver toussota, plongée dans ses pensées.

— On a trop souvent invoqué l'amnésie pour que ce soit une explication très convaincante. Certes, les cas existent, et je crains qu'ils ne soient à l'origine de beaucoup de souffrances — le choc provoqué par une disparition inexplicable, la tension perpétuelle, l'angoisse de l'attente, si merveilleusement exprimée par deux célèbres vers de Tennyson :

> *Toucher de nouveau la main disparue*
> *Et réentendre la voix qui s'est tue.*

Mais c'est une explication un peu courte dans le cas d'une personne que l'on a retrouvée et qui ne veut pas subir les conséquences sociales et familiales d'une disparition volontaire.

Frank rit de bon cœur.

— Vous souvenez-vous de cette histoire qui a fait la une de tous les journaux il y a quelques années ? Une jeune femme avait disparu dans le voisinage d'une grande ville de garnison. Elle avait un père, une belle-mère, un nombre raisonnable de fréquentations, mais personne ne semble s'en être soucié. Les disputes avec la belle-mère n'étaient pas rares et tout le monde semblait penser qu'elle avait filé et trouvé du travail ailleurs. Jusqu'à ce que...

Il s'interrompit pour prendre un sandwich.

— ... jusqu'à ce que, un peu plus d'une année après, un jeune soldat appartenant à un régiment affecté dans un nouveau cantonnement, dans les Midlands, avoue avoir assassiné la fille dans une crise de jalousie et enterré son corps dans un terrain sablonneux. Il avait parlé de pins et d'ajoncs. Comme les lieux du crime supposé n'étaient que terrains sablonneux, pins et ajoncs, il fallut y conduire le soldat afin qu'il montre l'endroit où était enterrée la victime. Il a promené la police sur je ne sais plus combien de kilomètres de bois de pins et de lande, prenant le temps de se rafraîchir tandis qu'on creusait le sol. Comme on ne trouvait jamais rien, il prétendait que tous ces endroits se ressemblaient, et il conduisait les policiers plus loin. La plaisanterie a duré deux semaines. Et soudain, la fille a réapparu — absolument désolée, et confuse, mais elle venait juste d'apprendre la nouvelle dans les journaux. Elle ne connaissait ce soldat ni d'Ève ni d'Adam. Ne pouvant plus supporter sa belle-mère, elle était partie à Londres où elle avait trouvé du travail. Elle était mariée depuis un an et avait un bébé de deux mois.

— Oui, je m'en souviens, dit Miss Silver. Cela me fait penser à une de mes tantes qui nous racontait souvent l'histoire d'une femme maltraitée. Son mari la frappait, buvait et la trompait. Elle devait faire des ménages pour nourrir ses enfants — à l'époque on comptait beaucoup de familles nombreuses. Quand le plus jeune a eu deux ans, elle a compris qu'elle ne pouvait continuer à mener cette vie. Un beau soir, son mari est rentré, soûl comme à son habitude. La maison était vide. Aucune trace de présence humaine. Lorsqu'il est allé dans leur chambre, il vu les sept chapeaux de paille des enfants, accrochés l'un à côté de l'autre aux boules du portemanteau, au-dessus du grand lit de cuivre. Elle avait laissé un mot pour l'informer qu'ils étaient partis en Australie. Ma tante disait que la vie leur avait souri là-bas. Les enfants n'ont jamais revu leur père, mais, vingt ans plus tard, alors qu'il était vieux et malade, sa femme est revenue pour s'occuper de lui jusqu'à sa mort.

Frank leva un sourcil sarcastique.

— Incroyable !

— Elle avait du cœur et elle estimait que c'était son devoir.

Il posa sa tasse et s'aperçut qu'elle l'observait pensivement.

— Dites-moi, Frank, vous êtes préoccupé par une affaire de disparition ?

Il se pencha et mit une bûche dans le feu, ce qui provoqua une gerbe d'étincelles.

— Non, pas vraiment.

Miss Silver sourit.

— Ne voulez-vous pas m'en parler ?

— En fait, il n'y a pas grand-chose à en dire. La fille a un prénom peu banal et des yeux d'une couleur aussi rare que son prénom, c'est tout.

Elle se pencha vers son tricot. Les premières mailles du cardigan qu'elle tricotait pour sa nièce, Ethel Burkett, étaient d'un bleu foncé particulièrement agréable à l'œil.

— Eh bien, cela me semble très intéressant.

Il se mit à rire.

— N'en croyez rien ! Elle s'appelle Thomasina et ses yeux sont d'un gris clair extraordinaire, avec un iris cerclé de noir, et des cils noirs également... absolument fascinants. Cela dit...

Miss Silver toussota.

— Vous avez bien dit Thomasina ?

Il approuva de la tête.

— Un prénom peu commun, n'est-ce pas?

Les aiguilles à tricoter cliquetaient.

— Et elle cherche à retrouver une certaine Anna?

Frank Abbott la dévisagea fixement.

— Et comment avez-vous appris cela, chère madame? Savez-vous qu'il y a quelques siècles vous auriez pu être accusée de sorcellerie?

— Mon cher Frank!

Une lueur provocante s'alluma dans son regard.

— Il arrive à notre bon vieux Lamb de se prendre à douter. Officiellement, bien sûr, il ne croit pas aux sorcières, mais il m'a parfois donné l'impression qu'il vous imaginait capable de vous envoler par la fenêtre sur un balai de sorcière.

Miss Silver lui reprocha son irrévérence.

— J'ai le plus grand respect pour l'inspecteur principal Lamb, et j'aime à croire que la réciproque est vraie.

— Oh, n'en doutez pas! Seulement, il aimerait bien comprendre comment vous réussissez vos tours de passe-passe. Il n'y voit que du feu, et l'inspecteur principal a horreur de se faire bluffer. Il aime que les choses se fassent normalement, en bonne logique. Il a besoin de se donner le temps de mener à bien sa réflexion. Quand il vous voit surgir dans un halo de lumière, il vous suspecte de pouvoirs occultes.

Elle eut un sourire indulgent.

— Quand vous aurez fini de proférer des inepties, Frank, vous me permettrez peut-être de vous apprendre que les informations dont je dispose sur Thomasina et Anna n'ont aucune origine surnaturelle. Je les ai trouvées dans les annonces personnelles du *Times*. J'ai été frappée par ces deux prénoms inhabituels et quand vous en avez mentionné un, j'ai aussitôt fait le rapport avec l'autre.

Il se mit à rire.

— Les choses sont toujours tellement simples quand on les a expliquées. Effectivement, elle nous a dit qu'elle avait passé une annonce. Personnellement, je ne l'ai pas lue. Que disait-elle ?

Miss Silver déroula un peu de fil de la grosse pelote de laine qu'elle dissimulait dans son sac à ouvrage en chintz décoré de fleurs aux couleurs vives.

— « Anna », c'est le début. Puis, si je me souviens bien : « Où es-tu ? Écris-moi s'il te plaît. » Et c'était signé « Thomasina ». Peut-être m'en direz-vous un peu plus maintenant ?

— Il s'agit d'Anna Ball et de Thomasina Elliot. Thomasina est celle qui a de si beaux yeux. Anna semble aussi ennuyeuse que la pluie. Mais elle a disparu, c'est un fait, et Thomasina veut la retrouver. Quand je dis « disparu », je cite Thomasina. Apparemment, celle-ci se sent coupable, car Anna n'avait pas de famille. Ce sont des amies d'école. La jolie fille, qui a du succès et qui prend la défense du laideron que personne ne fréquente. Trois ans d'une abondante correspondance, à l'initiative d'Anna, depuis qu'elles ont quitté l'école. Thomasina a toujours répondu. Dans sa dernière lettre, Anna parlait d'un possible nouvel emploi. Elle devait écrire quand elle l'aurait obtenu. Et puis plus rien. Aucune adresse. Pas le moindre indice sur sa destination. Ses derniers emplois : gouvernante pour jeunes enfants pendant deux ans, puis dame de compagnie pendant un mois. Aucune information sur sa nouvelle place. On peut tout imaginer — qu'elle fasse des ménages ou le trottoir. M'est avis que quoi qu'elle fasse, ce sera toujours un fiasco.

Il s'interrompit et demanda :

— Pourquoi me regardez-vous comme ça ? Qu'est-ce qui peut bien vous intéresser dans cette affaire ? Croyez-moi, elle n'en vaut pas la peine.

Elle lui décocha son plus charmant sourire.

— Cela ne vous a pas empêché de prendre un luxe de précautions pour m'en parler. Et vous ne semblez pas prêt à laisser tomber.

Il eut un drôle de sourire, mi-rieur mi-soucieux, qui le fit paraître soudain plus jeune.

— On ne peut vraiment rien vous cacher ! C'est une affaire ennuyeuse, au moins aussi ennuyeuse qu'Anna. Je ne parviens pas à m'ôter de l'esprit qu'elle a dû se lasser d'écrire à Thomasina, ou qu'elle a pris la mouche sous un prétexte quelconque — c'est ce genre de fille. A moins qu'elle n'ait rencontré un petit jeune — ce qui ne me semble guère probable, mais rien n'est impossible ! Auquel cas, elle aura oublié sa bonne amie.

Miss Silver secoua la tête d'un air résolu.

— Je n'en crois absolument rien. Elle serait ravie et tout excitée, et elle s'épancherait à loisir dans ses lettres à Thomasina. Ce n'est pas ainsi que les choses ont dû se passer.

— Dans ce cas, nous n'avons pas le moindre indice.

— Mais cette affaire vous intéresse.

— Je ne vois aucune raison de m'y m'intéresser. Le dossier est vide — juste une fille qui a cessé d'écrire.

La voix particulièrement songeuse de Miss Silver lui fit écho.

— Oui, juste une fille qui a cessé d'écrire.

4

Deux jours plus tard, Miss Silver interrompit la rédaction d'une lettre pour décrocher son téléphone. C'était l'inspecteur Abbott.

— Bonjour, Miss Silver ! Quel instrument merveilleux, le téléphone, et si pratique — sauf quand il vous réveille au milieu de la nuit et que vous maudissez l'homme de ne pas s'être contenté de faire du feu en frottant deux morceaux de silex ! Avant que vous ne me le fassiez remarquer, ce n'est pas la raison de mon appel. « Disparaissez, joies trompeuses et illusoires », etc. Le devoir avant le plaisir.

— Mon cher Frank !

— Lui-même. Venons-en au fait, à Thomasina Elliot...

Miss Silver l'interrompit :

— Vous ne m'appelez pas de Scotland Yard.

Elle crut entendre un rire étouffé.

— Gagné ! Le style de la maison est un peu plus guindé. Je suis dans une cabine. A propos de l'affaire Thomasina, je crois que nous sommes dans une impasse. Tout d'abord, nous n'avons aucune preuve nous permettant d'affirmer qu'Anna a réellement disparu, et pas la moindre piste pour entamer les recherches. Une impasse, croyez-moi. Nous n'avions que deux possibilités. La première, que la publicité faite autour de l'affaire fasse bouger les choses. Thomasina a passé sa petite annonce et nous avons lancé un appel à témoins, radiodiffusé. Nous avons dû vaincre certaines réticences, mais nous avons pu faire jouer quelques-unes de nos relations. Aucun résultat. La seconde possibilité était que Mrs. Dugdale, son dernier employeur, ou quelqu'un de sa maison, puisse être au courant de quelque chose. Une fille sur le point de changer de travail peut difficilement le passer sous silence. Elle demande des références... elle laisse une adresse où faire suivre son courrier. Eh bien, d'après Mrs. Dugdale et sa bonne, Anna n'a rien dit de ce genre. Hobson leur a rendu visite. Elles se sont montrées particulièrement peu loquaces. D'après Hobson, la moindre question plonge Mrs. Dugdale dans tous ses états. Il faut croire qu'elle ne joue pas la comédie. Elle n'a rien à cacher. Cela a rappelé à Hobson une de ses tantes. Une femme extrêmement difficile à vivre. Impossible de lui arracher trois mots sensés. Autant essayer de puiser de l'eau avec un seau dans un puits à sec — vous aurez beau lancer votre seau, vous ne ramènerez rien. Vous en aurez déjà déduit que notre brave sergent Hobson a été élevé dans un village où l'on devait pomper l'eau à la source.

— Et la bonne de Mrs. Dugdale ?

— Impénétrabilité, comme a si bien dit Humpty Dumpty[1]. La femme de chambre m'a tout l'air d'un croisement entre une huître et un piège à loup. Les deux autres bonnes — car il y en a encore deux autres — sont des femmes d'un certain âge qui croiraient déchoir en collaborant avec la police. Hobson pense

1. Personnage de Lewis Carroll (1832-1898), cf. *De l'autre côté du miroir*. (*N.d.T.*)

qu'elles ne savaient rien mais que, dans le cas contraire, elles n'auraient de toute façon rien dit. Et c'est là que vous entrez en scène, ma chère.

Miss Silver joua les modestes.

— Et quel rôle m'attribuez-vous donc?

Elle put l'entendre rire.

— Strictement professionnel. Thomasina va vous rendre visite. Elle a reçu un gros héritage de sa tante et ne lésinera pas sur la dépense. Je lui ai affirmé qu'il n'y avait qu'une seule personne capable de faire parler une huître : vous. Plus sérieusement, je suis persuadé que quelqu'un, chez cette Mrs. Dugdale, sait quelque chose. Puisque le supplice de la roue est passé de mode, je ne vois pas d'autre moyen de les faire parler. Quand Anna est partie, elle était vivante et avait tous ses esprits...

— Comment est-elle partie?

— En bus. Avec sa valise, tout ce qu'elle avait. Elle n'a passé là-bas qu'un mois, voyez-vous. Elle a posté un colis à Thomasina, en Écosse, lui annonçant qu'elle lui écrirait à ce propos plus tard. Elle n'a jamais écrit.

Miss Silver posa une question des plus pertinentes :

— Quelle était la destination de ce bus?

— C'est justement ce que personne ne sait. Anna est allée à pied au bout de la rue, jusqu'à l'arrêt du bus. Il en passe six à cet endroit. Personne ne sait lequel elle a pris. Un tout petit problème de rien du tout, n'est-ce pas? Elle a aussi bien pu aller à King's Cross qu'à Waterloo, Victoria, Baker Street, Holborn, ou Tottenham Court Road[1]. Elle a pu le quitter et prendre le métro. Ou monter dans un car pour l'Écosse. Ou héler un taxi et se faire conduire sur les docks. Tout est envisageable.

1. Tous ces lieux sont situés au cœur de Londres. (*N.d.T.*)

36

— Mon Dieu ! laissa échapper Miss Silver.

Une heure ou deux plus tard, Thomasina Elliot était assise dans un des fauteuils en noyer et regardait avec attention Miss Silver. Cela faisait à peine vingt-cinq minutes qu'elle était arrivée, mais elle avait déjà confié à cette ancienne petite gouvernante d'un autre temps beaucoup de choses qu'elle n'avait pas cru bon de dire à Peter Brandon ou à l'inspecteur Abbott.

A propos d'Anna Ball : « Elle était trop dépendante de moi. Il n'est pas bon qu'une personne dépende d'une autre à ce point. J'ai eu beau faire, elle n'a pas changé et elle ne s'est jamais liée avec quelqu'un d'autre. C'est pour cela que je suis sûre qu'elle ne s'est pas lassée de m'écrire. Elle n'a ni famille ni amis. Elle ne connaît que moi. Je dois la retrouver. »

A propos d'elle-même : « Tante Barbara m'a laissé beaucoup d'argent. J'ai vingt-deux ans et je peux en disposer comme je l'entends. C'est vraiment une grosse somme. Sa marraine était richissime — une drôle de femme, mais très gentille. Elle est morte à près de cent ans et a tout laissé à tante Barbara qui a partagé la somme entre Peter et moi. Petite, on m'emmenait souvent la voir. » Elle eut un regard ingénu. « Elle avait exactement les mêmes fauteuils et la même bibliothèque que vous. Cela ne vous gêne pas que je vous le dise, n'est-ce pas ? Dès que je vous ai vue, j'ai eu l'impression de vous connaître. »

Miss Silver lui offrit alors son fameux sourire, ce sourire qui lui avait valu non seulement la confiance, mais l'affection de tant de clients. Cela encouragea la jeune fille à parler de Peter Brandon :

— Tante Barbara avait épousé son oncle. Il a à peu près dix ans de plus que moi. Ma tante voulait que je l'épouse, mais elle n'en touche mot dans son testament. Il m'en parle, de temps à autre, mais je ne crois pas qu'il y pense sérieusement. Voyez-vous, nous

nous connaissons sur le bout des doigts, et cela risque d'être ennuyeux de vivre avec un partenaire dont on n'ignore rien. Bien sûr, chacun connaît déjà les défauts de l'autre...

Miss Silver la considéra avec tendresse.

— Une affection de longue date est un grand avantage si l'on envisage de se marier.

Thomasina soupira.

— C'est ce que disait toujours tante Barbara.

Elle soupira de nouveau.

— Peter a un caractère très autoritaire. Il est écrivain. J'imagine qu'avoir l'habitude de manipuler des personnages vous fait croire que vous pouvez agir de même avec des personnes réelles. Il est très dur avec cette pauvre Anna. Il n'arrête pas de répéter : « Laisse-la tomber, et elle réapparaîtra. »

Pendant quelques secondes, Miss Silver se contenta de tricoter.

— Cette dernière lettre, dont vous m'avez parlé... j'aimerais la voir, dit-elle enfin.

Thomasina ouvrit son sac à main.

Elle lui tendit une feuille pliée en deux — du papier à lettres à l'en-tête du 5, Lenister Street, S. W, et un numéro de téléphone, celui de Mrs. Dugdale à n'en pas douter. Sous l'en-tête, sans aucun préambule, quelques lignes, d'une écriture descendante, avaient été griffonnées à la hâte :

Dieu merci, j'aurai enfin quitté cet endroit quand tu recevras ce mot! (C'était souligné d'un trait épais.) *Comment ai-je pu le supporter! Je ne te parlerai pas de ma nouvelle place avant d'avoir commencé — pas le temps — tout arrive d'un coup. Je te fais parvenir un colis d'effets personnels à conserver au cas où je n'y resterais pas.*

Je t'embrasse.

Anna

Miss Silver lui rendit la lettre.

— Avez-vous rencontré cette Mrs. Dugdale, le dernier employeur d'Anna?

Les yeux de Thomasina s'enflammèrent.

— Si l'on peut appeler ça une *rencontre*! Elle était avachie en robe de chambre sur son canapé, les stores baissés, un flacon de sels à la main! Et tout ce qu'elle a trouvé à me dire, c'est qu'Anna n'avait pas laissé d'adresse et qu'elle ne savait rien d'elle. Et que je pouvais me retirer, parce qu'elle commençait à avoir la migraine! Là-dessus, une espèce de gardienne de prison absolument horrible, qui faisait office de bonne, m'a lancé un regard furieux et m'a demandé de m'en aller. Oh, Miss Silver, vous allez m'aider, n'est-ce pas? L'inspecteur Abbott m'a juré que vous étiez la seule personne capable de la faire parler!

5

Vers la fin de l'après-midi du lendemain, Miss Silver parvint à franchir les redoutes du 5, Lenister Street. La chance n'y était pour rien. Elle avait su faire jouer ses relations. Sa nouvelle profession lui avait valu de nombreux contacts utiles. Grâce aux informations fournies par Scotland Yard et à un emploi judicieux du téléphone, elle parvint à contacter une amie d'une amie de Mrs. Dugdale. Une insistance bon enfant, enrobée de formules de politesse et de remerciements bien tournés, lui valut le sésame tant espéré.

Elle sonna à la porte et fut introduite par une domestique d'un certain âge, calme et réservée, qui la mena dans un salon du premier étage où une unique lampe voilée diffusait une lumière d'un vert blafard. Rien de plus déprimant en vérité. La température dépassait les 20°. Aucun doute, Mrs. Dugdale souffrait des nerfs.

La domestique, parfaitement stylée, avait murmuré son nom avant de s'éclipser. La pièce était encombrée de petites tables bon marché et de fauteuils aux pieds biscornus, et Miss Silver prit garde de ne pas trébucher. Elle se dirigea d'un pas prudent vers un sofa au fond de la pièce.

Elle toucha une main qu'on lui tendait à peine. Un

grognement étouffé lui parvint de sous un couvre-lit brodé.

— Non, Chang ! fit Mrs. Dugdale d'une voix épuisée. Veuillez vous asseoir, Miss Silver. Chouchou est un très, très vilain garçon. Non, Chang — *non* !

Le couvre-lit se souleva, le grognement se changea en un grondement et le grondement en un aboiement furieux. Chouchou émergea — un méchant pékinois belliqueux, à la robe fauve, au masque noir où étincelaient deux yeux rien moins qu'accueillants. Mrs. Dugdale pressa le bouton de la petite sonnette électrique posée à portée de main sur l'une des tables bon marché aux pieds biscornus. Deux coups longs et un bref firent venir, non pas la bonne qui l'avait introduite, mais une femme à l'aspect sévère, en qui Miss Silver reconnut aussitôt la gardienne de prison décrite par Thomasina. Mrs. Dugdale dut élever la voix pour couvrir les aboiements ininterrompus de Chang.

— Postlethwaite, emmmenez-le, pour l'amour du ciel ! Oh, ma tête ! Non, Chouchou ! Vilain — *vi-lain* ! Le pauvre, il ne supporte pas les étrangers.

Sans quitter des yeux l'animal, qui se laissait emmener à contrecœur, Miss Silver se dit que la réciproque devait être vraie.

— Postlethwaite, s'il vous plaît — mes sels. Je ne les trouve plus, je les avais à l'instant... Oh, merci — comme c'est gentil à vous !

Ces derniers mots étaient pour Miss Silver qui avait mis la main sur le précieux flacon et le lui tendait.

La bonne était à peine arrivée à la porte que Mrs. Dugdale s'aperçut de la disparition de son mouchoir. On se mit donc en quête de l'objet, ce dont profita Chang pour faire un tel vacarme que même Miss Silver fut tentée de se boucher les oreilles. Quand, enfin, la porte se referma sur les aboiements de l'animal, elle poussa un grand soupir de soulagement. Elle s'était accoutumée au crépuscule verdâtre qui régnait dans la pièce, et elle put examiner d'un peu plus près Mrs. Dudgale, qui gisait maintenant sur le sofa, dans un grand amoncellement de coussins, proche de l'évanouissement. Elle vit une petite dame plutôt distinguée qui avait dû être extrêmement jolie, il y avait une trentaine d'années de cela. Le passage du temps avait épargné une grande partie de ses cheveux blonds, elle avait de gros yeux bleus saillants, et des traits qui auraient gardé un certain charme s'ils n'avaient trahi une telle irritabilité.

— Il est tellement fougueux ! soupira Mrs. Dugdale. Et *si* dévoué. Il ne me quitterait pour rien au monde.

— Je crois que c'est une race très intelligente.

— D'une intelligence *humaine*, renchérit Mrs. Dugdale, *véritablement* humaine. Et ils sont tellement beaux — de vrais petits lions. Aussi courageux que des lions, croyez-moi. Vous n'avez pas idée de sa témérité.

Miss Silver ne vit aucun inconvénient à ce qu'on lui narre quelques anecdotes illustrant le charme, le courage et la fidélité de Chang, mieux, elle les encouragea. Évoquer la vie tumultueuse de Chang avait ranimé la flamme de la vie chez Mrs. Dugdale et elle en vint au dernier de ses exploits :

— Il m'est revenu tout couvert de sang, après que cet horrible chat l'eut griffé. Mais il était toujours aussi bagarreur. Il suffisait de le voir dresser sa queue quand il y repensait, et comme il grognait ! Il a même mordu Postlethwaite, qui voulait nettoyer sa blessure. Certes, elle lui est très attachée, mais je ne crois pas qu'elle ait beaucoup apprécié.

Miss Silver estima qu'il était temps d'évoquer Anna. Elle parla avec autorité.

— Est-ce que Miss Ball lui était attachée ? Je crois qu'elle a vécu chez vous quelque temps.

42

— *Attachée ?* Mon Dieu ! Une fille complètement dépourvue de cœur. D'une insensibilité ! Figurez-vous... le jour où il l'a mordue, parce qu'elle lui avait marché sur la patte, elle était bien plus soucieuse de l'accroc qu'il avait fait à son bas et de la marque de ses petites dents adorables que de n'importe quoi d'autre ! Comme je lui en ai fait la remarque, elle aurait pu l'estropier à vie, mon petit Chouchou chéri — écraser sa jolie papatte, avec son horrible pied ! Et elle s'est montrée d'une grossièreté, d'une agressivité ! Cela m'a valu une de mes migraines les plus insupportables, j'ai mis des jours à m'en remettre.

Miss Silver toussota.

— Cela a dû être très éprouvant.

— J'ai été *soulagée* de son départ. Vous pouvez demander à Postlethwaite. Elle m'avait été présentée par ma cousine, Lilla Dartrey. Quel manque d'égards que de me présenter une telle incapable ! Je ne l'ai gardée qu'un mois. Croyez-vous qu'après son départ j'ai pu avoir un moment de paix ? Pas du tout. La *police* , croyez-le ou non, la police a forcé ma porte pour me poser tout un tas de questions à son sujet.

— Ce fut certainement une expérience très pénible.

Mrs. Dugdale avait ouvert son flacon de sels. L'atmosphère se mit à embaumer le vinaigre aromatisé. Elle renifla.

— J'étais prostrée. Je n'ai pas les nerfs assez solides pour supporter ce genre d'épreuve. J'ai dit au sergent Hobson : « Ce n'est pas la peine de me poser des questions à son propos, je ne peux en rien vous être utile. Elle n'est restée qu'un mois et elle est partie sans laisser d'adresse. C'était une personne particulièrement antipathique, et j'étais bien contente de la voir s'en aller. Je ne peux rien faire pour vous et je ne tiens pas du tout à être mêlée à ses affaires. » Ne pensez-vous pas que j'avais *raison* ?

— Les policiers sont entêtés, dit Miss Silver comme à regret, je crains fort qu'ils ne vous laissent pas en paix.

— Je refuserai de les recevoir.

Miss Silver ne releva pas. Elle dit :

— Il est étrange que de nos jours, où l'on rencontre tant de gens indésirables, quelqu'un puisse employer une jeune femme sans se renseigner sur elle. J'imagine que Miss Ball n'aura pas eu l'audace de vous demander de vous porter garante pour elle, bien que je croie que, légalement, vous soyez obligée de transmettre ses références si elle n'est pas demeurée chez vous plus d'un mois.

Mrs. Dugdale se troubla.

— Rien ne pourrait être plus injuste, et c'est ce que j'ai dit à la personne qui m'a téléphoné. Ma cousine m'avait fourni de très bonnes garanties à son propos, et comment a-t-elle fait pour me tromper à ce point, franchement je l'ignore. Moi, j'en serais incapable. J'ai dit à la personne qui m'a appelée que Miss Ball avait travaillé chez une de mes cousines pendant une année ou deux — *en Allemagne*.

Dans sa bouche, ce mot semblait évoquer un environnement des plus louches.

— J'ai dit qu'elle ne me plaisait pas et que je ne pouvais, personnellement, la recommander, mais que je n'avais aucune raison de penser qu'elle n'était ni honnête ni respectable. Je ne vois pas ce que j'aurais pu ajouter.

— La police pourrait ne pas s'en contenter.

Le visage de Mrs. Dugdale s'empourpra légèrement.

— Oh, *ceux-là*, je ne leur ai rien dit. D'ailleurs, ça ne les regardait pas.

— Ils sont tellement curieux, soupira Miss Silver. Je me demande combien de temps une fille telle que vous me la décrivez pourra satisfaire un employeur. Cette personne qui vous a téléphoné... comment s'appelait-elle déjà ?

Mrs. Dugdale eut recours au flacon de sels.

— Je suis *incapable* de me souvenir d'un nom... ça me met les nerfs en pelote.

Elle s'interrompit, aspira bien fort, et ajouta, d'une voix dubitative :

— Cadbury, peut-être ?

Mais il n'y avait aucune raison particulière pour que ce fût Cadbury.

Mrs. Dugdale poursuivit, songeuse :

— Ou Bostock, ou Cadell, ou Carrington... Une voix très curieuse, en fait... très grave. J'aurais pensé que c'était un homme, mais elle cherchait une gouvernante pour ses trois enfants. J'ai cru de mon devoir de l'avertir du comportement cruel de Miss Ball envers mon petit Chouchou, mais elle m'a assuré que ses enfants étaient capables de prendre soin d'eux. J'ai donc la conscience tranquille.

— Et comment s'appelait-elle ?

— Chelmsford — ou Ruddock — ou Radford ? Oh, je ne sais plus ! gémit Mrs. Dugdale.

Miss Silver avait sorti un crayon et du papier d'un sac à main noir bien fatigué. Elle compléta sa liste de noms.

— J'ai une jeune amie qui est très impatiente de retrouver Miss Ball. Celle-ci lui a confié une malle dont elle ne sait que faire.

Mrs. Dugdale renifla son flacon de vinaigre aromatisé.

— Quel toupet ! dit-elle. Ça lui ressemble tout à fait. Je me souviens que la sœur de mon mari a agi de même à mon égard — pour un carton de vêtements, qui m'encombrait et qui ramassait les mites. Le pauvre était d'une faiblesse insigne dès qu'il avait affaire à sa famille.

Miss Silver se laissa narrer tous les détails de cet épisode de la vie de Mary Dugdale. Cela eut le don d'exciter la verve de sa belle-sœur.

— Une personne tyrannique, et terriblement fatigante. Ses amis la trouvaient exubérante : « Mary est si *exubérante* ! »

Elle tressaillit.

— Je ne crois pas m'en être encore remise. Elle est restée trois mois, et chaque fois qu'elle pénétrait dans le salon elle ouvrait une fenêtre.

L'atmosphère était si étouffante, si lourdement imprégnée de vinaigre aromatisé, d'une odeur de poudre de riz entêtante et d'un relent de naphtaline, que Miss Silver ne put s'empêcher d'éprouver une certaine sympathie pour l'exubérante Miss Dugdale, non pas qu'elle appréciât les courants d'air — au contraire —, mais une chambre de malade devait être régulièrement aérée.

Quand la dernière goutte d'auto-apitoiement eut été bue, et pas avant, elle toussota légèrement pour ramener la conversation sur le nouvel employeur d'Anna Ball.

— J'étais sûre que vous seriez sensible au désarroi de ma jeune amie. Peut-être que votre bonne — comment s'appelle-t-elle ? — oui, Postlethwaite — peut-être pourrait-elle nous aider.

L'excitation de Mrs. Dugdale retomba. Elle ferma les yeux et dit qu'elle en doutait. Quelques paroles pleines de tact parvinrent néanmoins à la convaincre et Miss Silver fut autorisée à sonner la femme de chambre.

— Deux longs et un bref. Je crois que je ferais mieux de ne plus parler. Ce fut très agréable, mais je vais en subir les conséquences. Mes *douleurs*, voyez-vous...

Elle n'avait pas encore achevé d'en énumérer les

symptômes quand Postlethwaite apparut, plus renfrognée que jamais, mais, grâce à Dieu, sans Chouchou. Toute la diplomatie de Miss Silver ne parvint pas à trouver la faille dans son armure. Postlethwaite fit bien comprendre qu'elle n'avait nulle intention de se souvenir, ou même d'essayer de se souvenir de quoi que ce soit à propos de Miss Ball. Pour elle, Anna Ball n'existait plus.

L'attitude de Mrs. Dugdale lui fut d'un faible secours.

— Nous ignorons l'adresse de Miss Ball — n'est-ce pas, Postlethwaite ?

— Oui, madame.

— Pas plus que nous ne savons où elle est partie.

— Oui, madame.

Mrs. Dugdale ferma les yeux.

— Dans ce cas, je crois qu'il est temps pour moi de ne plus parler.

L'entretien était clos. Ce n'était guère encourageant — absolument pas encourageant.

Un faible espoir naquit quand il apparut qu'il n'entrait pas dans les fonctions de Postlethwaite de raccompagner l'invitée. Un seul coup prolongé de la sonnette électrique prévint la femme d'un certain âge, qui faisait le service de table, de s'en charger. Et, tandis qu'elle entretenait aimablement Agnes des préoccupations de sa jeune amie concernant la malle de vêtements de Miss Ball, Miss Silver tira de son vieux sac à main un billet de cinq livres. Quand elle raconta la scène, plus tard, à Mrs. Harrison, la cuisinière, Agnes pouvait à peine articuler :

— Eh bien, pensais-je, c'est comme je dis toujours, il ne faut jamais jurer de rien. Figurez-vous que je sais reconnaître une dame. Et c'en était une. Mais complètement démodée — vous l'auriez vue ! Avec un de ces vieux manteaux noirs qui semblent n'avoir jamais été neufs, et un tour-de-cou en fourrure qui semblait provenir d'un magasin d'occasions. Des bas de laine noirs, et un chapeau, exactement le même que celui que nous avons vu dans ce film — son titre m'échappe. Vous savez bien, ce film avec la fille qui a une horrible gouvernante qui veut l'empoisonner.

Mrs. Harrison fut d'accord pour dire que les gouvernantes étaient toujours sources d'ennuis dans une maison, mais, Dieu merci, elles se faisaient de plus en plus rares.

— Oui, c'est à cela qu'elle ressemblait — une de ces vieilles gouvernantes à l'ancienne, et je peux vous dire que lorsqu'elle a tiré un billet de cinq livres de son sac, j'en suis restée comme deux ronds de flan. « Ma jeune amie », qu'elle dit — il s'agit de la fille dont elle n'avait cessé de me causer en descendant l'escalier, aucun nom, rien que « ma jeune amie » —, a hâte de se débarrasser de cette malle que Miss Ball lui a laissée, aussi lui faut-il son adresse et si vous, ou la cuisinière pouviez l'aider, il y aura une récompense, et un autre billet de cinq livres. Alors elle me l'a fourré dans la main, et m'a regardée, toute souriante. Moi, je me suis dit que cela ne concernait en rien Miss Postlethwaite, et je lui ai dit que nous serions très heureuses de l'aider, et est-ce qu'elle pouvait me laisser son adresse, et elle l'a notée sur le bout de papier que voilà.

Le billet de cinq livres et le bout de papier étaient posés l'un à côté de l'autre sur la table de la cuisine. Mrs. Harrison l'avait regardé, avant de s'exclamer :

— Ben, ça alors !

6

— Mrs. Harrison et moi, nous en avons reparlé, dit Agnes. Nous avons pensé que cela ne regardait en rien Miss Postlethwaite.

Elle s'assit sur le rebord d'une des chaises à haut dossier, les mains serrant un nouveau sac à main noir vernis, muni d'un fermoir doré. Ses gants aussi étaient neufs et d'excellente qualité, et son manteau noir avait coûté bien plus cher que Miss Silver n'aurait pu l'envisager pour elle-même.

Comme elle s'était tue, dans l'attente d'un commentaire éventuel, Miss Silver dit :

— C'est bien mon avis !

Agnes ouvrit son sac noir flambant neuf, en sortit un mouchoir impeccable, soigneusement plié, marqué d'un A entrelacé par une guirlande de myosotis, s'en tamponna le bout du nez, et, après l'avoir remis, toujours plié, dans son sac, réitéra sa dernière remarque, comme pour en souligner toute la pertinence :

— Nous avons pensé que cela ne la regardait pas du tout.

Miss Silver acheva un rang et en attaqua un nouveau. Elle avait déjà tricoté près d'une trentaine de centimètres du dos du cardigan d'Ethel Burkett. Si elle ne s'était pas interrompue pour se lancer dans une paire de chaussons de bébé, elle aurait été beaucoup plus avancée. Elle se doutait bien que le premier billet de cinq livres, sans parler de celui qu'Agnes espérait recevoir, avait été partagé avec Mrs. Harrison et que Postlethwaite n'était pas partie prenante dans l'affaire. Elle eut un sourire des plus encourageants. Agnes poursuivit :

— Aussi avons-nous décidé que je devais venir vous voir, car Mrs. Harrison a des difficultés à marcher.

— Je crois que vous avez parfaitement agi.

— Oui, c'est ce que nous avons décidé. Non pas que nous ayons beaucoup de choses à vous apprendre. Mais, votre amie est si gentille — et elle offre une récompense —, alors nous avons pensé que je devais venir.

De nouveau, Miss Silver lui décocha son sourire le plus aimable.

— Je suis sensible à votre franchise. Et maintenant, qu'avez-vous à me dire ?

Le long visage cireux d'Agnes retrouva quelques couleurs.

— Alors ça c'est passé comme ça. Il y a un téléphone dans le salon, mais, sauf cas exceptionnel, on n'utilise que celui du vestibule, et c'est moi qui réponds — à cause de la maladie nerveuse de Mrs. Dugdale.

— Ah oui ? dit Miss Silver avec une pointe de curiosité.

Agnes ressortit son mouchoir et s'en tamponna le nez.

— C'était environ une semaine avant le départ de Miss Ball. J'étais dans la salle à manger en train d'astiquer l'argenterie quand le téléphone a sonné. « Bon, je me dis, je vais d'abord finir ces cuillers. » Ça ne m'a pas pris plus d'une minute, mais, quand je suis arrivée à la porte du vestibule, Miss Ball avait décroché, ce qu'elle n'était absolument pas censée faire. Elle ne m'avait pas vue et j'ai décidé d'en avoir le cœur net. Elle passait son temps à espionner et à fourrer son nez partout, et je me suis dit que l'occasion était belle de lui donner une leçon. Je n'aurais pas écouté, si ce n'avait pas été elle, mais elle n'avait pas le droit de répondre au téléphone. Alors j'ai écouté.

— Vraiment ?

— Comme je vous le dis.

Agnes s'échauffait. Elle se servit à nouveau de son mouchoir avant de poursuivre.

— Voilà ce qu'elle a dit : « Oui, c'est bien moi, je suis Miss Ball... Oui, oui, bien sûr, vous pouvez parler à Mrs. Dugdale. Je vais vous la passer. Vous savez, ça ne lui plaît pas du tout que je la quitte. Mais elle devra néanmoins vous confirmer que j'ai travaillé chez Mrs. Dartrey — croyez-moi. »

Miss Silver se fit pensive.

— Je comprends, elle parlait à son futur employeur.

— Je crois bien, oui. Elle a écouté un moment puis elle a dit : « Quel genre de place me proposez-vous ? La campagne, c'est très bien en été, mais ce n'est pas la porte à côté, et il n'est pas toujours facile de s'y rendre. Ça m'a tout l'air d'être un coin perdu, votre Deep End, pas vrai ? » Et elle s'est mise à rire bêtement, comme si elle avait fait une bonne blague. Elle a encore écouté un moment et puis elle a dit : « Il y a tant de maisons que ça ? Ça me semble bizarre. Pourquoi on appelle ça une *colonie* ? » Mais je n'ai pas eu la patience d'en entendre plus. J'ai fait irruption dans le hall et j'ai dit : « S'il y a un message, c'est à moi de le prendre, Miss Ball ! Et s'il s'agit d'un appel pour Mrs. Dugdale, vous avez intérêt à le lui passer. » Bien sûr, si j'avais su...

51

Miss Silver garda pour elle la citation fort pertinente qui venait de lui traverser l'esprit : *On pèche autant par manque d'esprit que par manque de cœur.* Il était regrettable que, par excès d'impatience, Agnes eût interrompu la conversation d'Anna Ball. Mais il n'y avait plus rien à faire.

— Vous êtes bien sûre qu'elle a parlé de Deep End ? demanda-t-elle.

Le visage d'Agnes s'anima.

— Absolument sûre. Parce qu'un des enfants de ma sœur est né dans un endroit analogue. Son mari était jardinier chez un aristocrate.

— Et où se trouvait cet endroit ?

— Dans le Lincolnshire — le pays le plus humide du monde, disait toujours ma sœur. Deeping Saint Nicholas. Ils ont appelé leur bébé Nic, ce qui n'est pas un prénom à mon goût. Le plus bête, c'est que le vieux gentleman est mort et ils ont déménagé dans le Devonshire à peine six mois plus tard.

— Mais le nom qu'a mentionné Miss Ball n'était pas Deeping, mais Deep End. Vous en êtes bien sûre ?

— Oh, oui. Parce que ça m'a aussitôt fait penser à ma sœur et à son bébé.

— Est-ce qu'il y avait un autre endroit appelé Deep End dans le voisinage ? Ou est-ce que votre sœur a jamais parlé d'un lieu qui aurait pu ressembler à « colonie » et qui aurait pu avoir un rapport avec Deep End ?

Agnes secoua la tête.

— Je ne saurais vous dire. Mais elle n'est pas restée là-bas plus de huit ou dix mois — et ça se passait il y a bien une trentaine d'années, alors, impossible de vous dire ce qu'on peut y trouver maintenant.

Les aiguilles de Miss Silver cliquetèrent.

— Il peut s'en passer des choses en trente ans, dit-elle.

Agnes approuva tristement.

— Comme vous dites. Mon beau-frère s'en est allé, et le pauvre petit Nic aussi — tué à El Alamein, laissant une femme jeune avec deux jumelles. Des enfants ravissantes — toujours si éveillées. Je n'ai rien contre le fait qu'elle se remarie, mais cela ne rendra pas son fils à ma sœur.

Après cet aparté très humain, l'entretien s'acheva de manière satisfaisante pour Agnes, qui se retira avec cinq livres supplémentaires à partager avec Mrs. Harrison.

Miss Silver n'était pas mécontente non plus. Car, si elle n'en avait pas appris autant qu'elle l'espérait, elle en savait du moins un peu plus, et c'était déjà mieux que la police. Elle appela Scotland Yard et eut la bonne fortune de pouvoir parler rapidement à l'inspecteur Abbott. A son joyeux « Bonjour, m'dame, que puis-je faire pour vous ? » elle répondit de manière réservée.

— A propos de la personne disparue dont vous m'avez parlé...

— L'insaisissable Anna ?

— J'ai appris quelque chose. Il y a de bonnes raisons de croire qu'elle a quitté Mrs. Dugdale pour un endroit du nom de Deep End. Mon informatrice a pensé alors à Deeping, car elle a eu de la famille à Deeping Saint Nicholas, dans le Lincolnshire. Elle a surpris une conversation téléphonique de Miss Ball avec son futur employeur. Le nom Deep End a été employé, elle est sûre d'avoir bien entendu. Je me suis alors souvenue de Deeping, dans le Ledshire, où j'ai passé quelques journées très agréables avec le colonel et Mrs. Abbott. Je me demandais s'il n'existait pas un Deep End dans le voisinage. Je crois savoir que vous avez passé une bonne partie de votre enfance dans cette région.

— Non, il n'y a aucun endroit de ce nom.

— D'après le contexte, il semblerait que cela se trouve à la campagne. L'on a également suggéré à Miss Ball que sa solitude serait atténuée par la présence d'une *Colonie*.

Elle s'interrompit.

— Rien d'autre ?

— Je le crains.

— C'est plutôt énigmatique ! Elle est sûre d'avoir entendu Deep End, mais cela lui a fait penser à Deeping ! Bon, pourquoi pas. Mais ça pourrait aussi bien s'appeler Deeping, même si elle croit le contraire, et dans ce cas, le choix est plus que vaste. Je suis sûr qu'il ne s'agit pas de celui où vivaient mon oncle et ma tante, mais j'ai comme dans l'idée qu'il existe un autre Deeping, même dans le Ledshire. Bien sûr Deep End, ça me fait penser à un de ces noms qu'on donne presque toujours à un vague hameau oublié près d'un marécage. Un coin humide. Mais on en trouve pas mal — un par comté, un peu partout. Je vais voir combien je peux en trouver et passerai vous apporter mon butin, si je ne suis pas bredouille. Est-ce que cela vous convient ?

Le butin s'avéra maigre, mais Frank admit que c'était mieux que rien. Tout en dégustant un excellent café, il fit part de ses trouvailles. Outre Deeping Saint Nicholas, dans le Lincolnshire, un bourg assez important, et le village dans le nord du Ledshire où vivaient le colonel et Mrs. Abbott, il existait un autre Deeping dans le sud-ouest du même comté.

— En fait, je crois que nous avons de la chance. Deeping Saint Nicholas ne me semble pas correspondre, et nous pouvons l'éliminer. De même pour notre Deeping familial. Mais je crois que le troisième est le bon. J'ai consulté Randal March. Selon lui, ce Deeping est juste à la frontière du comté, et s'est longtemps appelé Deeping-in-the-Marshes, mais après que l'on a asséché la plus grande partie des marais on a raccourci le nom en Deeping. Ce n'est qu'un village, avec quelques grandes pépinières qui alimentent le marché de Ledlington. Et, à moins de deux kilomètres, on trouve une espèce de chemin du nom de Deep End. Il y avait là une grande bâtisse, qui a été bombardée pendant la guerre. Ce pourrait être votre « Colonie ». March m'en dira plus dès qu'il aura vérifié.

Le visage de Miss Silver s'illumina.

— C'est très possible. Le café est-il à votre goût ?... Pendant que vous le buvez je vais vous raconter la visite de la domestique de Mrs. Dugdale.

Frank Abbott s'étira sur un des larges fauteuils et écouta Miss Silver lui relater sans rien omettre la conversation d'Anna Ball au téléphone telle que l'avait racontée Agnès.

— Croyez-vous qu'on puisse y prêter foi ? dit-il enfin.

— Oh, oui. Elle est de la vieille école, consciencieuse et précise.

— Il est vraiment dommage qu'elle n'ait pas saisi le nom de l'employeur.

D'un ton navré, Miss Silver observa :

— La seule personne qui semble l'avoir entendu est Mrs. Dugdale, mais j'ai peur que les adjectifs consciencieuse et précise ne lui conviennent pas. C'est un de ces esprits flous, inconsistants, bien trop occupés d'eux-mêmes pour porter la plus petite attention à autrui.

— Avez-vous quand même réussi à en tirer quelque chose ? Hobson a fait chou blanc.

Miss Silver lui tendit une demi-feuille de papier.

— Elle a accepté de parler, et m'a donné toute une liste de noms, après avoir fait remarquer que ce n'était pas Cadbury.

Il haussa les sourcils.

— Le lui aviez-vous suggéré?

— Pas le moins du monde.

Il parcourut toute la feuille à voix haute.

— Cadbury — Bostock — Cadell — Carrington — Chelmsford — Ruddock — Radford.

Il lui lança un regard interrogateur.

— Qu'en dites-vous?

— Est-ce que cela vous inspire?

— Pas vraiment, bien que...

Il consulta de nouveau la liste.

— Cadbury, Cadell, Carrington, Chelmsford — cela fait beaucoup de C. Voyons voir... Bostock, Ruddock — deux noms plutôt rares. Cadbury, Cadell, Carrington, Radford — une certaine ressemblance entre les premières syllabes.

— C'est aussi ce que j'ai pensé. Je n'ai pas pu m'ôter de l'idée que tous ces noms lui avaient été suggérés par celui qu'elle avait entendu, mais qu'elle n'a pas voulu se donner la peine de retrouver.

— Vous croyez qu'il commence par un C?

— Je crois que c'est possible. Et qu'il peut se terminer par *ford* ou *ock*. Plutôt par *ock*, car Bostock et Ruddock sont des noms peu communs, auxquels on ne penserait pas, sauf par une association d'idées fortement justifiée, alors que le suffixe *ford* est extrêmement répandu.

Il la considéra avec un sourire interrogateur.

— Et qu'en concluez-vous?

— J'en conclus qu'un de ces noms peut vraiment être celui de l'employeur d'Anna Ball. Je ne le crois pas, mais c'est possible. Ou que si nous devons chercher un autre nom, cela peut être Craddock.

— Et qu'est-ce qui vous fait dire cela? Non, attendez: *ad* trois fois, *ock* deux fois, un saupoudrage de *r* et un tas de C — c'est possible. A moins que...

Son sourire devint franchement provocant.

— ... vous n'ayez beaucoup plus d'imagination que Mrs. Dugdale. Ce genre de personne est capable de faire preuve d'une totale inconséquence. Et le nom pourrait tout aussi bien être Smith ou Jones.

Elle considéra son ouvrage d'un beau bleu profond.

— C'est tout à fait possible. Néanmoins, vous pourriez vous renseigner sur le Deeping du Ledshire, ainsi que sur le petit chemin, Deep End. Je crois qu'il vaut mieux abandonner Deeping Saint Nicholas. Mais Deep End, avec son nouveau domaine, me semble convenir. Nous devons chercher quelqu'un qui a trois enfants, et qui aurait engagé une gouvernante ou une bonne pour enfants il y a quatre ou cinq mois. La seule chose dont Mrs. Dugdale se souvenait à propos de l'éventuel employeur de Miss Ball était sa voix. Une voix si grave qu'elle a cru qu'il s'agissait d'un homme qui parlait. Et peut-être est-ce la vérité. Sans aide, la mère n'aurait pas pu laisser ses enfants seuls. Je propose donc de concentrer les recherches sur Deep End. Est-ce que le domaine était communément appelé la Colonie ? Est-ce qu'on y trouvait une famille telle que je vous l'ai décrite, dont le nom aurait quelque ressemblance avec ceux dont nous avons parlé ? Si oui, vous admettrez qu'il faudra mener une enquête pour retrouver Miss Ball. Si elle a accepté la place qui apparemment l'intéressait, on devrait le savoir. Peut-être y est-elle encore. A moins qu'elle ne soit partie. Auquel cas, Mrs. Craddock doit connaître son adresse.

Frank Abbott se mit à rire.

— Craddock ?

Miss Silver toussota.

— Ou Smith, ou Jones, ou Robinson.

7

Frank Abbott appela le lendemain.

— Écoutez bien. J'ai surpris le chef de bonne humeur. Je peux foncer et mener l'enquête. J'ai eu droit au couplet habituel sur les affaires sérieuses et les autres, mais sans plus. Attendez-moi donc demain, quand je quitterai le bureau. Je risque d'arriver tard... Très bien dans ce cas — disons dernier délai minuit.

Il était loin d'être si tard quand Hannah l'introduisit. En lui ouvrant la porte du salon, elle lui annonça que des sandwiches l'attendaient et que le café n'allait pas tarder.

Miss Silver sourit.

— Hannah est toujours persuadée que vous mourez de faim quand vous venez me voir.

— A vrai dire, j'ai avalé un truc innommable, mais je veux bien essayer de l'oublier.

Il approcha un fauteuil près du feu et offrit la paume de ses mains aux flammes.

— Brr... fait pas chaud ! Mais j'en ai été pour mon voyage — enfin, pas vraiment bredouille, mais c'est tout comme.

Une fois encore, il était sensible au confort et à la tranquillité de cette pièce, avec ses meubles démodés et tout ce qui lui rappelait une époque que ne troublaient pas le bruit des avions et le vacarme des bombes. La Tranquillité — cela avait été l'apanage de l'ère victorienne, mais peut-être que le prix à payer avait été trop fort. Il y avait des taudis et on exploitait les enfants ; la culture était réservée à une élite, mais au moins les enfants n'étaient-ils pas tirés de leur lit pour se réfugier dans les abris du métro, et leurs taudis n'étaient pas réduits en poussière. Il y avait des époques où les bienfaits de l'éducation semblaient quelque peu surestimés, car les nations n'avaient jamais été aussi promptes à se quereller dans la moderne tour de Babel qu'était devenu le monde.

La vision de Miss Silver, de l'autre côté de l'âtre, toute à son ouvrage, lui offrait un havre de sérénité dans ce monde instable. Aime Dieu, respecte la reine ; obéis à la loi ; sois gentil et charitable ; pense à autrui plutôt qu'à toi-même ; sers la Justice ; ne mens pas — tels étaient ses principes. *Si sic omnes !...*

Il se laissa entraîner par son sens de l'humour. Il imagina Miss Silver aux affaires — siégeant à l'Amirauté, au ministère de la Défense, au ministère de l'Air. Toute une procession de Miss Silver au four et au moulin. Comme dans le célèbre pamphlet de John Knox, *Monstruous Regiment of Women*[1]. Non, surtout pas. Ils n'avaient qu'une seule Maudie. Unique elle était, unique elle devait rester.

Hannah apporta le café, remplit sa première tasse, disposa les sandwiches et se retira. Alors seulement, Miss Silver prit la parole :

— Ainsi, vous vous êtes donné tout ce mal pour rien ?

1. *First Blast of the Trumpet against the Monstruous Regiment of Women*. Pamphlet de John Knox (v. 1513-1572) contre les gouvernements de Marie Tudor, en Angleterre, et de Marie de Lorraine, en Écosse. Considéré comme le premier pamphlet politique britannique *(N.d.T.)*.

— N'exagérons pas. Pour commencer, le nom est bien Craddock — je vous tire mon chapeau, mais admettez que ce fut un coup des plus chanceux.

Elle continuait sagement à tricoter.

— Ils comptent aussi. Vous avez donc trouvé Mrs. Craddock ?

— Monsieur, madame et les enfants, comme prévu. Ces gosses, il faut les voir pour le croire. Je comprends qu'Anna ne soit pas restée.

— Ah bon ? dit Miss Silver, interrompant son ouvrage. Elle est donc allée à Deep End, chez les Craddock ?

— Et en est repartie avant la fin de la deuxième semaine. Si nous commencions par le commencement ?

— Ce serait aussi bien. Je vous en prie, prenez votre temps. Les sandwiches au foie d'Hannah sont vraiment remarquables. Pour ma part, je les trouve aussi bon que des sandwiches au *foie gras*[1].

— C'est un génie. Je vous préviens, je suis capable de n'en épargner aucun.

— Mais ils ne demandent pas mieux, mon cher Frank. S'il vous plaît, ne laissez pas refroidir votre café.

Il se cala dans son fauteuil, avec le sentiment de se sentir chez lui.

— Bref, Deep End est formé de trois cottages et d'une vache, avec une de ces bâtisses monstrueuses commencées sous les Tudor et achevées sous Victoria. Plutôt, c'est la guerre qui l'a achevée — elle a été frappée en plein cœur par une bombe, et la plupart des pièces principales ne sont plus que ruines. C'est aussi bien, car la vieille famille qui l'occupait depuis une éternité venait de s'éteindre. Après être demeurée à

1. En français dans le texte. *(N.d.T.)*

60

l'abandon jusqu'à il y a trois ans, elle a été rachetée pour une bouchée de pain et remise en état. C'est-à-dire que le corps principal, qui avait le plus souffert, a été remis en ordre, sans pour autant être habitable.

— Est-ce Mr. Craddock qui l'a achetée ?

— Lui-même. Il habite une des ailes et laisse l'autre à l'abandon. Et — ouvrez grandes vos oreilles — il l'a rebaptisée. Deepe House s'appelle maintenant Harmony !

Miss Silver toussota.

— On peut y voir une intention louable, certes, mais ce genre de nom attire toutes sortes de commentaires désobligeants.

— Comme tous ces petits laiderons qui s'appellent Gloria, et toutes ces brunettes italiennes qui se font appeler Bianca ! Craddock a donc rebaptisé l'endroit Harmony et a lancé sa Colonie en mettant un pavillon et les écuries à la disposition de toute une bande d'excentriques. Après quoi il a obtenu un permis et a commencé à construire.

— Et Miss Ball ?

— Elle devait servir d'aide familiale à Mrs. Craddock, mais elle n'a pas tenu plus de deux semaines. Vous verriez les enfants, vous comprendriez mieux pourquoi. Leur éducation se borne à vivre tels que Dieu les a faits !

— Par ce temps ? Mon cher Frank !

— Non, ils ne font pas du nudisme — simplement, ils sont livrés à eux-mêmes, mais, s'ils voulaient se promener dans le plus simple appareil, personne ne s'y opposerait. Ni contraintes ni réprimandes. Ils poussent comme bon leur semble. J'ai eu une conversation approfondie avec Mr. Craddock à ce propos. A l'entendre, on ne doit jamais contrarier un enfant, sinon il aura des complexes. On ne doit jamais le punir, ou lui reprocher une action, il pourrait éprouver

61

un sentiment de culpabilité, ce qui est pire que tout. J'étais vraiment désolé pour Anna.

— Moi, je m'inquiète pour les enfants. C'est une chimère d'imaginer que l'on peut vivre sa vie en se croyant tout permis ! N'est-ce pas le meilleur moyen de provoquer des catastrophes ? Mais revenons à Miss Ball. Si elle a quitté Deep End après deux semaines, où est-elle allée ? N'a-t-elle pas laissé d'adresse une fois de plus ?

Frank confima de la tête.

— D'après les Craddock, un jour elle a éclaté en sanglots, disant qu'elle ne supportait plus les enfants et qu'elle s'en allait sur-le-champ. Elle a fait sa valise et il l'a conduite à Dedham, où elle a pris un billet de troisième classe pour Londres, voilà tout. Elle n'a laissé aucune adresse, car elle ne savait pas trop ce qu'elle allait faire. Elle devait écrire à ses amies dès qu'elle aurait pris une décision. Il prétend avoir insisté, mais elle n'y a guère mis du sien. J'en conclus qu'elle lui a fait comprendre que ça ne le regardait pas. J'ai eu l'impression que l'antipathie entre eux était réciproque. Mais, connaissant les enfants, je doute qu'ils trouvent facilement quelqu'un pour la remplacer.

— C'est leur intention ?

— C'est ce que m'a affirmé Mr. Craddock.

Pendant un court instant Miss Silver se contenta de tricoter en silence.

— Et Mrs. Craddock ? N'avait-elle rien à dire ?

Il rit.

— Si peu ! Je dirais que je l'ai trouvée quelque peu déprimée. Une de ces petites femmes effacées.

— Et lui ?

— C'est Jupiter tonnant et faisant régner sa loi. Oui, exactement cela. Grand front, chevelure léonine. Il a l'air plus grand assis que debout. Une sacrée présence. Le Grand Excentrique, avec ses Visions, en grande blouse à ceinture. Mrs. Craddock, elle, portait la tenue habituelle des domestiques.

Miss Silver laissa passer une courte pause.

— La pauvre, sa vie ne doit pas être gaie tous les jours ! Il n'y a donc personne pour l'aider ?

— Il était question d'une femme de ménage.

— Ils vont certainement chercher quelqu'un qui puisse vivre à demeure. Vous m'avez dit que Mr. Craddock vous en a touché deux mots ?

— Il dit avoir passé des annonces, mais qu'il était très difficile de faire venir quelqu'un dans ce coin.

Après une légère hésitation, il poursuivit.

— Il semble qu'ils aient trouvé une remplaçante à Anna Ball, qui n'est pas restée.

— Je ne pense pas qu'ils passent une annonce sous leur véritable nom. Une boîte postale ferait mieux l'affaire. Mrs. Dugdale lit le *Daily Wire*. Si Anna Ball a répondu à une annonce parue dans ce journal, il est probable qu'ils l'utilisent de nouveau. Je crois que vous êtes en droit d'obtenir du *Daily Wire* de vous prévenir si les Craddock passent une annonce, ainsi que le numéro de la boîte postale correspondant.

Son regard nonchalant se fit très direct.

— Voulez-vous dire que nous devrions envoyer quelqu'un là-bas ?

— Je veux dire que je vais m'y rendre en personne.

Personne, connaissant bien Frank Abbott, n'aurait pu prévoir la violence de sa réaction :

— C'est hors de question !

— Mon cher Frank !

Il ne décolérait pas.

— Et pourquoi diable devriez-vous y aller ? Toute l'affaire est nulle et non avenue. Anna Ball s'est présentée en novembre, elle est restée moins de quinze

63

jours. Elle n'a laissé aucune adresse et n'a pas écrit à Thomasina. Comportement similaire à celui qu'elle a eu en quittant Mrs. Dugdale.

— Elle avait l'intention d'écrire à Thomasina Elliot. Elle lui a laissé une malle. Miss Elliot m'a informée qu'elle contenait tous ses vêtements d'hiver. Elle n'a emporté qu'une valise, et nous sommes aujourd'hui dans la troisième semaine de janvier. J'aimerais m'assurer qu'elle a réellement quitté Deep End.

Frank eut un geste d'impatience.

— Croyez-moi, elle est bien partie. Je n'ai pas rencontré que les Craddock, figurez-vous. J'ai fait un tour dans la Colonie, au cas où Anna aurait parlé de ses projets à quelqu'un. Tout le monde l'a rencontrée, mais les choses ne semblent pas être allées plus loin. Les demoiselles Tremlett, qui font de la danse folklorique et de l'artisanat, m'ont dit que rien ne l'intéressait. Miss Gwyneth Tremlett, qui possède un métier à tisser, lui a proposé de lui apprendre à s'en servir, mais elle n'en avait cure. Un certain Augustus Remington, une sorte d'original qui fait de la broderie sur satin, l'a trouvée des plus distantes. Une dame exubérante, au teint rubicond, qui se fait appeler Miranda — comme je vous le dis —, m'a juré qu'Anna avait une des auras les plus sinistres qu'elle eût jamais rencontrées, ce qui, selon moi, était sa façon de dire la même chose. Ils semblent tous l'avoir accueillie gentiment. Une bonne bande de copains. Mieux, le jour où elle est allée à Ledlington avec les Craddock, et qu'elle en est revenue avec un chapeau rouge, ils y ont vu comme un signe bénéfique. Certes, c'était un rouge un peu vif, mais c'était la preuve qu'elle commençait à exprimer une certaine joie de vivre, chose à laquelle les Tremlett semblent particulièrement sensibles.

— Pourquoi donc a-t-elle acheté un chapeau rouge? s'enquit Miss Silver.

— Un cadeau des Craddock. « Cette chère Mrs. Craddock, toujours si prévenante, et surchargée de travail. Et Mr. Craddock... » J'aurais du mal à traduire le concert de louanges qu'inspirent les Craddock.

Miss Silver montrait un visage extrêmement pensif.

— Mais pourquoi ont-ils offert un chapeau rouge à Miss Ball?

— L'envie de répandre un peu de lumière et de douceur.

— Et pourquoi m'en parlez-vous?

Il l'observait, les yeux mi-clos.

— Parce que cela prouve de manière évidente qu'Anna est vraiment partie. Les deux sœurs Tremlett l'ont vue s'en aller avec Craddock. Ainsi que Miranda et Augustus, qui faisaient la causette par-dessus leur clôture commune. Rappelez-vous, il l'a conduite à Dedham, où elle a pris un billet pour Londres. Et c'est la vérité. Je suis allé à Dedham, le chef de gare s'est souvenu d'avoir vu Mr. Craddock qui lui disait au revoir — une jeune femme brune, portant un chapeau rouge. D'après lui, elle avait l'air particulièrement affectée, et Mr. Craddock lui a confié qu'elle avait eu des problèmes nerveux, et qu'ils n'étaient pas mécontents d'en être débarrassés. Que désirez-vous de plus?

— Je crois que je vais aller à Deep End, dit Miss Silver, doucement mais fermement.

Il se redressa brusquement.

— Comme aide familiale de Mrs. Craddock?

— Oui.

— Vous n'en ferez rien!

— Et pourquoi, je vous prie?

— Parce que c'est absurde — parce que je vous l'interdis! Parce que...

65

Miss Silver toussota.

— Et depuis quand me dictez-vous ma conduite, Frank ?

— Vous ne pouvez rien faire sans moi. Le *Daily Wire* ne vous donnera pas ce numéro de boîte postale.

Il se sentit transpercé du regard.

— Vous êtes bien excité, mon cher Frank. Qu'est-ce que cela cache ?

— Rien du tout. Je refuse que vous vous rendiez là-bas.

— Pour quelle raison, je vous prie ?

— C'est complètement déraisonnable. Je refuse que vous y alliez.

Elle laissa passer un moment, et dit, à sa manière posée :

— Soit il n'y a rien derrière la disparition d'Anna Ball, soit il y a quelque chose qui exige une enquête. Dans le premier cas, je dois profiter de l'occasion pour clore l'affaire. Dans le second cas, j'ai une dette envers Thomasina Elliot et j'ai l'intention de m'en acquitter. Vous ne pouvez pas m'empêcher d'aller à Deep End. Vous pouvez simplement me fournir l'assistance qui rendra ma tâche plus facile et moins risquée.

Il eut un geste d'impuissance.

— Très bien... vous gagnez... comme d'habitude. Mais il y a autre chose... je n'avais pas l'intention de vous en parler. A première vue, cela n'a rien à voir mais...

— Oui, Frank ?

— Il y a de cela dix-huit mois, on a retrouvé une jeune femme noyée, entre Deep End et Deeping. Je vous ai dit que la route était submergée. Des deux côtés elle est bordée par une bande de terre marécageuse. C'était une nuit très pluvieuse, et la fille a dû quitter la route dans le noir. Elle est parsemée de nidsde-poule de bonne taille. On l'a retrouvée dans l'un d'eux, allongée sur le ventre. Pas le moindre indice, une mort tout à fait accidentelle. Elle s'était embourbée jusqu'aux genoux, elle aura glissé et aura chuté dans un nid-de-poule. Vous voyez, cela n'a aucun rapport.

Les aiguilles de Miss Silver cliquetaient.

— Mais elle travaillait chez les Craddock ? C'est bien cela que vous cherchiez à me cacher ?

Il lui lança un regard exaspéré.

— Elle était arrivée le jour même de Deeping. Elle faisait le même trajet depuis quelques mois. Rien ne laisse supposer que quelque chose a mal tourné. Je n'ai pas cru utile de vous en parler.

— Mais vous venez de m'en parler.

— Je ne veux pas que vous alliez là-bas, dit-il sans pouvoir dissimuler son embarras.

8

Environ une dizaine de jours plus tard, Miss Silver se rendit à Deep End en qualité d'aide familiale de Mrs. Craddock. Auparavant, elle avait eu un bref entretien avec Mr. Craddock dans le salon d'une pension de famille. Le gentleman jupitérien avait profité de l'occasion pour troquer la blouse à ceinture dont avait parlé Frank Abbott contre un costume d'un gris ecclésiastique dans lequel on aurait très bien pu le prendre pour un de ces pasteurs aux idées libérales. Il avait indiscutablement une belle chevelure. Du reste, un teint de peau irréprochable et une couleur d'yeux hésitant entre le bleu et le gris devaient le faire passer pour bel homme. Il était évident que lui-même se considérait comme un personnage important, qui entendait être traité en conséquence. Il avait la voix forte et grave, ainsi que l'aplomb de l'homme habitué à ce que l'on écoute ses paroles respectueusement.

Miss Silver sut se faire toute petite. Elle n'avait nul besoin de jouer un rôle. Il lui suffisait de se remettre dans la peau de la gouvernante modeste et pleine de tact qu'elle avait été.

Mr. Craddock se félicita de trouver en elle la personne adéquate. Certes, elle n'était plus toute jeune, mais les femmes de son âge qui travaillaient pour vivre étaient souvent dures à la tâche, et, si elle obtenait la place, elle n'aurait qu'à s'en féliciter. Il était las de toutes ces jeunesses — des agitées, des émotives, toujours à courir derrière des chimères. Pendant une bonne vingtaine de minutes, il exposa ses vues sur l'éducation des enfants, fut agréablement surpris par l'attention respectueuse que lui prêtait Miss Silver, et finit par l'engager, lui proposant un salaire de deux livres par semaine, à condition que ses références fussent satisfaisantes.

En citant les noms de Mrs. Charles Moray et de Mrs. Garth Albany, Miss Silver se sentit envahie par un profond sentiment de gratitude. Eût-elle poursuivi son ancienne activité, cette place aurait pu être une de celles qu'elle aurait été obligée d'accepter. Le sort des gouvernantes âgées n'était guère enviable. Oui, elle pouvait remercier la providence.

Quelques jours plus tard, elle se rendit à Ledlington par un train qui lui était familier. Là, elle emprunta un de ces petits tortillards qui s'enfoncent dans la campagne anglaise. La gare la plus proche de Deep End était celle de Dedham, à douze kilomètres, où un taxi bringuebalant l'attendait. L'après-midi était déjà bien avancé, et le brouillard matinal s'était transformé en une pluie pénétrante qui ne lui laissa pas le loisir d'apercevoir autre chose qu'une campagne dépourvue de relief et soigneusement mise en valeur. Mais, alors que la pluie redoublait, la route commença à descendre. Ils franchirent un pont en dos d'âne, les haies disparurent, et de chaque côté de la route apparurent des marécages désolés. Puis la route commença à s'élever légèrement, ils prirent un virage bordé de grands piliers de pierre, et poursuivirent par un chemin de campagne sombre qui les mena à l'ancien lieu dit « Deepe House », rebaptisé Harmony par Mr. Craddock. Il faisait presque totalement noir et

Miss Silver ne distingua rien hormis une vague bâtisse centrale flanquée de deux ailes qui faisaient saillie.

Le taxi pénétra dans la cour et s'arrêta devant une ancienne entrée latérale de l'aile droite. Miss Silver descendit, sonna et paya sa course. Le chauffeur, qui n'avait pas pris la peine de quitter son véhicule, remit son moteur en marche et s'éloigna rapidement, dans un grand bruit de ferraille.

Miss Silver, qui, tout comme Anna Ball, s'était munie d'un bagage léger, n'en fut pas trop désappointée. Ses deux valises étaient posées à côté d'elle sur le seuil. Elle se sentait capable de les porter seule.

Comme elle sonnait pour la troisième fois, elle entendit le bruit d'une bousculade et la porte s'ouvrit violemment sur une cacophonie de peignes musicaux. Il semblait absolument incroyable que trois enfants puissent faire autant de vacarme simplement à l'aide de trois peignes et d'un peu de papier hygiénique. S'ils croyaient jouer quelque chose, on aurait été bien en peine de savoir quoi — ce n'était que bruit à l'état pur.

Miss Silver souleva ses valises, entra et se retrouva dans un couloir au sol simplement dallé, éclairé par une maigre ampoule qui brillait tout au fond. Comme des fantômes s'agitant dans la pénombre, une grande fille mince de douze ans et deux garçons se trémoussaient, poussaient des cris perçants, hurlaient et soufflaient dans leurs peignes.

Miss Silver les dépassa sans prêter attention à leurs jeux bouffons, sur quoi le concert de peignes fit place à une sorte de comptine hurlée à tue-tête : « Chouette, chouette, chouette, la vieille chouette ! » La sinistre formule de bienvenue avait déjà retenti plusieurs fois quand une porte s'ouvrit sur la gauche et Mr. Craddock apparut, plus olympien que jamais dans une blouse ceinturée en laine blanche. L'obscurité qui régnait dans le couloir ne lui permit pas d'en voir plus, mais, alors que les enfants s'enfuyaient en nasillant des coin-coin de canards terrorisés et qu'il l'introduisait dans la pièce d'où il venait, Miss Silver remarqua qu'il portait également un pantalon de velours côtelé d'un magnifique rouge foncé tirant sur le violet et que sa blouse était finement brodée de symboles du zodiaque.

La pièce où ils se trouvaient était chauffée et bien éclairée. Les murs étaient tapissés de livres, et elle découvrit un bureau imposant, des rideaux épais, des fauteuils confortables. Dans l'immense cheminée, quelques bûches dispensaient une chaleur bien agréable. Miss Silver s'approcha des flammes bienfaisantes.

— Il a fait plutôt frisquet aujourd'hui, dit-elle.

Le visage de Mr. Craddock s'épanouit.

— Rien de tel qu'un bon feu pour accueillir ses hôtes...

C'était dit de cette voix caverneuse qui donnait de l'importance au moindre de ses mots et qui, en l'occurrence, semblait absoudre avec une onctuosité tout ecclésiastique l'accueil bruyant que lui avaient réservé ses enfants.

— Ils sont tellement insouciants. Le privilège de la jeunesse.

Miss Silver était en train de lui répondre d'une voix posée quand la porte s'ouvrit sur une petite femme qui portait un plateau lourdement chargé.

Mr. Craddock fit un grand geste de la main dans sa direction.

— Mon épouse, Mrs. Craddock. Emily, je vous présente Miss Silver, qui se fera un plaisir de vous seconder. Vous arrivez à point nommé — je suis sûr que Miss Silver appréciera quelques boissons chaudes après cette dure journée.

Il ne fit rien pour aider son épouse. Elle avait du mal à tenir son plateau et se contenta de murmurer d'une voix étouffée quelques paroles inintelligibles avant de déposer son fardeau. Rien n'était prévu à cet effet, et elle dut se contenter du bureau, ce qui lui attira les foudres de son époux.

— Ma chère Emily, n'aurait-il pas mieux valu préparer la table à thé avant de servir ? Soyez plus prévoyante, ma chère — plus prévoyante.

S'il ne s'avisa pas que lui-même n'avait pas fait preuve de prévoyance, cela ne traversa certainement pas l'esprit de son épouse. Elle tressaillit, marmonna une vague excuse et s'efforça de ramener une table à abattants sur laquelle elle disposa le plateau. « Oh, merci ! » dit-elle à Miss Silver qui s'empressait de l'aider de son mieux. Ces mots trahissaient un si réel étonnement qu'on comprenait qu'elle n'avait guère l'habitude d'être aidée. Le plateau était beaucoup trop lourd pour une personne de sa constitution et le regard que lança Miss Silver à Mr. Craddock était si dépourvu d'aménité qu'il en conçut quelque agacement.

Plus tard, quand elle se remémora la première impression qu'elle avait eue de Mr. Craddock, elle disait qu'elle avait tout de suite compris qu'il cherchait à impressionner son monde. Rien de vraiment inhabituel. Un homme qui présente bien et que la nature a doté de certains avantages peut être tenté d'incarner un personnage qui n'est pas à sa mesure. Ressembler à Jupiter n'implique pas que l'on ait le pouvoir de déclencher la foudre. Quant à Mrs. Craddock, elle correspondait à la description qu'en avait faite Frank Abbott. Elle était affublée d'une sorte de tablier propre aux domestiques, fait d'un tissu imprimé aux couleurs passées, qui tombait mollement sur un corps menu. Elle était maigre et voûtée. Son petit visage aux traits tirés était sillonné de rides profondes. Ses yeux d'un bleu terne allaient nerveusement de son mari à Miss Silver et revenaient invariablement se poser sur lui. Elle l'admirait, le craignait et se tenait sur le qui-vive, soumise à la moindre de ses sollicitations.

Tout en goûtant ce qui s'avérait être un thé diététique étrangement parfumé à la camomille, Miss Silver commença à l'entretenir des enfants. Jennifer avait douze ans, Maurice sept, le petit Benjy quatre.

— Ils ont une telle vitalité, marmonna Mrs. Craddock, car sa petite voix lasse ne trouvait pas la force d'articuler. J'espère qu'ils ne vous causeront pas trop de tracas.

Mr. Craddock se servit une tranche de cake fait maison.

— Bien sûr, toute contrainte est exclue, dit-il. Est-ce bien clair ? L'expression et le développement de leur personnalité supposent une entière liberté de comportement. C'est primordial. Liberté de parole, liberté d'action, liberté de se confronter directement avec le But ultime, et de s'y soumettre — tels sont les points essentiels à respecter. Puis-je compter sur vous pour leur laisser les coudées franches ?

Miss Silver répondit qu'elle ferait de son mieux, sans pouvoir s'empêcher de se demander de quelle sorte de liberté avait bien pu profiter Mrs. Craddock.

— Emily, proféra Mr. Craddock de sa plus belle voix de baryton, vous négligez notre hôte. Sa tasse est vide.

Il gratifia Miss Silver d'un regard bienveillant.

— C'est un thé aux herbes que je prépare moi-même — sain et revigorant. J'ai mis des mois à trouver la bonne formule. La récolte des herbes se fait en respectant l'influence des astres : celles qui sont influencées par la lune doivent être récoltées lorsqu'elle est pleine, celles qui sont soumises à Vénus et aux autres planètes le sont au moment adéquat. Cette science repose sur une très riche tradition. Mais il reste bien des choses à découvrir. J'espère que mon nom passera à la postérité grâce à mes travaux dans ce domaine. Pour l'heure, mon thé diététique est ma modeste contribution au progrès.

Miss Silver toussota.

— Je crains d'être parfaitement ignorante en ce domaine. Cela doit demander de très vastes connaissances.

Mrs. Craddock avait rempli sa tasse et elle fut bien obligée de boire une seconde infusion, plus forte, de ce fameux thé. Il lui semblait exagéré de voir dans ce breuvage une quelconque contribution au progrès, car son seul mérite était d'être chaud, ce que l'on aurait tout aussi bien obtenu en faisant bouillir de l'eau. Les travaux de Mr. Craddock n'étaient qu'une grosse perte de temps.

La demi-heure qui suivit fut consacrée à l'informer plus en détail sur ce que Mr. Craddock considérait apparemment comme son Grand Œuvre. Ses méditations préliminaires et la rédaction de ses pensées exigeaient un calme absolu. Il se livrait également à des expériences si délicates que la moindre interruption pouvait leur être fatale. A cet effet, il s'était aménagé dans la partie centrale de la maison, inoccupée, un lieu bien à lui, sa Retraite.

— C'est en grande partie inhabitable, et certaines pièces ne sont pas aux normes de sécurité. J'ai même été obligé d'en interdire l'accès aux enfants. Vous savez combien j'ai horreur de tout ce qui peut entraver leur liberté d'action, mais, vous comprendrez, j'en suis sûre, que dans ce cas, je n'avais pas le choix.

Tout en parlant, il tartinait d'une épaisse couche de confiture de fraises sa dernière tranche de cake.

— Mr. Craddock doit jouir de la plus grande tranquillité, dit son épouse d'une voix faiblarde et empressée. On ne doit le déranger sous aucun prétexte.

C'est elle qui conduisit Miss Silver à sa chambre. Personne, et surtout pas le maître de maison, n'avait proposé de s'occuper de ses bagages. Elle saisit donc une de ses valises, mais, quand elle vit Mrs. Craddock se baisser pour s'emparer de l'autre, elle profita que la porte venait juste de se refermer pour lui dire, d'un ton sans ambiguïté :

— C'est beaucoup trop lourd pour vous. Peut-être que Mr. Craddock...

Emily Craddock secoua vigoureusement la tête.

— Surtout pas ! J'ai l'habitude. Nous lui avons déjà fait perdre beaucoup trop de temps.

Certes, quatre toasts beurrés, trois tranches de cake à la confiture et une demi-assiette de gâteaux secs avaient amplement contribué à lui faire perdre ce précieux temps auquel elle faisait allusion. Mais le moment était malvenu d'en faire la remarque. Chacune portant une valise, elles prirent à gauche et parvinrent dans une sorte de vestibule carré d'où un escalier menait à l'étage. Mais, avant de l'avoir atteint, un bruit de pas précipité retentit dans leur dos, et Jennifer se précipita vers sa mère, lui entoura d'un bras les épaules, la secouant et tentant simultanément de son bras libre de lui arracher la valise, tout en lui reprochant d'une voix assourdie :

— Je ne veux pas ! Tu sais parfaitement que je te l'interdis ! Pourquoi elle ne t'aide pas, elle ? Elle est venue pour t'aider, oui ou non ? C'est du moins ce qu'on prétend. Pourquoi elle ne t'aide pas ? Je pourrai la supporter si elle t'aide. Oui, c'est de *vous* que je parle !

Par-dessus les épaules de sa mère, elle fixa froidement Miss Silver.

— A quoi vous servez si vous n'êtes pas capable de l'empêcher de porter tous ces trucs ?

Ses yeux sombres étaient remplis d'une colère qui n'avait rien d'enfantine. Miss Silver fit face calmement.

— C'est mon vœu le plus cher, Jennifer, dit-elle. Si vous voulez bien prendre la valise et me montrer ma chambre, votre mère n'aura pas besoin de monter.

A l'hostilité affichée de Jennifer succéda un sentiment de rivalité qui fit place à de l'incertitude et à de la mauvaise grâce. Brusquement, elle écarta rudement sa mère. « Va-t'en ! » lui jeta-t-elle avant de s'élancer dans l'escalier.

Miss Silver la suivit à son pas. Elle était tout à fait en mesure de porter sa valise et n'avait pas l'intention de courir. Elle se demandait plutôt si elle apercevrait Jennifer lorsqu'elle atteindrait le palier de l'étage. Il donnait, à droite comme à gauche, sur un long couloir dont les deux côtés comportaient des chambres. Le palier était faiblement éclairé mais les deux moitiés du couloir étaient dans l'obscurité, l'obscurité qui avait avalé Jennifer.

Miss Silver opta pour le couloir de droite. Elle arrivait presque au bout quand une porte s'ouvrit à la volée et un flot de lumière jaillit, accompagné par le rire moqueur de Jennifer. Brusquement, elle se tut.

— Vous n'avez pas eu peur ?

— Je n'avais aucune raison d'avoir peur.

— Il vous faut toujours une raison ?

Son ton se voulait accusateur — mais de quoi l'accusait-elle ? Elle répondit, d'une voix aussi neutre que possible :

— Votre idée n'était pas mauvaise.

Quand elle entra dans la chambre, Jennifer s'écarta

ostensiblement. Elle était grande et fine, portait de vieux shorts rapiécés et un pull-over écarlate fatigué. Elle avait de longues jambes brunes, des pieds longs et fins, chaussés de sandales. Miss Silver lui trouva l'air d'un poulain apeuré. C'était le même mélange de crainte et de grâce, accentué par la façon qu'elle avait de lancer la tête en arrière pour remettre en place une mèche rebelle. Ce n'était pas de la timidité, mais une méfiance aux aguets. De son coin, la jeune fille lui lança :

— Vous avez toujours une idée derrière la tête, vous ?

Miss Silver lui décocha son fameux sourire, ce sourire qui avait amadoué plus d'un client hostile.

— Alors c'est oui ou c'est non ?

— Cela peut m'arriver. Parfois mon projet ou mon idée ne sont pas les mêmes que ceux d'autrui. Mon projet pourrait être différent du vôtre — il pourrait même y être complètement opposé. Qu'allez-vous faire dans ce cas ?

Miss Silver avait mis dans sa question autant de sérieux que si elle s'était adressée à une personne adulte. Elle poursuivit :

— On ne peut faire des projets que pour soi-même. Quand ils entrent en conflit avec ceux des autres, on doit se demander dans quelle mesure le projet que l'on avait peut s'accommoder de ceux d'autrui. C'est un problème qui arrive continuellement. Les gens qui parviennent à le résoudre sont ceux qui réussissent leur vie.

Elle avait réussi à capter l'attention de la jeune fille. Un éclair de curiosité s'alluma dans ses yeux. A la lumière du plafonnier, elle remarqua qu'ils n'étaient pas bruns, comme elle l'avait d'abord cru, mais d'un gris sombre que rehaussaient les cils noirs. La petite flamme de son regard s'éteignit. Jennifer se tenait en équilibre sur un pied, comme si elle s'apprêtait à changer de conversation.

— Vous avez décidé de venir ici. Comme toutes les autres. Mais pas une seule n'est restée. Peut-être que vous ne resterez pas. Qu'est-ce que vous en pensez?

Miss Silver était en train d'ôter son manteau noir. Elle le suspendit dans l'armoire bon marché en contreplaqué.

— Cela dépendra beaucoup de vous, dit-elle calmement. Je ne tiens pas à m'imposer dans une maison où je ne suis pas la bienvenue. Mais je crois que votre mère a besoin d'aide.

Jennifer tapa du pied. Sa voix s'emplit de colère.

— Si personne ne l'aide, elle va *mourir*! Il le sait, je le lui ai dit! C'est pour ça qu'il vous a engagée! Parce qu'il serait drôlement embêté si elle mourait... à cause de l'argent! Mais c'est ce qui arrivera si elle reste seule!

Brusquement elle s'approcha de Miss Silver, et s'immobilisa nez à nez avec elle, sans la toucher, à hauteur de son visage, les yeux pleins de larmes de colère.

— Et pourquoi vous me posez toutes ces questions d'abord?

— Ma chère enfant...

L'adolescente frappa de nouveau du pied.

— Je ne suis *pas* votre chère enfant! Et ne vous imaginez pas que vous allez me faire faire ce que je ne veux pas faire! Personne, vous m'entendez, ni vous ni personne!

Il y avait une intensité tragique dans ces derniers mots.

Sans laisser à Miss Silver le temps de répondre, dans un de ces mouvements brusques dont elle avait le secret, Jennifer traversa la pièce, aussi légère qu'un

78

petit chat. Elle ne posait pas le pied par terre, eût-on dit. La porte claqua.

— Mon Dieu ! s'exclama Miss Silver.

Puis elle ôta son chapeau, enfila ses pantoufles et s'aperçut qu'elle avait oublié de demander où se trouvait la salle de bains. Elle était en train de se repeigner — acte vraiment superflu tant sa chevelure demeurait toujours impeccable — quand la porte se rouvrit brusquement. Jennifer apparut sur le seuil, menton levé, la défiant du regard.

— La salle de bains est à côté. Je me suis dit que je devais vous la montrer, puis j'ai changé d'avis. Est-ce que vous descendrez ?

— Je vais d'abord ranger mes affaires.

Jennifer fit un pas en arrière. Elle restait plantée sur un pied dans le rectangle de lumière que faisait l'embrasure de la porte.

— Vous aussi vous partirez ! Comme toutes les autres ! lança-t-elle, un hoquet dans la voix.

Et elle disparut.

9

La grisaille de cette matinée de janvier accentuait le sentiment de désolation et de ruine qui émanait de Deepe House. Les dégâts dus au bombardement étaient nettement visibles sur le corps principal du bâtiment. Il ne restait que quelques fragments de la balustrade ornementale qui courait tout autour du toit et seules trois fenêtres de la façade avaient conservé leurs vitres, les autres étant condamnées. Elles appartenaient toutes les trois au rez-de-chaussée, ce qui leur donnait un petit air sournois, comme si la maison, défigurée par ses deux étages aveugles, vous regardait en dessous. Entre les deux ailes, la cour était rendue glissante par la mousse. Au moindre souffle de vent, on entendait le bruissement des feuilles mortes de magnolia et de bouts de lierre éparpillés sur les dalles dont elle était pavée.

Même l'aile occupée par les Craddock n'avait pas conservé toutes ses vitres. « C'est trop grand pour nous, avait expliqué Mrs. Craddock. Nous ne pourrions pas meubler ou entretenir tant de pièces. Mais ce sera joli quand nous aurons réparé les fenêtres. »

De l'autre côté de la cour, dans l'aile opposée, toutes les fenêtres étaient condamnées, le locataire n'utilisant que les pièces qui donnaient sur un jardin à l'abandon. Miss Silver apprit que ce Mr. Robinson, tel était son nom, aimait rester chez lui et passait son temps à observer les oiseaux et la nature. Certes, la vue était plutôt limitée, mais s'il aimait la tranquillité, c'était l'idéal. Parmi quelques arbres fruitiers non taillés, des herbes folles montaient jusqu'à hauteur du genou. Des rosiers sauvages luttaient contre des framboisiers et des groseilliers. Des plantes vertes, certaines à moitié mortes, poussaient dans tous les sens, avec, de-ci, de-là, un cyprès d'une taille considérable. Plus loin, les ifs du cimetière près de l'église faisaient des taches sombres. Miss Silver n'apercevait que la frange extérieure de cette jungle, mais cela suffisait à en révéler l'état d'abandon.

Le déjeuner lui donna l'occasion de s'étendre brillamment sur la maison.

— Une vieille demeure très intéressante. C'est vraiment triste de penser aux dommages irréparables de la guerre, mais peut-être vaut-il mieux se féliciter qu'elle n'ait pas été totalement détruite.

— Oh, je suis tout à fait d'accord! s'exclama Mrs. Craddock.

Son époux, qui dégustait une côtelette aux lentilles, ne souffla mot. Pas plus que les enfants.

Miss Silver, qui aimait fort converser pendant les repas, poursuivit. Elle demanda si Mr. Craddock n'avait pas eu trop de mal avec la remise en état de la plomberie — le domaine réservé des hommes, en général — et, encore une fois, ce fut Mrs. Craddock qui lui répondit, l'assurant que tout marchait bien, et, certes, les nouvelles salles de bains et l'installation de l'eau chaude avaient coûté cher, mais c'était indiscutablement un mieux.

Après avoir absorbé quatre côtelettes et une quantité incroyable de légumes verts, Mr. Craddock daigna enfin émerger de ses profondes pensées. Qu'il le fît au moment même où Miss Silver évoquait les ruines de ce qui ressemblait à une église, à quelque distance de la maison, n'était certainement pas fortuit. Miss Silver avait demandé si les dégâts avaient été causés par la bombe qui avait touché la maison. Elle fut surprise de sa réponse négative.

— Pas du tout. Cette vieille église était déjà en ruine depuis trente ou quarante ans. Puisqu'on en parle, l'endroit n'est pas sûr. Il y a des chutes de pierres.

Faisant preuve d'un grossier manque de tact, Benjy en profita pour intervenir :

— C'est là qu'on joue à cache-cache. C'est drôlement bien pour ça.

Il dut subir la foudre parentale.

— Ce n'est pas du tout un endroit pour jouer. Si l'une des grosses pierres tombe...

— Ça va m'arracher la tête ?

— Benjy ! s'exclama Mrs. Craddock, épouvantée.

— C'est bien possible, répondit calmement Mr. Craddock.

— Du premier coup ? demanda Benjy avec intérêt. Et mes mains aussi ? Et mes pieds ? Comme le bonhomme en pierre dans l'église ?

— Benjy, tais-toi !

Jennifer, qui était assise à ses côtés, glissa une main sous la table et le pinça méchamment. Son hurlement de douleur mit fin à la conversation, et il menaçait de se prolonger, mais l'annonce que le dessert était un gâteau aux pommes parvint à le faire taire.

Alors qu'elles faisaient la vaisselle ensemble — Jennifer lavant les assiettes, Miss Silver les essuyant —, la jeune fille lança, d'un ton de défi :

— Quel petit crétin, ce Benjy !

Miss Silver n'entendait pas laisser passer cela.

— Ma chère, vous ne devriez pas employer un tel vocabulaire.

Jennifer la considéra calmement.

— J'emploie le vocabulaire qui me plaît ! Si vous vous opposez à ma liberté d'expression, vous allez nuire à mon psychisme. Demandez-*lui*, si ce n'est pas vrai !

Elle eut un ricanement de colère.

— Il peut toujours parler, mais quand on fait quelque chose qui ne lui plaît pas, alors là, il s'en fiche pas mal, de notre psychisme !

Puis, sans rien perdre de son agressivité, elle poursuivit :

— Je ne supporte pas de faire la vaisselle ! Ça me dégoûte, j'ai horreur de ça, je *déteste* faire la vaisselle ! Pas vous ?

Miss Silver se dit qu'il valait mieux ne répondre qu'à cette dernière phrase.

— Non, ça ne me gêne pas du tout. A deux, ce sera plus vite fait, et votre mère sera grandement soulagée. Ne pensez-vous pas que nous devrions la convaincre de se reposer un peu pendant que nous irions faire un petit tour avec les garçons ?

— J'en sais rien, moi ! lâcha Jennifer, toujours en colère, mais, cette fois, ce n'était pas Miss Silver qui était visée.

Elle travaillait avec une sorte de rage, sans rien abîmer ou casser, et quitta brusquement la pièce alors que Miss Silver n'en avait pas fini avec l'essuyage. Quelques secondes plus tard, elle était de retour et annonçait triomphalement que sa mère avait promis de se reposer.

Miss Silver passa son manteau noir, prit sa vieille écharpe de fourrure, son chapeau de feutre piqué d'une étoile de mer violette sur un côté, ses gants de laine noirs. C'était son habituelle tenue hivernale. Elle réservait son plus beau chapeau, et les gants en veau assortis, aux grandes occasions. Ils se mirent en route.

Benjy et Maurice couraient devant, Jennifer, nu-tête, portait son pull écarlate et faisait de constantes allées et venues, sans jamais demeurer auprès de Miss Silver, mais revenant toujours vers elle, à la manière d'un petit chien ou d'un enfant qui trouve que les adultes vont trop lentement.

La maison était hors de vue et ils avaient atteint un grand terrain en pente quand Benjy se précipita vers eux.

— Est-ce qu'on va dans notre coin? s'écria-t-il en mangeant ses mots. J'voudrais lui montrer le bonhomme sans tête, et j'veux une pierre pour la ruine que je construis dans mon jardin, et aussi un escargot pour faire la course avec mon autre escargot et aussi...

Jennifer se porta à sa hauteur et lui prit la main.

— Tu en veux des choses, toi!

— Oui, et un escargot, et une araignée blanche, et une petite verte, je les mettrai dans une cage pour voir si elles se mangent entre elles. Et j'veux aussi une grosse pomme de pin...

— D'accord, petit dégoûtant — on y va!

Elle agita sa main libre vers Miss Silver.

— On sera de retour dans une heure. On n'a pas besoin de vous et vous pouvez vous passer de nous. Vous nous retrouverez à la vieille église, pour vous assurer que nous n'avons pas été blessés par les pierres qui tombent, comme il dit.

Elle entraîna Benjy et ils partirent en courant, rejoints par Maurice.

Miss Silver n'avait nulle intention de courir sur les talons de trois petits sauvageons qui connaissaient mieux qu'elle le pays. « Mon Dieu! » se contenta-t-elle de soupirer et, quand ils eurent disparu, elle revint sur ses pas, et se dirigea vers les ruines.

L'église avait dû être minuscule. L'arche du sanctuaire n'était pas tombée, et deux autres subsistaient en partie. Des morceaux de pierres apparaissaient parmi un épais fouillis de ronces et, tout autour, on voyait les monticules à moitié effondrés et les pierres tombales enfouies dans le sol d'un cimetière abandonné, entouré d'un muret. Il était en aussi mauvais état que l'église et ne servirait plus jamais.

Miss Silver se glissa dans une brèche et s'avança prudemment parmi des herbes fânées parsemées de pierres. L'endroit était d'une désolation extrême. Hormis Deepe House, dans son dos, aucune habitation humaine n'était visible. Tous ceux qui étaient venus ici prier, baptiser leurs nouveau-nés, marier leurs enfants, enterrer leurs morts, avaient à jamais disparu. Les paroles d'un psaume de David lui revinrent en mémoire :

L'homme ! ses jours sont comme l'herbe,
Il fleurit comme la fleur des champs.
Lorsqu'un vent passe sur elle, elle n'est plus,
Et le lieu qu'elle occupait ne la reconnaît plus.

Dans l'ancienne nef, elle découvrit le bonhomme sans tête dont avait parlé Benjy, un chevalier en armure en position de gisant. Ses pieds également avaient disparu. Les mains, très abîmées, étaient posées sur le pommeau de son épée, et les jambes, croisées à hauteur des genoux, indiquaient qu'il avait participé à deux croisades — c'est tout ce que révélait la tombe, car le nom et les vertus du mort, jadis gravés dans la pierre, s'étaient effacés. Tout près de l'ancienne entrée, une grande stèle se dressait de guingois sur le sol. Elle estima qu'elle avait dû se trouver à l'intérieur du bâtiment, vers la droite, près de la porte ouest — l'ancienne inscription, elle aussi, était devenue illisible.

Après l'avoir observée quelques instants, Miss Silver se prépara à partir. Les ruines ne l'attiraient pas particulièrement. Les remarques de Benjy sur les escargots et les araignées lui avaient laissé une impression désagréable. Il était de son devoir d'attendre les enfants au rendez-vous fixé, mais elle se dit que ce serait plus agréable de l'autre côté du muret. Elle venait de contourner la stèle quand elle tomba sur une autre visiteuse, qui passait difficilement inaperçue. De l'autre côté de la brèche qu'elle s'apprêtait à franchir se tenait une femme de grande taille, très grosse, enveloppée d'une immense cape sombre. La cape se gonflait de telle manière qu'elle donnait l'impression, en dépit de son poids, qu'elle allait se transformer en deux ailes capables de soulever leur propriétaire. Celle-ci avait des traits grossiers, franchement laids, deux yeux globuleux et une coiffure bouffante d'un rouge foncé qu'on n'obtient qu'avec force teinture. Cette couleur de cheveux ne pouvait pas être naturelle, songea Miss Silver. Par ailleurs, ses goûts très traditionnels et sa préférence pour des couleurs moins voyantes lui permettaient difficilement d'imaginer que l'on ait le goût de se teindre les cheveux de manière si catastrophique.

Une grande main lui fit signe avant de se rabattre sur la cape. La voix qui s'adressa à elle était grave et forte.

— Cet endroit est dangereux. Il tombe des pierres.

Cette quasi-inversion de la phrase de Mr. Craddock résonna de manière bien singulière, et les mots qui suivirent accentuèrent encore l'étrangeté de la rencontre.

— Ou d'autres choses aussi. Vous feriez mieux de ne pas traîner par ici.

Son ton ostentatoire et sa voix de contralto chargeaient chaque mot d'une sourde menace. Miss Silver était parvenue devant la brèche. La cape se souleva vaguement et Miss Silver sentit qu'on lui prenait fermement la main.

— Vous êtes la nouvelle gouvernante d'Emily Craddock. Je m'appelle Miranda. Ravie de vous rencontrer. Êtes-vous médium ?

Miss Silver toussota d'une manière quelque peu guindée.

— Je ne pense pas.

La cape menaçait de les engloutir toutes les deux. Sa main finit par retrouver sa liberté.

— Beaucoup de gens ignorent tout de leurs pouvoirs. Nous devons en parler. Est-ce que cet endroit vous intéresse ?

— C'est particulièrement désolé.

— Ah... Grande sensibilité.

Il y avait quelque chose de pontifiant dans sa manière de s'exprimer.

— C'est la sépulture d'une famille qui s'est éteinte. Il se dégage certaines émanations de ce genre d'endroits. Les gens sensibles les reconnaissent. Jadis, toute cette terre appartenait aux Everly. Ils étaient riches et puissants. Ils ne sont plus rien, disparus à jamais. *Sic transit gloria mundi.*

Elle parlait avec enflure, comme si elle venait de découvrir une vérité éternelle. Un coup de vent souleva la cape au-dessus de sa tête, laissant apercevoir un étrange habit court et violet qui ressemblait à une soutane coupée aux genoux. Sans doute confortable pour la marche, mais des plus extravagants chez une personne de sa corpulence. Après avoir rabattu sa cape, elle continua à parler comme si de rien n'était.

— Cette stèle... sur laquelle vous étiez penchée... était à l'entrée du caveau familial. L'inscription est illisible depuis des années. Rien qu'une lettre ou deux. A ma première visite, je l'ai étudiée de près.

Peine perdue. Et puis, lors d'une transe, les mots me
sont apparus clairement.

Elle psalmodia :

— « Ci-gît — Ever Gît » écrit Gît au lieu de Ly !
Un jeu de mots sur le nom Everly[1]. Bizarre, ce
mélange de calembour et d'art funéraire.

— Effectivement.

Miss Silver murmura quelques mots qui faisaient
sans doute allusion à son manque de goût pour les
calembours des poètes élisabéthains. Les gros yeux
bruns et proéminents de Miranda cessèrent de rouler
dans leurs orbites et l'observèrent fixement.

— J'espère que vous resterez chez les Craddock.
Peveril est merveilleux — un modèle pour tous les
chercheurs. C'est un privilège de vivre sous son toit.
Que dis-je, un grand privilège. La chère Emily, bien
sûr, est plus terre à terre. On se demande bien pourquoi...

Elle secoua la tête, se donnant l'air d'une pro-
phétesse antique.

— Mais il ne peut manquer d'élever son âme.

Miss Silver s'empressa de l'interrompre.

— Mrs. Craddock est extrêmement gentille.

— Gentille...

Miranda laissa sa cape se soulever, attitude qui traduisait sans ambiguïté le peu de cas qu'elle faisait de
cette remarque. Quand elle réussit à la plaquer de
nouveau, l'opinion qu'elle avait du statut spirituel de
cette chère Emily, ou de son absence de statut, avait
été emportée par le vent. Elle en revint à sa pré-
occupation première.

— Vous devez rester. Ils ont besoin de vous. Elle

1. *Here I — Ever Lye* : jeu de mots entre Everly, nom propre
formé sur *ever*, toujours, et *Here lies*, ci-gît. Ce qui donnerait, si
l'on traduisait le nom propre, Ci-Gît — Toujours-Gît. (*N.d.T.*)

88

est si frêle. Et les enfants... triste de les voir livrés à eux-mêmes. Peveril croit dur comme fer à la libre expression de l'ego, mais je ne le suis pas sur ce point. *Pas* avec des enfants. Avec des adultes, oui. Absolument. Tout à fait d'accord ! Mais, s'agissant de l'esprit vierge d'un enfant, pas question. Il leur faut un guide, un maître... de la discipline aussi ! Êtes-vous d'accord avec moi ?

— Assurément.

La main et la cape de Miranda s'agitèrent simultanément.

— Nous devrons en reparler. Peveril doit devenir raisonnable. Ses travaux l'absorbent totalement et Emily a besoin de repos. Les jeunes filles qui vous ont précédée n'étaient pas à la hauteur — aucune expérience, aucune autorité. Miss Dally est partie au bout d'une semaine, sous prétexte que Maurice lui avait glissé une araignée dans le dos et que Benjy lui avait renversé un encrier sur la tête. Elle a éclaté en sanglots et a fait sa valise. Une petite blonde aux yeux pâles — absolument pas à sa place. Pas plus que Miss Ball, mais dans un genre différent. Une fille sinistre. Elle a tenu deux semaines, bon débarras, voilà ce que j'ai dit à Emily. Je l'ai vue à la gare, et je n'ai pas mâché mes mots, croyez-moi. Pas avec Emily, parce qu'elle n'était pas là, mais avec Augustus Remington. C'est mon voisin. Vous devriez le rencontrer. Une âme délicieuse — il fait des broderies exquises. Avez-vous déjà rencontré Elaine et Gwyneth Tremlett ?

— Pas encore. Je suis arrivée hier.

— Je vous les recommande. Plutôt terre à terre, mais agréables à vivre. Elles adorent Peveril. Mais à mon avis elles auraient mieux fait de rester à Wyshmere. Elaine y donnait des cours de danse folklorique, et ça lui manque. Gwyneth, bien sûr, a son tissage. Cependant il aurait mieux valu qu'elles ne viennent pas. Je le leur ai dit sans détours. Je dis toujours ce que je pense. Qu'y puis-je, si les gens le prennent mal ? Quelle est la raison de votre venue ?

— J'ai répondu à l'annonce de Mrs. Craddock. Ah, je crois bien que j'entends les enfants. Nous devions nous retrouver ici.

D'un geste majestueux, Miranda replia sa cape sur sa vaste poitrine.

— Je vous quitte. Mais nous devons nous revoir. Nous verrons ce que nous pourrons faire pour aider Emily. A bientôt !

Elle s'éloigna en se dandinant, sa chevelure rouge foncé flottant au vent.

Dès qu'elle fut à bonne distance, les enfants apparurent, dévalant une pente couronnée de quelques taillis qui hébergeaient sans doute des primevères, au printemps. Ils étaient tout excités, riaient et criaient.

— Vous avez pris une pierre sur la tête ?

— J'aurais voulu voir ça... je veux voir ça quand ça tombe !

— J'ai pas pu attraper d'araignées. En hiver, elles se cachent !

— Elles escaladent les tuyaux et tu les retrouves dans la baignoire !

— Dans la baignoire, pouah !

— C'était Miranda, dit Jennifer. Elle veut que nous soyons plus disciplinés. Un jour, Maurice a mis un perce-oreille dans son thé et elle lui a renversé toute sa tasse dans le cou.

— Vaut mieux pas lui parler ! dit Maurice d'un air lugubre. C'est pas l'heure du thé ? On rentre ? Je meurs de faim !

Ils rentrèrent.

10

Un vent froid balayait le parc. Les silhouettes décharnées des arbres dressaient leurs bras devant le ciel bas. L'air piquait, signe en général annonciateur de neige. Ce n'était pas une journée propice au farniente, mais Thomasina Elliot et Peter Brandon, assis sur un des bancs verts du parc, ne se contentaient pas de passer le temps. Certes, rien ne vaut une bonne dispute pour se réchauffer le sang. Mais ni lui ni elle n'auraient admis qu'ils étaient en train de se quereller. Pour Thomasina, il était hors de question de se laisser faire, tandis que Peter tentait de souligner l'inconséquence de sa conduite. Du moins s'y efforçait-il, faisant appel à la raison, sans se départir de son sang-froid. Mais il n'avait pas le droit de lui parler ainsi. Après tout, à vingt et un ans on est majeur. On est libre de voter, de faire un testament, de se marier. On est adulte. Thomasina avait maintenant vingt-deux ans. Cela faisait treize mois et dix jours qu'elle avait atteint sa majorité. Pourquoi Peter ne se rendait-il pas compte que sa façon de lui parler était blessante ? Se considérait-il donc comme une sorte d'aîné ou de parent de l'ère victorienne, un de ces chaperons vieux jeu, si bien croqués par la littérature de cette époque ? Elle le lui fit comprendre.

— Merci bien... Je ne me sens pas le moins du monde ton parent, encore moins ton chaperon, Dieu m'en garde !

Considérant qu'elle avait marqué un point, Thomasina le gratifia d'un petit sourire satisfait, difficilement supportable.

— Je crois avoir parfaitement bien agi.

— Parfaitement, allons donc !

— Fais-moi confiance. Il me semble ne plus avoir entendu parler d'elles depuis une éternité. Disons, cinq ans au moins, depuis le jour où tante Barbara est allée à un cours de tissage, dans cette ville, Wyshmere. Elle voulait apprendre à tisser, et enseigner la technique à Tibbie.

— Tibbie ?

— La sœur de Jeanie — celle qui est infirme depuis son accident. Elle lui a acheté un petit métier à tisser artisanal, elle faisait des écharpes. Elle se débrouillait pas mal du tout.

— Qui donc a acheté un métier ? Et pour qui ? Et qui donc se débrouillait pas mal ?

Elle ne laissa rien paraître de son exaspération.

— Tante Barbara a offert à Tibbie un métier à tisser. Elle-même ne savait pas bien s'en servir, mais Tibbie y excellait.

— Je n'en ai pas le moindre souvenir, dit-il d'un ton qui aurait pu laisser entendre qu'il ne croyait pas un mot de qu'il disait, et encore moins de ce qu'on lui disait.

— Tu étais à l'étranger. Mais c'est là qu'elle a rencontré les sœurs Tremlett.

— Tibbie ?

Cette fois, elle ne put contenir son impatience.

— Mais non, tante Barbara ! A Wyshmere, combien de fois te l'ai-je dit ?! Et quand l'inspecteur Abbott a mentionné leurs noms...

— Pourquoi diable a-t-il parlé d'elles ?

— Il me parlait du séjour d'Anna à Deep End et de l'espèce de centre d'artisanat, la Colonie. Dès qu'il a parlé de deux sœurs, les Tremlett, une qui faisait du tissage et l'autre de la danse folklorique, et qui s'appelaient Gwyneth et Elaine, cela a fait comme un déclic et je me suis souvenue de tante Barbara et de Wyshmere. J'ai aussitôt supposé qu'il s'agissait des mêmes personnes...

— Qui étaient supposées être les mêmes personnes ?

Les yeux de Thomasina devinrent beaucoup plus brillants. Un petit jeune homme se serait méfié, mais Peter était d'une autre trempe.

— Peter ! Est-ce que tu le fais exprès ?

— Ma petite, si tu continues à me lancer tes mademoiselle Chose et tes monsieur Truc et autres Machin...

— Je ne suis pas ta petite !

— Entièrement d'accord !

— Tu fais semblant de ne rien comprendre. Ce que je te dis, c'est que les Tremlett dont je parle étaient les Tremlett dont m'avait parlé tante Barbara — il ne pouvait pas en être autrement. Est-ce que tu peux croire que dans deux familles différentes on appellerait ses filles Elaine et Gwyneth ?...

— Pourquoi pas ?

Thomasina retrouva les sentiments qu'elle avait éprouvés quand elle lui avait lancé sa chaussure au visage. Le talon lui avait laissé une petite cicatrice blanche sur le front, et tante Barbara avait évoqué Caïn, prononcé le mot de meurtrière, et autres termes bien faits pour choquer une oreille de huit ans. Aujourd'hui, elle en avait vingt-deux, ils se trouvaient dans un parc public. Elle parvint à se contrôler.

— Tu joues les aveugles, voilà tout. Moi, j'ai fait

le rapport et j'ai télégraphié à Jeanie qu'elle m'envoie le carnet d'adresses de tante Barbara, ce qui m'a permis de les retrouver — Elaine et Gwyneth Tremlett, Wyshcumtru, Wyshmere.

Peter ricana.

— Incroyable. Qui voudrait avoir une adresse aussi loufoque?

— Elaine et Gwyneth. Je leur ai donc écrit que j'avais trouvé leur nom dans le répertoire de tante Barbara et que je voulais savoir si leur adresse était toujours valable. J'ai un peu parlé de Tibbie et du métier à tisser, et, ce matin, j'ai reçu la réponse de Gwyneth, c'est celle qui tisse. Elle disait qu'elles habitaient maintenant à Deep End. Dans ce qu'elle appelle une « Colonie de chercheurs », avec un homme merveilleux à sa tête. Elle n'a jamais oublié la chère Mrs. Brandon, et parfois, elles prennent un hôte payant, donc, si ça me dit de venir en vacances à la campagne, elles auraient le grand plaisir de faire ma connaissance et de renouer avec des souvenirs très chers. Ça continuait dans cette veine-là, avec des mots soulignés partout et autant d'exubérance.

— Bon, écoute-moi, Thomasina...

— Inutile, Peter... Je vais m'y rendre.

— Mais c'est impossible!

— Au contraire. J'ai répondu sur-le-champ qu'il me fallait *absolument* des vacances à la campagne.

— Est-ce que tu pourrais me laisser parler deux minutes...

— Oui, chéri.

— Ne m'appelle pas chéri! dit-il avec une violence tout à fait inhabituelle.

— J'avoue que je n'en meurs pas d'envie.

— Dans ce cas, ne te force pas! Et écoute-moi : tu payes cette Miss Silver pour qu'elle cherche Anna Ball. Elle est partie à Deep End dans ce but. Si tu vas fourrer ton nez là-bas, tu ne feras que lui couper l'herbe sous le pied. D'abord, il y a ton nom. Anna Ball a probablement parlé de toi quand elle y était.

— Anna ne parlait jamais de personne. C'était bien là le problème... elle était toujours renfermée, avec un petit air pincé. Je l'imagine mal se confier aux deux sœurs.

— Elle avait sans doute ta photo.

— Elle ne l'avait plus... du moins pas sur elle. La seule qu'elle avait, elle me l'a envoyée avec sa malle.

Peter se pencha en avant et lui saisit fermement le poignet.

— D'une façon ou d'une autre tu vas semer la pagaille. D'une part, tu te rends là-bas sous de faux prétextes, d'autre part tu vas gêner considérablement Miss Silver. A mon avis, toute cette affaire n'est que pur fantasme. Anna est repartie aussi vite qu'elle était venue, sans prendre la peine de t'écrire. Mais si jamais il se passe certaines choses dans cet endroit — je dis bien si jamais —, tu vas te trouver dans une situation qui te fera regretter de ne pas m'avoir écouté.

Thomasina attendait qu'il reprenne son souffle. Son argumentation était tout prête.

— Pourquoi irais-je là-bas sous de faux prétextes ? Je ne connais rien au tissage et je ne suis pas une quelconque Jane Smith ou Elizabeth Brown. Elles *connaissaient* vraiment tante Barbara, et je *suis* sa nièce, et si elles acceptent une pensionnaire, que je désire apprendre à tisser et profiter de quelques jours à la campagne, pourquoi m'en priver ?

— Parce que tu ne désires rien de la sorte. Ton unique raison de rencontrer ces Tremlett, c'est ton désir de fouiner autour d'Anna Ball.

Thomasina devint blanche de colère.

— Tu dis ça parce que c'est la chose la plus méchante qui te soit venue à l'esprit !

— Tout à fait vrai !

— Mais c'est faux !

— Si c'était faux tu ne te mettrais pas dans des états pareils !

— Oh, que si ! J'ai horreur du mensonge et de l'injustice ! Je ne crois pas du tout que Gwyneth et Elaine ont quelque chose à cacher. Tante Barbara n'aurait pas été leur amie si elles n'en avaient pas valu la peine. Car elle les *aimait*, et Gwyneth l'appelait « Chère Mrs. Brandon ». Dès lors, pourquoi ne pas y aller en qualité de pensionnaire ? Si elles sont comme je les imagine, et s'il ne s'est rien passé, j'apprendrai un peu à tisser et je rentrerai. J'espère que tu ne vas pas me dire qu'il y a là quelque chose qui ne va pas ?

— Suppose qu'il se soit vraiment passé quelque chose ?

— Plus vite on le saura, mieux ça sera.

Ils marquèrent une longue pause. Thomasina retrouva rapidement ses couleurs. Elle avait réussi à lui couper le sifflet, sans doute pour la première fois. C'était un sentiment très agréable. Mais, comme le silence se prolongeait, un certain malaise s'instaura. Un petit vent froid soufflait. Les nuages étaient bas et d'un gris menaçant qui annonce la neige. Elle eut soudain froid aux pieds. Ils auraient été mieux devant une bonne tasse de thé, au lieu de moisir sur un banc sans même pouvoir échapper au grotesque de la situation. Elle observa Peter à la dérobée. Il fixait lugubrement le vide. Elle était sur le point de le regarder de nouveau, quand, dans un de ces brusques mouvements dont il était coutumier, il se tourna vers elle et lui saisit les deux mains.

— Tamsine, n'y va pas !

Il lui était toujours extrêmement difficile de ne pas sentir son cœur fondre quand il l'appelait ainsi, mais baisser la garde devant Peter, c'était prendre le risque d'être aussitôt traitée comme quantité négligeable. Le sang de tous les Border Elliot prit le desssus. Elle lui sourit et le regarda droit dans les yeux.

— Chéri, bien sûr que je vais y aller.

11

La semaine passée à Deep End n'avait en rien modifié la première impression de Miss Silver. Son expérience pédagogique, comme elle l'appelait, remontait à si loin qu'il aurait pu lui sembler étrange de s'occuper de nouveau d'enfants, mais elle n'y voyait rien d'étrange. Comment s'y était-elle prise pour persuader Jennifer, Maurice et Benjy de l'écouter, voilà ce qui justement ne s'expliquait pas. Des personnes savent se comporter avec les enfants, d'autres non. Certaines qualités inspirent le respect. Quand on les rencontre, on s'y soumet. Miss Silver possédait ces qualités. En retour, elle respectait les enfants dont elle avait la charge — elle respectait leur intimité, leur confiance, leurs droits. Toutes choses jamais exprimées par des mots, car ressenties au plus profond de l'être. Elles permettent d'instaurer un sentiment de sécurité propice à l'éclosion de rapports confiants.

Il ne faudrait cependant pas imaginer que les enfants Craddock étaient devenus ordonnés et disciplinés en un jour ou deux. Entre deux sursauts d'intérêt, Jennifer demeurait distante. Maurice, robuste et peu imaginatif, se découvrit une passion pour les trains. Miss Silver avait eu la bonne idée d'emporter un album dont la couverture s'ornait d'une énorme locomotive aux couleurs éclatantes — bleu de Prusse et rouge écarlate — qui captiva l'esprit de l'enfant et conquit son cœur. Outre une grande quantité d'illustrations représentant des locomotives et des trains, tous dûment identifiés par leur nom et leur numéro de série, l'ouvrage proposait une foule d'informations à peine imaginables sur les chemins de fer. Margaret Moray, qui avait un garçon du même âge que Maurice, lui avait assuré que tout garçon entre quatre et huit ans devait inévitablement succomber. Les petites filles feraient la moue, mais un garçon normalement constitué se jetterait dessus, et en redemanderait. Comment ne pas se passionner pour le nombre exact de kilomètres entre Londres et Édimbourg, ou entre Édimbourg et Glasgow, l'histoire du *Flying Scotsman* ou celle du *Coronation Scot,* et tant de détails aussi véridiques qu'innombrables, sur les boggies, la consommation de charbon ou les besoins en eau ?

Mrs. Charles Moray avait vu juste. Dès qu'il aperçut la locomotive colorée de la couverture, Maurice se désintéressa de tout le reste. On l'entendait murmurer dans son sommeil le nom de ses machines préférées. Chaque repas était pour lui l'occasion de faire profiter la famille de ses nouvelles connaissances, ce qui avait le don d'énerver au plus haut point Mr. Craddock, qui se considérait comme l'unique source du savoir et n'entendait pas apprendre quelque chose d'un enfant de sept ans. Un pli désapprobateur barrait le front de ce Jupiter et l'atmosphère devenait pesante. Les timides tentatives de Mrs. Craddock pour le faire changer de sujet n'avaient aucun effet sur Maurice, et ses mains commençaient à trembler. En une occasion particulièrement pénible, elle laissa tomber la théière, se brûlant le poignet et inondant la nappe, mais le désordre qui s'ensuivit n'interrompit nullement la litanie de Maurice, qui continua à énumérer le nom de toutes les gares entre Londres et Bristol, imité par la petite voix de Benjy qui, par contre, se trompait une fois sur deux.

Si tout cela était éprouvant, les deux garçons avaient accepté qu'on leur coupe les ongles et se lavaient dorénavant les mains avant les repas, pratique jugée auparavant efféminée. Miss Silver avait été surprise de l'emploi de ce mot, car Mr. Craddock n'en était certainement pas à l'origine. Une conversation avec son épouse lui apprit que cela faisait moins de deux ans qu'ils habitaient Deep End. Mr. Craddock les y avait précédés afin de préparer le terrain pour la famille et la Colonie.

— Voyez-vous, nous vivions dans un tout petit village, Wyshmere — moi et les enfants du moins. Mon mari voyageait beaucoup. C'était un artiste. Plusieurs artistes habitaient à Wyshmere, et quand mon mari est mort dans un accident d'avion, nous y sommes restés. Bien sûr, les enfants ont dû fréquenter l'école du village. Je n'aurais pu moi-même leur donner des cours, et nous avons été très pauvres avant qu'un très vieux cousin, Francis Crole, ne me lègue une grosse somme. C'était vraiment gentil de sa part, car je ne l'avais vu que deux fois. Il est venu nous rendre visite après la mort de mon mari et a réglé toutes les factures. Un an plus tard il est revenu. Il m'a dit que je n'étais guère raisonnable, que les enfants commençaient à se montrer mal élevés, que je devais me remarier avec quelqu'un qui s'occuperait d'eux et de moi. Un mois plus tard il est mort dans un accident de la route. Il avait fait un nouveau testament et me laissait beaucoup d'argent. Alors j'ai épousé Mr. Craddock.

Miss Silver se souvint des mots de Jennifer : « Parce qu'il serait drôlement embêté si elle mourait... à cause de l'argent ! » Il fallait espérer que le cousin Francis l'avais mis en sécurité.

— Ainsi, Mr. Craddock est le beau-père des enfants, dit-elle avec un grand naturel.

Le visage de Mrs. Craddock s'empourpra légèrement.

— Oh, *oui*. C'est merveilleux pour eux d'avoir un homme comme lui. Il était venu en vacances à Wishmere après la mort du cousin Francis. Il a conquis tout le monde. Voyez-vous, les demoiselles Tremlett habitaient également à Wyshmere. Elles avaient confiance en lui. Ainsi que Jennifer.

Elle s'interrompit, soupira longuement, et lâcha trois mots qui résumaient tout :

— *Ensuite, bien sûr...*

— Les enfants sont si capricieux.

— Certes, certes... soupira-t-elle. Mais il a été si bon avec eux. Il s'est montré si proche. Il a donné à Jennifer des leçons de diction poétique. Il disait qu'elle était vraiment douée — pour ma part, je ne crois pas que j'aimerais qu'elle fasse du théâtre.

Elle laissa échapper un autre de ses profonds soupirs désabusés.

— Après tout, on ne sait jamais comment les choses vont se passer.

Elles étaient assises dans la grande pièce triste du rez-de-chaussée qui servait de salle de classe et de jeux aux enfants. Mrs. Craddock faisait son raccommodage quotidien et Miss Silver enroulait une pelote de laine bleu pâle destinée à une petite veste de bébé. Sa nièce par alliance, Dorothy, l'épouse du frère d'Ethel Burkett, attendait son troisième enfant. Comme douze années s'étaient écoulées avant la naissance du premier, la famille se faisait une joie de cet heureux événement, un garçon espérait-on, d'où le choix de cette couleur.

Miss Silver considéra avec compassion le petit visage penché sur une paire de culottes courtes rapiécées de toutes parts.

— Parfois, ils tournent mieux qu'on ne l'aurait cru. Vos garçons sont solides et en bonne santé, et Jennifer est très intelligente.

— Elle ressemble à son père. Elle a hérité de son tempérament artistique.

A l'entendre, on aurait pu croire qu'elle avait hérité d'une maladie.

Miss Silver continua à enrouler sa pelote, gardant le silence.

— Ne pensez-vous pas qu'il vaudrait mieux l'envoyer à l'école ? finit-elle par dire.

Mrs. Craddock la considéra d'un air surpris.

— Oui... bien sûr... j'y ai pensé...

— Ce serait bon qu'elle fréquente des filles de son âge. Elle est si sensible, si passionnée. Il faut qu'elle s'ouvre au monde.

Emily Craddock secoua la tête.

— Mr. Craddock s'y opposerait. Il est contre l'idée du pensionnat, et c'est très cher. Voyez-vous, nous avons dû acheter cette maison. Faire tous ces travaux. Ça a coûté une fortune de transformer les écuries pour les besoins des Tremlett. Ainsi que le pavillon, et les deux nouveaux cottages. Bien sûr, ce fut une chose passionnante à faire. Mr. Craddock a des idéaux tellement élevés. Oh, je ne les comprends pas tous. Il dit que je suis très terre à terre, mais la maison me prend tout mon temps — et les occupations ménagères n'ont jamais été mon fort —, je n'ai guère le loisir de penser à autre chose, n'est-ce pas ? Mais, je crois vraiment que c'est extrêmement gentil de sa part de bien avoir voulu m'épouser. Tout le monde à Wyshmere en était persuadé... et c'est un grand privilège pour les enfants.

Cet après-midi-là, Miss Silver adressa à Mrs. Charles Moray la lettre suivante :

Ma chère Margaret,

C'est une vieille demeure des plus intéressantes. Dommage qu'elle ait été bombardée, mais l'aile occupée par les Craddock est très confortable. Les enfants sont un peu livrés à eux-mêmes, mais je garde bon espoir. Votre idée de livre sur les trains a rencontré un franc succès auprès des garçons. Mr. et Mrs. Craddock sont tout à fait charmants. C'est un homme passionnant, et très beau. Je crois qu'il travaille à un ouvrage important. Quant à elle, elle n'est guère robuste et je suis heureuse de pouvoir la soulager. J'espère que tout va bien chez vous.

Meilleures pensées,
affectueusement,

Maud Silver.

P.-S. Voulez-vous bien me faire savoir s'il est possible de trouver la laine dont je vous ai parlé ?

Elle timbra et déposa la lettre sur une petite table du vestibule. Une fois par jour, le facteur profitait de sa tournée pour effectuer la levée des deux seules boîtes aux lettres publiques — l'une se trouvait devant la grille de ce qu'il continuait à appeler Deepe House, par hostilité envers Mr. Craddock et la Colonie, l'autre au milieu des cottages serrés au pied de la côte. La Colonie se distinguait par l'abondance de sa correspondance, tout au contraire de Deep End. Les demoiselles Tremlett, notamment, recevaient des lettres, des magazines et des périodiques du monde entier, auxquels elles répondaient par des lettres-fleuves. Quant à la volumineuse correspondance de Miranda, elle se caractérisait plus par les lettres qu'elle envoyait que par celles qu'elle recevait. Cela lui avait valu les critiques du facteur, un homme très comme il faut, du nom de Hawke : « Me semblerait normal qu'une femme ait deux noms, comme tout un chacun, et qu'elle s'appelle mademoiselle ou madame. Ne mettre que son prénom sur l'enveloppe me semble indécent. Miranda, seulement ça, c'est comme si elle se montrait toute nue aux yeux de tout un chacun ! Il est évident qu'elle a forcément un nom de famille ! Comme n'importe qui. Et pourquoi qu'elle ne l'utilise pas, d'abord ? » On ne lui fournit aucune réponse, nul ne contesta son avis, aussi finit-il par se lasser de répéter ses griefs, le sujet ayant perdu tout intérêt.

Au lieu de laisser sa lettre sur la petite table du vestibule, Miss Silver aurait pu la mettre dans la boîte de la grille. Si elle avait eu envie de marcher, elle aurait pu pousser jusqu'à Deep End et glisser la lettre destinée à Mrs. Charles Moray dans la fente qui rayait de rouge le mur du cottage du vieux Masters. Pluie, grêle, soleil, neige, tonnerre, quel que soit le temps, le vieux Masters était à dix heures pile sur le pas de sa porte, au moment du passage de Hawke. Pendant la guerre, quand Mrs. Hawke avait pris la relève de son mari, le vieux Masters s'était senti frustré. La plupart du temps, il ne lançait qu'un « 'jour facteur » suivi d'un bulletin lapidaire sur l'état de ses rhumatismes, et peut-être que Hawke lui disait un mot de son grand-père qui allait avoir cent ans, alors que Mr. Masters n'en avait que quatre-vingt-quinze, et inutile d'essayer de rabioter une ou deux années, son âge était connu de tous, et sa bru, qu'on appelait aussi la jeune Masters, bien qu'elle eût dépassé la cinquantaine, y veillait. C'était une femme de grande taille, en général silencieuse, sauf s'il s'agissait de préciser votre âge ou de vous rappeler le nombre exact de fois où vous aviez remporté le concours de la plus belle courgette de la région de Deeping. Elle se montrait alors très maladroite. Totalement insensible, disait le vieux Masters. Pour le reste, c'était une femme aux traits peu amènes, qui s'occupait impeccablement de lui et du cottage, trouvant encore assez de temps et d'énergie pour passer trois heures par jour à Deepe House, que ni elle ni personne à Deep End ou Deeping ne pouvait se résoudre à appeler Harmony.

Comme l'avait un jour signifié le vieux Masters.

— L'aurait aussi bien pu me rebaptiser, *moi*, à mon âge ! Pour qui donc y s'prennent, ces Craddock, à s'permettre de changer les noms — j'vous le demande ! Des ignorants et des arrogants, v'là c'que j'en pense ! Si c'te maison, qui date de la reine Élisabeth Ire, a plus l'droit de porter le nom qu'elle a toujours porté, dites-moi donc quand est-ce qu'elle le portera ?

12

Le lendemain, à l'heure du petit déjeuner, Margaret Moray reçut la lettre de Miss Silver. La matinée étant sombre, elle s'approcha de la fenêtre pour bénéficier de la lumière. Puis, sans l'avoir ouverte, elle la déposa devant son mari.

— Qu'en penses-tu, Charles?

Il l'étudia d'un air renfrogné, demanda qu'on allume, inclina l'enveloppe vers la lumière, en tapota la partie supérieure.

— Il me semble qu'elle a été ouverte.

— C'est aussi mon avis.

Elle fendit soigneusement le rebord supérieur et lut à voix haute la prose anodine de Miss Silver.

Charles Moray leva les yeux de son porridge.

— Qu'est-ce que tu comptes faire?

— La montrer à Frank Abbott et envoyer une carte postale à Maud pour lui donner notre avis. Si je suis sûre que la lettre a été ouverte, je dois répondre à son post-scriptum : « Quelle quantité de laine voulez-vous? Je peux la trouver sans problème. »

Elle hésita.

— Je ne suis pas vraiment sûre de pouvoir lui faire cette réponse.

— Peut-être pas.

— J'ai pensé répondre : « Je crois pouvoir trouver la laine que vous cherchez. Vous le confirmerai dès que possible. » Scotland Yard devrait tirer ça au clair. Sais-tu, Charles, j'aurais vraiment préféré qu'elle n'y aille pas. Ça ne me plaît pas beaucoup.

Charles non plus n'aimait pas cela, mais il préféra le garder pour lui. Il déplia le journal un peu olé olé qui l'aidait à ingurgiter son porridge et fit remarquer, avec une pointe de malveillance, que les reines de beauté n'auraient bientôt plus rien à cacher.

Margaret regarda par-dessus son épaule.

— Mon Dieu, quel horrible maillot de bain !

— Si on peut appeler ça un maillot de bain ! Je me demande ce qu'elle pourrait montrer de plus sans se faire arrêter !

Elle l'embrassa sur le front.

— Je l'ignore, chéri... je n'y ai jamais pensé. J'aimerais que Michael n'arrive pas en retard à l'école. Je suis *sûre* que Betty ne sera pas à l'heure.

Le lendemain, la carte postale de Mrs. Moray fut ponctuellement distribuée par Mr. Hawke. Celui-ci, naturellement, n'ignorait pas que la nouvelle gouvernante de Deepe House était une marathonienne du tricot, mais qu'elle trouve ou non la laine qu'elle cherchait ne le passionnait pas outre mesure. Et quelle idée de s'adresser à Londres ? Miss Weekes, qui tenait la mercerie *Fancy Stores*, à Dedham, proposait un choix considérable.

Il en fit part à Miss Silver, rencontrée en chemin, avant de préciser :

— Mrs. Hawke affirme qu'elle n'a jamais vu une aussi bonne qualité depuis fort longtemps — qualité d'avant-guerre, dirions-nous.

Il continua à vélo jusqu'à Deep End, satisfait de ses petites pensées et de la réponse plaisante de Miss Silver. Il n'était pas mécontent non plus d'avoir rendu service à Miss Weekes, sa sœur Grace étant mariée à un de ses cousins de Ledstow.

Miss Silver était plutôt pensive quand elle revint à Deepe House, et elle ne manqua pas de montrer la carte à Mrs. Craddock.

— Cette nuance de rose est parfois difficile à trouver, et l'assortiment doit être parfait. Mrs. Moray est vraiment très aimable de se donner tout ce mal.

Peu après, Jennifer fit irruption dans la pièce. On se considérait en période de vacances et Miss Silver n'avait pas organisé des cours réguliers, mais elle s'efforçait de trouver une occupation qui intéresserait les enfants. Maurice construisait un modèle réduit, et, bien sûr, Benjy voulait l'imiter. Elle avait découvert chez Jennifer une grande sensibilité à la poésie et au théâtre. Elle s'était procuré quelques pièces en un acte et les trois enfants répétaient l'une d'elles. Elle avait déjà su instaurer un semblant d'organisation dans leurs journées et leur inculquer les premiers rudiments d'ordre et de ponctualité.

— Mrs. Masters veut te voir avant son départ, lança Jennifer, qui se planta devant la fenêtre tandis que sa mère posait son ouvrage et s'empressait de quitter la pièce.

Jennifer ne disait rien. Elle observait un arbre gracieux et dépourvu de feuilles, et dessinait ses contours sur la vitre de la pointe du doigt. Miss Silver, qui l'observait, devina à quel moment l'adolescente cessa de penser à l'arbre et à son dessin. Jusqu'à cette seconde, les pensées de Jennifer s'étaient mues dans une atmosphère de jubilation pure — elle suivait, fascinée, le mouvement de son doigt, qui croisait et entrecroisait les branches tendues vers la lumière. D'un seul coup, l'arbre et le ciel disparurent et sa main seule fut visible contre la vitre — une longue main fine dont on distinguait la forme des os sous l'éclat hivernal d'un rayon de soleil qui frappait le carreau et rendait la chair translucide.

Dès l'apparition du rayon de soleil, Jennifer avait cessé de voir l'arbre pour ne plus s'intéresser qu'à sa main. Miss Silver, qui suivait tout cela, à la fois curieuse et inquiète, fut consciente du raidissement brusque, de la tension et de l'extraordinaire concentration de l'adolescente. On aurait dit qu'elle venait de découvrir une chose horrible, particulièrement repoussante.

Miss Silver posa son ouvrage sur ses genoux.

— Avez-vous un problème avec votre main, ma chère? dit-elle, le plus naturellement possible.

Jennifer se retourna vivement, aussi surprise que fâchée.

— Pourquoi j'en aurais un?

— Je me disais que... vous n'avez pas l'air dans votre assiette.

— C'est rien qu'une main, pas vrai? Ma main. Je peux la regarder, non? En quoi c'est mal de regarder sa main? Dites-moi!

Miss Silver avait repris son ouvrage. Elle sourit.

— Parfois, quand on fixe une chose trop longtemps, elle disparaît. Elle peut même ressembler à autre chose.

Jennifer renvoya en arrière sa chevelure noire indomptée.

— Ce n'est pas le cas! Ça ressemblait à une main! C'était ma main!

En se retournant, elle avait dissimulé ses mains dans son dos. Maintenant, elle les tendait vers Miss Silver, sans les regarder, l'observant, elle.

— C'est rien d'autre que mes mains, qu'est-ce que vous voulez que ce soit? J'sais pas d'quoi vous parlez. C'est mes mains, voilà tout.

Miss Silver souriait toujours.

— Et drôlement sales, ma chère. Cela vous serait plus facile d'avoir les ongles propres si vous les coupiez beaucoup plus court. Vos mains sont très belles. Si vous me laissez vous couper les ongles, ils seront non seulement plus faciles à entretenir, mais aussi plus agréables à regarder.

Elle crut la voir frémir, mais la jeune fille sut se contrôler et se dirigea brusquement vers la bibliothèque. Plantée devant une étagère, elle faisait mine d'attraper un livre pour le repousser aussitôt, ou en ouvrait un dont elle faisait défiler rageusement quelques pages.

— Toutes ces vieilleries, dit-elle, très mécontente. Vous saviez qu'elles appartenaient à la maison ? Et la maison appartenait aux Everly. Ils sont tous morts maintenant. Miss Maria Everly était la dernière de la lignée, elle est morte avant la guerre, à quatre-vingt-seize ans. Ici, c'était sa salle de classe, et sa bibliothèque. La famille Everly s'est complètement éteinte. C'est le vieux Masters qui me l'a dit. C'est le beau-père de Mrs. Masters... il habite dans le cottage avec une boîte aux lettres sur un mur. Il se souvient de Miss Maria Everly. Une vraie terreur, d'après lui, mais une vraie dame aussi. Il dit qu'on n'en trouve plus des comme elle... rien que des bonnes femmes en pantalon, et certaines qui à leur âge devraient mieux se comporter. C'est très intéressant de parler avec lui... j'aime aller lui rendre visite et parler. Sauf que des fois...

Elle se renfrogna et se tut.

— Sauf que parfois ?

— Oh, rien ! Il n'en parle pas à tout le monde, des Everly, je veux dire. Moins on parle, mieux on se porte, c'est sa devise. N'allez pas raconter que je vous en ai parlé, d'accord ? Est-ce que vous saviez que tout le mobilier de cette pièce provient de leur maison ?

110

C'était la salle de classe, et personne n'a pris la peine de l'enlever. Tout ce qui avait de la valeur a été vendu, mais il a acheté le reste avec la maison.

Miss Silver s'était faite à l'habitude de Jennifer de ne jamais appeler Mr. Craddock par son nom. Elle s'abstint de tout commentaire.

Jennifer avait sorti un autre livre de la rangée.

— *De la bonne éducation des enfants!* lança-t-elle avec mépris. Je le déteste, celui-là!

Miss Silver, familière de ce vénérable ouvrage, fit doucement remarquer que la manière de s'exprimer, tout comme la façon de s'habiller, était fonction de la mode.

— On parlait différemment il y a un siècle, et on s'habillait différemment, mais je ne crois pas que les gens de ce temps étaient très différents de nous.

Sans délicatesse aucune, Jennifer remit le livre à sa place.

— Je les hais! dit-elle avec emphase.

Soudain, elle se retourna, offrant un visage totalement nouveau.

— J'ai vu Miss Tremlett, commença-t-elle. Je n'ai pas été assez rapide, aussi m'a-t-elle vue. Elle m'a dit qu'elles allaient accueillir un hôte payant. Pourquoi ne dit-elle pas simplement un pensionnaire? Hôte *payant,* c'est absurde, non? Si vous êtes un hôte, vous ne payez pas, et si vous payez vous n'êtes pas un hôte. C'est l'un ou l'autre, et moi je continuerai à dire pensionnaire. Quand je la rencontrerai je lui demanderai : « Et comment va votre pensionnaire aujourd'hui, Miss Elaine? Comment trouvez-vous votre pensionnaire, Miss Gwyneth? » C'est ce que j'aurais dû dire à Elaine ce matin. La pensionnaire, car il s'agit d'une femme, arrive cet après-midi, et demain elles vont organiser une petite fête de bienvenue. Gwyneth prend tout à l'heure le bus de Dedham pour acheter

des gâteaux, Elaine a prévu des petits pains au lait. I
ira, lui aussi, et je suppose que vous ferez de même
mais maman n'ira pas, je vais faire en sorte qu'elle se
repose. Je crois que ce serait une bonne idée de
l'enfermer dans sa chambre.

Miss Silver secoua la tête.

— Je n'en crois rien. Elle pourrait énormément
s'inquiéter.

Une ombre passa sur le visage de Jennifer. Sollici-
tée, sa vive imagination lui permit tout à coup de se
voir enfermée — seule — dans le noir. La scène lui
apparaissait dans tous ses détails — des mains
cognaient contre une porte verrouillée, se battaient
contre une fenêtre grillagée, elle entendait des hurle-
ments de terreur, d'abord très forts, qui s'étouffaient
peu à peu et s'achevaient par un murmure de plus en
plus faible et désespéré. Qu'elle crie ou non, personne
ne pouvait l'entendre. Elle fixa des yeux exorbités sur
Miss Silver.

— Non... non, je ne veux pas l'enfermer, dit-elle
un frisson dans la voix. On ne devrait *jamais* enfermer
personne. C'est trop horrible.

13

Le soir, les enfants étaient déjà couchés quand le nom de Mr. Sandrow fut prononcé pour la première fois. Mr. Craddock était absent. Rien d'inhabituel à cela, car il quittait la table aussitôt le repas achevé et, souvent, il n'y participait pas. Parfois, Mrs. Craddock lui portait un plateau dans le bâtiment principal, où il avait son bureau — sa « Retraite ». A chaque étage, la porte qui aurait dû communiquer avec l'aile inhabitée était fermée à clef, précaution rendue nécessaire par l'état de délabrement de l'immeuble. Mrs. Craddock permettait à Jennifer, Maurice ou Miss Silver de l'accompagner jusqu'à cette porte, mais, dès que la clef tournait et que la porte s'ouvrait, elle était la seule à la franchir, son plateau à la main. On apercevait un couloir sombre et poussiéreux, sans autre meuble qu'une petite table grossière sur laquelle elle se débarrassait de son plateau, avant de refermer à clef derrière elle. Parfois, elle se contentait de déposer le plateau et de s'en retourner sans attendre. Sinon, après avoir fermé la porte, elle s'absentait pendant une dizaine de minutes environ. Il lui arrivait de répéter les recommandations qu'elle avait faites à Miss Silver le jour de son arrivée : « Mr. Craddock se consacre à une œuvre importante, on ne doit pas le déranger. »

Ce soir-là, les deux femmes étaient assises près de la cheminée, dans l'ancienne salle de classe. Tout était calme et silencieux dans la maison. Mrs. Craddok reprisait une des culottes de Benjy et Miss Silver, qui avait délaissé son tricot, avait entrepris de faire disparaître deux trous béants dans un des pulls de Maurice. Un silence complice régnait depuis un moment entre les deux dames lorsque Mrs. Craddock émit un léger soupir.

— Cela fait une grande différence d'avoir de l'aide pour le raccommodage.

Miss Silver toussota poliment.

— Miss Ball ou Miss Dally ne vous aidaient donc pas ?

— Pensez-vous, dit-elle avec un nouveau soupir. A vrai dire, elles n'étaient guère utiles. Miss Dally était une tête creuse, uniquement préoccupée de courir les garçons et d'aller danser. Bien sûr, elle est jeune, c'est de son âge. Quant à Miss Ball... J'ai vraiment été contente qu'elle s'en aille. Je crois qu'elle me détestait, et c'est un sentiment très pénible.

— Tout à fait immérité, car je suis sûre que vous vous êtes montrée aussi gentille avec elle qu'avec moi.

Encore une fois, Mrs. Craddock soupira.

— Je ne sais plus. Bien sûr, la vie n'était pas drôle pour elle. Et puis Mr. Sandrow est arrivé — je me suis toujours demandé s'il n'était pas un peu responsable. Mais, bien sûr, il n'est pas revenu, et elle n'a jamais écrit...

— Mr. Sandrow ? demanda Miss Silver d'une voix distraite.

— Oui, répondit Mrs. Craddock.

Elle lissait de la main une pièce de flanelle grise. Elle fit un point et s'interrompit.

— Il m'est arrivé de me demander si nous aurions dû lui en parler, mais Mr. Craddock disait que cela ne nous regardait pas. J'ignore quel âge elle pouvait avoir — ce n'était plus une jeune fille certes —, mais elle devait avoir ses raisons. Mr. Craddock estimait que nous n'avions pas à nous en mêler.

— Aviez-vous des raisons de penser qu'elle est partie avec ce Mr. Sandrow ?

Emily parut surprise.

— Pas du tout, bien sûr que non. Je me demandais simplement pourquoi elle n'écrivait pas. Mais pourquoi l'aurait-elle fait ? Elle est restée si peu de temps, et elle ne nous aimait pas... elle n'avait aucune raison d'écrire. Et elle n'écrivait pas non plus à ses amis. Quelqu'un a fini par venir s'enquérir d'elle tout récemment. Je crois qu'elle n'avait aucune famille, mais une amie s'est inquiétée d'être laissée sans nouvelles. Seulement les gens n'écrivent pas toujours, n'est-ce pas, et peut-être qu'elle voulait interrompre leur correspondance. C'était une fille plutôt mal lunée.

— Cette amie essayait de la retrouver ?

— Oui. Quelqu'un est venu, un policier, à mon avis, même s'il ne portait pas d'uniforme. Mais nous n'avions pas grand-chose à lui dire.

Miss Silver jouait avec dextérité de son aiguille à repriser sur la manche gauche de Maurice. Elle fit une courte pause et leva les yeux sur Mrs. Craddock.

— Aujourd'hui, vous estimez que vous auriez dû parler de Mr. Sandrow ?

— Il y avait si peu à en dire, fit-elle d'une voix désolée. Je ne l'ai vu qu'une seule fois... de loin, et il commençait à faire sombre. Il y avait une voiture à la grille, j'ai eu le temps de le voir s'arrêter et repartir. Miss Ball était sortie tout l'après-midi, voyez-vous. Nous avons remonté le chemin ensemble, elle était tout excitée, mais quand je lui ai demandé pourquoi son ami n'entrait pas, elle a changé de ton et m'a lancé qu'il n'aimait pas la foule.

— Quelle grossièreté!

— C'est bien ce que j'ai pensé. Mais elle a ri, et elle a rajouté, très fâchée : « On est mieux à deux qu'à trois, pas vrai? » Elle n'a plus rien dit, et je n'avais pas envie de parler. Oui, elle était vraiment grossière.

— Cependant, elle vous a dit son nom?

— Non... non, dit-elle, surprise. Je ne pense pas, ce doit être quelqu'un d'autre — un des enfants peut-être.

— Elle a parlé de lui aux enfants?

— Je crois que oui — à cause du nom... Oui, c'est Jennifer... Je pensais que ce nom avait une consonance italienne — Sandro, voyez-vous. Elle m'a dit que non, que ça s'écrivait R O W.

— Si Miss Ball était si secrète, il semble étonnant qu'elle se soit confiée à Jennifer, remarqua Miss Silver, songeuse.

— Je ne sais pas. A douze ans, j'avais une gouvernante qui me racontait tout sur son fiancé, un missionnaire en Chine. Quand on est amoureux, on a envie de se confier. J'imagine que les enfants ont dû la taquiner pour savoir si c'était un Italien. Elle aura probablement épelé son nom pour les convaincre qu'ils se trompaient.

— Est-ce qu'ils l'ont vu?

— Je ne crois pas. Jennifer a dit qu'il était très beau, mais je crois qu'elle répétait ce que lui avait dit Miss Ball. Je pense qu'Elaine Tremlett l'a vu une fois... ou Gwyneth. Elle disait qu'il avait les cheveux roux, ce qui ne me semble guère italien, n'est-ce pas?

— Est-ce que Miss Ball l'a beaucoup fréquenté?

— Allez savoir! Elle avait l'habitude de s'éclipser

116

vers le soir... c'est une des choses que je n'aimais pas chez elle. Cela faisait jaser au village.

Miss Silver se dit que les gens du village, cependant, s'étaient bien gardés d'en parler à l'inspecteur Abbott. A l'évidence, Mrs. Craddock lui avait confié tout ce qu'elle savait de ce Mr. Sandrow. Anna Ball n'avait pas dit d'où il venait, ni depuis combien de temps ils se connaissaient. Après son bref accès de colère, le soir, sur le chemin, elle était retombée dans son silence hostile et, au bout de quelques jours, elle était partie, au grand soulagement de Mrs. Craddock.

— J'ai vraiment essayé d'être gentille avec elle, dit-elle de sa voix plaintive. Nous ne l'aimions pas, mais nous avons fait des efforts. Nous lui avons donné un chapeau rouge.

— Un chapeau rouge?

— Mr. Craddock pensait que ça lui remonterait le moral, dit Emily.

14

Les Tremlett n'étaient pas peu fières de leur atelier. Les cloisons séparant les stalles de l'ancienne écurie avaient été abattues pour laisser place à un vaste salon, flanqué à l'arrière d'une petite cuisine et d'une salle de bains, et elles trouvaient que l'escalier qui menait aux trois chambres de l'étage était particulièrement décoratif.

— C'est tellement plus agréable d'avoir de la place pour recevoir, disait Elaine. Notre cottage de Wyshmere était des plus *pittoresques*, mais si ridiculement petit et sombre ! Des fenêtres à petits carreaux, voyez-vous — tout ce qu'il y a de plus authentique, avec une châsse au plomb, absolument introuvables aujourd'hui, mais ils laissaient passer une si *pauvre* lumière. Certes, des bougies ou même des chandelles seraient plus appropriées, mais comment ne pas être sensible à la *générosité* de Peveril dont l'installation nous fournit l'électricité ?

Aux yeux de Miss Silver, le salon rappelait un peu trop une grange. Elle demeura insensible à la sobriété de ses murs blanchis à la chaux. Elle admirait plutôt un joli papier peint avec des bandes satinées ou des bouquets de fleurs. Les fauteuils d'un style archaïque, aux formes anguleuses, sans rien pour en tapisser le siège, lui semblèrent manquer de confort. Des couvertures de facture artisanale jonchaient le sol. Le métier à tisser de Gwyneth était installé près d'une fenêtre.

Miss Elaine, petite et mince, en tunique vert pomme, et Miss Gwyneth, plus forte, vêtue d'une espèce de sac bleu paon qu'elle faisait quelque peu onduler en s'agitant, étaient tout à fait charmantes et prévenantes. Miss Silver ne s'étonna pas de voir que cet accueil chaleureux s'adressait prioritairement à Mr. Craddock, car, à peine arrivée à Deep End, elle avait compris que tout, dans la communauté d'Harmony, dépendait de lui. Les sœurs se montraient polies envers elle et affectueuses envers la « chère Emily », mais c'est bien Peveril qui était le véritable objet de tant de déférence et d'enthousiasme, de tout ce papillonnage mondain. Il fallait les voir lui tourner autour, à grand renfort d'écharpes déployées et de cliquetis de perles. Sur sa tunique vert pomme, Miss Elaine portait un collier de perles de Venise bleu et argent, assorti d'un autre en ambre chinois, tandis que les rondeurs de Miss Gwyneth étaient parées d'un petit rang de cornaline et de deux colliers plus longs, l'un en corail rose, l'autre en argent filigrané et améthyste. Les cheveux blonds, un peu ternes, de Miss Elaine étaient ramenés et noués sur la nuque, à la mode préraphaélite. Ceux de Miss Gwyneth, gris et quelque peu clairsemés, étaient coupés au ras des épaules et lui donnaient une vague ressemblance avec un abbé français du xviiie siècle.

Miss Silver sentit que Miss Elaine lui pressait la main.

— Nous espérons que vous allez aimer votre séjour, lui dit-elle. La bonne entente est le principe de notre Communauté.

Ce fut au tour de Miss Gwyneth de presser sa main.

— Ce n'est pas la meilleure époque de l'année pour un séjour à la campagne, mais chaque saison a son charme. Aimez-vous la nature ?

Plutôt que de leur faire part de son véritable sentiment sur la campagne — un monde froid et venteux, où les commodités de la vie moderne brillaient par leur absence —, Miss Silver s'en tint à une réponse passe-partout. Elle trouva des accents de franchise pour confier qu'elle avait déjà une bonne expérience de la campagne. Et d'ajouter :

— Quand on se concentre sur sa tâche, le décor en devient secondaire.

— Ah, oui — les enfants, crut bon de dire Miss Elaine. Vous vous y intéressez ?

— Énormément.

Miss Elaine joua nerveusement avec les perles d'ambre de son collier.

— Ils sont plutôt très libres de leurs mouvements mais, comme dit Peveril, on peut seulement guider jamais contraindre l'expression de l'ego. Que vous soyez *intéressée*, c'est le point capital. Et quel privilège de travailler avec *lui* !

Quelques instants plus tard, ce fut au tour de Miss Gwyneth d'insister sur l'incroyable privilège échu à Miss Silver. Elle parlait très fort et n'économisait pas ses gestes.

— J'espère que vous saurez l'apprécier, d'ailleurs je n'en doute pas. Ces deux filles — Miss Ball et Miss Dally — en étaient *incapables*. Leur personnalité ne s'y prêtait pas du tout. L'une, Miss Dally, était une évaporée, l'autre, Miss Ball, vivait dans sa coquille. Le pédagogue digne de ce nom doit savoir *donner* — ma sœur et moi en sommes persuadées. Et je suis sûre que *vous*... oh, mais laissez-moi vous présenter Miranda.

Miss Silver sentit qu'on lui prenait la main et qu'on la serrait avec un peu trop d'insistance.

— Nous nous sommes déjà rencontrées, dit Miranda de sa voix la plus grave.

120

Et, prenant Miss Silver à part :

— Inutile de leur préciser où, souffla-t-elle, cet endroit porte malheur. Vous êtes venue sans les enfants ? Ce n'est pas plus mal. Rien n'est plus fragile que l'harmonie d'une petite réunion amicale. Je trouve que les garçons sont des éléments perturbateurs. Ils sont frustes et violents. On devrait pourtant tirer quelque chose de Jennifer. Elle a des qualités certaines, même si elle dénigre tout ce qui l'entoure. Y compris Peveril, rendez-vous compte ! Lui qui fait preuve de tant de patience et d'indulgence, qui ne lui interdit rien. Quand je pense que même ses amis ne peuvent s'empêcher de le critiquer ! Je crois que cette enfant ne sait pas la chance qu'elle a ! La crise de l'adolescence, me direz-vous ? Peut-être ! Époque de fermentation et de révolte, je veux bien ! Très éprouvant pour cette pauvre Emily ! Son instinct maternel est très fort, mais elle se voue entièrement à Peveril !

Sous ce discours quelque peu singulier, Miss Silver discerna le simple besoin de colporter quelques cancans sur les Craddock. Elle ne fit rien pour s'y opposer, et toutes les deux prirent place sur un banc de chêne peu confortable, tandis que Miranda continuait à l'entretenir de l'instinct maternel d'Emily — Emily qui avait l'habitude de monter le soir embrasser ses enfants, mais Peveril y avait mis le holà. A l'entendre, les enfants risquaient de faire une fixation sur leur mère.

— Je ne suis pas sûre d'être d'accord avec lui. Et quel jargon psychologique ! Cela devient ridicule ! Benjy n'a que quatre ans, l'âge auquel une mère gagne la confiance de ses enfants.

Miss Silver n'avait nul besoin de répondre, Miranda ne lui en donnant pas l'occasion. C'était heureux, car elle voulait éviter que l'on ne rapportât à Mr. Craddock qu'elle désapprouvait sa conduite. Elle écouta avec intérêt une description de son aura, et apprit qu'il avait des pouvoirs paranormaux.

— S'il s'en était donné la peine, il serait devenu un grand médium. Mais il s'y refuse. Je ne me suis pas gênée pour le lui dire : « Peveril, tu gâches tes dons », et il ne m'a pas contredite. Il explore une autre voie, c'est ce qu'il m'a dit. Vous n'ignorez pas, bien sûr, qu'il s'est attelé à son Grand Œuvre. C'était très chic de sa part de venir cet après-midi. Très flatteur pour Gwyneth et Elaine, mais qu'elles ne s'attendent pas à le voir perdre son temps dans des activités sociales. Elles l'adorent, c'est vrai. C'est Gwyneth qui a tissé l'étoffe de sa tunique blanche, Elaine a brodé les signes du zodiaque. Cela lui va bien, mais je crains qu'Emily n'ait pas apprécié. Sortie de son raccommodage, elle ne sait pas coudre.

Miss Silver toussota.

— Ce n'est pas le raccommodage qui manque.

Miranda était affublée d'une longue robe de velours noir décolletée, aux manches tombantes laissant apparaître deux bras blancs musclés. Elle avait peigné sa crinière rouge, partiellement maintenue par un serre-tête violet, qu'un geste véhément faillit faire tomber.

— Ce n'est pas normal ! Les enfants ne portent que des shorts ou des pulls. Jennifer devrait raccommoder elle-même ses vêtements. Même Maurice pourrait apprendre à se servir d'une aiguille. Mais Emily a une mentalité d'esclave. Elle se prend pour la Martyre.

Elle parvint à donner à cette banalité une connotation sinistre qu'elle aggrava par l'énumération des autres défauts d'Emily Craddock.

— Quand je pense qu'elle ne sait même pas cuisiner ! dit-elle d'une voix de tragédienne. Chez eux, il m'est arrivé de goûter des lentilles tout juste bonnes à donner aux cochons. Il était hors de question de les manger, cela relevait du domaine de l'impossible ! La situation devenait critique... nous commencions à nous inquiéter pour la santé de Peveril. Heureusement, Mrs. Masters prépare maintenant les repas avant de s'en aller. Bien sûr, elle n'a pas le temps de faire également le ménage et comme cela dépasse les forces d'Emily, je crois que la propreté de la maison laisse à désirer. De nos jours, la vie de couple exige plus des femmes que naguère. Elles devraient apprendre à faire la cuisine et à se servir des appareils ménagers. Seulement, quand je lui ai suggéré d'acheter un aspirateur, elle m'a répondu que cela consommerait trop d'électricité. Mais moi je *sais* qu'ils disposent largement des kilowatts nécessaires. « Emily, vous n'y mettez pas du vôtre », voilà ce que je lui ai dit. Elle aurait eu du mal à dire le contraire. Elle est de ces gens qui ont toujours l'air de dire oui, mais qui finalement n'en font qu'à leur tête. S'agissant de l'électricité, elle ne sait absolument pas de quoi il retourne. Moi, je préfère dire ce que j'ai sur le cœur. Je n'y ai pas manqué.

A cet instant une porte s'ouvrit en haut de l'escalier et Thomasina Elliot apparut. Elle portait une robe grise assortie à la couleur de ses yeux, et ses joues brillaient d'un vif éclat. Elle vit Miss Silver avant que celle-ci ne l'aperçût. Elle s'attendait à la rencontrer et ne fut donc pas surprise. Elle rougit très légèrement, mais continua à descendre l'escalier. Elle atteignait la septième marche quand une exclamation de Miranda fit lever les yeux à Miss Silver. L'information qu'elle lui glissa à l'oreille de sa voix grave était bien inutile, mais elle accusa pourtant le choc. Elle ne s'attendait certes pas à voir Thomasina, et rien n'aurait pu lui causer plus de déplaisir. Elle parvint à se contrôler et se tourna vers Miranda.

— Vous disiez ?...

— Je vous présente la pensionnaire d'Elaine et de Gwyneth. Il leur arrive d'en prendre une, mais rarement si jeune. C'est la nièce d'une dame qu'elles ont connue à Wyshmere.

Thomasina était parvenue au pied de l'escalier. On la présenta à Emily, à Peveril, à un petit homme en tunique bleue, qui s'avéra être Augustus Remington, à Miranda et à Miss Silver.

— Voici notre jeune amie, Ina Elliott. Nous avons gardé un merveilleux souvenir de sa tante, Mrs. Brandon.

Miss Silver se composa un visage de circonstance. Puisqu'elle n'était pas censée connaître Thomasina, autant jouer le jeu.

— Comment allez-vous, Miss Elliott? dit-elle d'une voix neutre. Resterez-vous longtemps parmi nous?

Thomasina n'en menait pas large. Elle s'attendait à une certaine désapprobation, mais elle n'aurait pas cru que la rencontre lui serait si pénible. Elle ne s'était jamais sentie si mal à l'aise depuis sa première année d'école. Elle ne savait plus où se mettre. Elle était incapable de trouver ses mots.

— Je... je ne sais pas. Ce... cela dépendra.

Elle se sentait transpercée par le regard de Miss Silver.

— En cette saison, je crois qu'on est mieux en ville. A moins que l'on n'ait quelque chose de précis à faire à la campagne. Ce qui n'est pas votre cas, je pense?

— Non... pas... pas vrai...ment, dit Thomasina.

Elle n'avait plus bégayé depuis l'âge de dix ans. Elle était furieuse, autant contre elle-même que contre Miss Silver.

Elles furent interrompues par Miss Elaine.

— Nous espérons qu'elle restera aussi longtemps

qu'elle le pourra. Cela nous fait tellement plaisir ! L'essentiel, c'est qu'elle ne s'ennuie pas. J'ai une idée...

Elle se tourna vers Miss Silver.

— Si vous allez vous promener avec les enfants demain, peut-être pourrait-elle vous accompagner ? Elle aime tellement les enfants, n'est-ce pas ma chère ?

— Je ne voudrais pas déranger... murmura Thomasina.

Il y avait quelque chose de suppliant dans sa voix, mais le regard de Miss Silver demeura imperturbable. Elle acquiesça et abandonna Thomasina car Miss Gwyneth tenait à lui présenter Augustus Remington. C'était un homme extraordinairement maigre, si pâle et fluet qu'il faisait penser à une plante anémiée, qui ne voit jamais le soleil — il avait des cheveux d'un blanc duveteux, aussi doux et immatériels que ceux d'un bébé, des mains et des pieds filiformes, un visage dont les traits semblaient gommés. Il portait un pantalon de velours côtelé et l'espèce de blouse-tunique qu'affectionnait Mr. Craddock, mais dépourvue de broderies. Il murmurait plus qu'il ne parlait, et gesticulait beaucoup.

— Miranda m'a parlé de vous. Elle m'a dit que vous étiez médium — enfin, je ne sais plus. Peut-être qu'elle m'a dit le contraire. Je n'ai aucune mémoire, et Miranda est si bavarde. Alors, êtes-vous médium, oui ou non ?

— Pas que je sache, Mr. Remington.

Il leva les deux mains, comme saisi d'horreur.

— Malheureuse, pas de Mr. Remington ! Ce nom, fardeau que m'ont légué mes ancêtres, je ne l'ai pas choisi, et je veux tout faire pour l'oublier ! Il est vraiment trop... il fait vraiment trop penser à cette horrible invention, la machine à écrire ! Absolument répugnant! Re-ming-ton! Tic-tac-tac-tac! Tac-tac-tac-tic! Ai-je l'air d'un clavier mécanique? Appelez-moi Augustus, je vous en prie! C'est mon nom, un nom qui évoque les vastes espaces de la campagne estivale — les blés mûrs, le chant des ruisseaux, l'abeille butineuse et la fidèle colombe. Et vous, quel est votre petit nom?

Dans l'intérêt de sa profession, Miss Silver était capable de faire beaucoup de sacrifices. Mais il y avait des limites. Et il n'était pas question de se laisser appeler Maud par cet Augustus Remington.

— J'aime mieux qu'on m'appelle Miss Silver, fit-elle d'un air pincé.

15

— Vous n'auriez pas dû venir, dit Miss Silver avec sévérité.

Thomasina rougit.

— J'ai cru bien faire.

Devant elles, Jennifer escaladait en courant la pente du sentier, loin devant les garçons. Elle était si preste qu'ils n'arrivaient pas à la rattraper. Elle avait le temps de s'arrêter pour leur faire des signes ou les traiter de limaces, de tortues et de traînards. Le temps était couvert, mais, à l'ouest, les nuages laissaient voir une bande de ciel pâle.

Miss Silver eut un mouvement de tête désapprobateur.

— Il n'est pas bon de suivre ses impulsions. Supposez que Miss Ball ait parlé de vous aux Craddock ?

— Anna ne parlait jamais des gens qu'elle connaissait.

— Et s'ils ont lu l'annonce que vous avez fait paraître dans le *Times* : « Anna, où es-tu ? Écris-moi. Thomasina » ? Il suffit de la lire pour faire le rapport entre vous deux.

Thomasina ne la laissa pas poursuivre.

— C'est justement pour cela que j'ai dit m'appeler Ina. Même si Anna avait parlé — et je suis sûre

qu'elle ne l'a pas fait —, ce nom, Ina, ne leur dira
rien, ne croyez-vous pas ? C'est un prénom tout à fai
différent. Ce n'est pas comme utiliser un faux nom
J'y avais pensé, mais j'ai éprouvé un tel sentimen
d'horreur que j'y ai renoncé.

Tant qu'à lui être reconnaissante, Miss Silver pou
vait au moins se montrer soulagée que Thomasina ne
se soit pas présentée sous un nom d'emprunt.

— Vous avez agi de manière extrêmement dérai
sonnable, mais puisque vous êtes là, autant en prendre
son parti. J'espère que votre séjour sera bref.

Thomasina parut indécise.

— Eh bien, je me demande. Elles sont plutôt gen
tilles, voyez-vous, Miss Elaine et Miss Gwyneth... e
j'aimerais apprendre à tisser.

— Ce serait extrêmement imprudent.

— Je ne vois pas pourquoi, protesta Thomasina
Plus longtemps je resterai, plus j'apprendrai à tisser e
plus je donnerai l'impression d'être venue dans ce
but. C'est en outre parfaitement normal. Elles
connaissaient et aimaient beaucoup tante Barbara
J'aime les entendre en parler et je ne vois aucune rai
son de ne pas apprendre à tisser si j'en ai envie. S'i
vous plaît, ne me blâmez pas, cela gâche tout. Peter a
été odieux quand je lui ai annoncé mon intention de
venir, et si vous aussi me le reprochez...

Miss Silver se dit qu'il ne servait à rien de se
lamenter et, puisque Thomasina était là, autant qu'elle
reste. D'ailleurs, il n'y avait aucun moyen de la faire
partir.

— Je ne suis pas fâchée, sourit-elle.

Le visage de Thomasina s'épanouit.

— Peter a été affreux. En quoi devrait-il se senti
concerné par mes activités ou par mes déplacements ?
Ce n'est même pas une vraie relation... il n'est que le
neveu du mari de tante Barbara.

Elle eut l'impression d'avoir remis Peter à sa place. Elle en rougit de plaisir — c'était très réconfortant sur le moment, mais presque aussitôt elle eut le sentiment plutôt désagréable que conquérir son indépendance et cesser d'avoir des relations, aussi détestables fussent-elles, avec Peter, et ne plus le voir que de loin en loin, serait tout sauf une mince affaire. Elle retrouva son teint habituel et frissonna de la tête aux pieds.

— J'oubliais, dit-elle vivement, j'ai un message pour vous.

— De Mr. Brandon?

— Non, de l'inspecteur Abbott. J'ai rendu visite à Mrs. Moray comme vous me l'aviez demandé, et il s'y trouvait. Pour un policier, il a vraiment des relations peu banales.

— Il ne manque pas d'amis.

— Il ne ressemblait pas du tout à un policier. Il m'a invitée à dîner. Nous sommes allés au *Luxe*. Nous avons dansé. C'est un excellent cavalier.

— Je veux bien vous croire.

— Peter en a profité pour me faire une scène. Comme si ça le regardait. Il ne m'avait pas invitée, pourquoi se fâcher si Frank Abbott y a pensé? Je me suis beaucoup amusée. Nous étions accompagnés de Daphne, une cousine de Frank qui m'a bien plu.

— Il a de nombreuses cousines.

— Il m'a affirmé avoir essayé de les compter, un jour. Arrivé à cent, il a préféré renoncer... bien sûr, il plaisantait.

Miss Silver aurait eu bien du mal à dénier à Frank sa propension à dire des bêtises dès qu'il n'était plus en service. Elle le lui avait suffisamment reproché. Elle eut un sourire plein d'indulgence.

— Il vous a donc donné un message pour moi?

— Oui. Il a dit que ce serait plus sûr que par la poste. Il m'a prévenu qu'on pouvait ouvrir le courrier, que je devais poster mes lettres moi-même et faire bien attention à ce que j'écrivais. Je lui ai répondu que je n'avais personne à qui écrire, parce que, après les méchancetés de Peter...

Miss Silver ne manifesta aucune impatience. Elle avait compris que Mr. Brandon avait manqué de tact et que ses remarques avaient considérablement renforcé la détermination de Thomasina de venir à Deep End et de séjourner chez les Tremlett. Après avoir écouté un compte rendu très vivant de la querelle qui s'était ensuivie, elle demanda doucement :

— Et le message de l'inspecteur Abbott ? Ne deviez-vous pas me le donner ?

Thomasina sembla revenir sur terre.

— Je ne l'ai pas fait ? Oh, mais non — j'étais dans mes histoires avec Peter. Excusez-moi. Il veut — Frank, pas Peter —, il veut vous voir. A Ledlington, demain. Le bus de Deeping y arrive juste avant quinze heures. Descendez à la gare, où il viendra vous chercher en voiture. Il vous conseille de prendre votre après-midi. Si vous ne venez pas, il comprendra que vous n'avez pas pu. Mais si vous en avez la possibilité, vous devez absolument venir, il y tient.

Miss Silver considéra ces éléments nouveaux. Si jamais on établissait un rapport entre elle et Scotland Yard, sa situation à Deepe House deviendrait intenable. Si elle n'était pas persuadée de faire œuvre utile sur place, du moins le message de Frank laissait-il entendre qu'il avait une information importante à lui communiquer. Pour l'heure, il n'existait qu'un indice susceptible de jeter la suspicion : sa lettre à Margaret Moray avait été ouverte. Il lui était très désagréable d'imaginer que cela avait pu être le fait d'un des enfants, mais c'était possible, et elle était trop honnête pour négliger la moindre hypothèse. S'agissant d'Anna Ball, elle avait juste découvert

130

qu'une rumeur courait sur un certain Mr. Sandrow, être fantomatique et impalpable, entrevu dans l'obscurité par Mrs. Craddock, et aperçu, peut-être, par l'une des sœurs Tremlett.

Elle en était là de ses réflexions quand Thomasina se manifesta.

— Vous ne m'en voulez plus, n'est-ce pas ? Parce que j'ai des choses à vous apprendre. Les Tremlett sont de vrais moulins à parole, voyez-vous. Ça n'en finit jamais, jamais. Dès qu'Elaine se tait, Gwyneth prend le relais. Hier soir, elles ont papoté jusqu'à minuit passé — sur Wyshmere, tante Barbara, le tissage, la danse folklorique, le merveilleux Peveril. Mais je ne crois pas qu'elles pensent beaucoup de mal d'Emily, car elles en ont parlé plutôt gentiment. Certes, elles lui trouvent beaucoup de défauts, et estiment que c'est vraiment dommage pour Peveril, et que les enfants sont abandonnés à eux-mêmes, mais bien sûr, ce ne serait pas mieux de leur imposer une discipline rigoureuse, il y a des gens qui savent s'y prendre avec eux, et d'autres non. Il me semble qu'elles vous rangent dans la première catégorie, au contraire d'Anna et de l'autre fille, qui n'est restée qu'une semaine.

Miss Silver sourit.

— Je crois avoir quelque expérience.

— Je commençais à ne plus écouter quand elles ont parlé d'Anna, ça m'a réveillée. Il y a vraiment un homme qui est venu ici.

— Mr. Sandrow ?

— Vous êtes au courant ?

Thomasina ne put masquer sa déception.

— Et qui vous en a parlé ?

— Mrs. Craddock, mais j'en sais vraiment peu sur lui.

— Voici ce que m'ont raconté les Tremlett. Anna

131

avait l'habitude de filer tard le soir pour le rencontrer, et ce n'était pas du tout convenable selon elles. Par une belle nuit, Elaine était allée poster une lettre à la grille, car elle voulait prendre l'air et avait à faire le lendemain matin. Elle a aperçu deux personnes, une fille et un homme, qui se tenaient tout près l'une de l'autre, au bout du chemin. Le pavillon de l'entrée n'est pas occupé, aussi a-t-elle trouvé cela bizarre. « Qui êtes-vous ? » a-t-elle demandé, et l'homme s'est détourné et s'est éloigné de la grille. Elle avait une lampe électrique, qu'elle a braquée sur la fille, c'était Anna. « Qui était-ce donc ? lui a-t-elle demandé. — Mr. Sandrow », a répondu Anna. Elaine avait sa lettre à la main, mais, bien sûr, elle trouvait la présence d'Anna et du jeune homme autrement intéressante. « Je vais vous accompagner un peu. Qui est Mr. Sandrow ? a-t-elle dit. — Un ami, mais n'aviez-vous pas une lettre à poster ? » lui a répondu Anna.

— Ce n'était guère poli.

— Mais Anna *n'était pas* polie, répondit Thomasina, tout à fait sérieuse. C'est pour cela qu'elle avait tant de mal à se faire des amis. Elle se montrait grossière, et ensuite elle se plaignait qu'on ne l'aimait pas. Voyez-vous, sauf si elle en pinçait pour quelqu'un, elle se fichait bien d'être polie.

Miss Silver déplorait la métaphore utilisée par Thomasina, mais il aurait été malvenu de faire un commentaire. Le récit de Thomasina comportait des éléments intéressants.

— Est-ce que Miss Ball était capable d'attachements soudains et violents ? demanda-t-elle.

— Oui, mais ça ne menait généralement nulle part. Les gens n'appréciaient pas réellement... elle était trop passionnée.

— Elle aurait donc pu s'enticher de ce Mr. Sandrow.

— C'est fort possible.

— Est-ce que l'une des Tremlett l'a revu ?

— Oh, oui. Gwyneth attendait son bus à Ledling-ton, quand elle a vu une voiture passer, conduite par Anna, accompagnée d'un homme. Un rouquin, barbu. Elle s'est sentie terriblement humiliée, parce qu'elle estimait qu'ils auraient dû la faire monter et la ramener à Deep End.

— Peut-être ne l'ont-ils pas vue ?

— Elle jure le contraire. Elle a une vue excellente, et je veux bien la croire. Elle dit qu'Anna l'a regardée droit dans les yeux et a continué. Évidemment, si j'étais accompagnée d'une personne chère, je ne crois pas que je m'arrêterais pour faire monter Gwyneth.

Les yeux de Thomasina parurent danser un court instant.

Miss Silver se souvint du dicton qu'Anna Ball avait si brutalement jeté à la figure de Mrs. Craddock.

— Oui, on est mieux à deux qu'à trois... Mais, ma chère... toute cette conversation à propos de Miss Ball — il me semble que les Tremlett n'ignoraient pas que vous vous intéressiez à elle.

— Non, pas véritablement. Personne n'échappe à leurs cancans. Est-ce que vous savez que le vieux Masters, qui habite dans le cottage avec la boîte aux lettres, est fou de jalousie parce que le beau-père du facteur va avoir cent ans et que lui n'en a que quatre-vingt-dix-sept ou à peu près ? Et est-ce que je vous ai dit que Mrs. Hogbin, qui habite la troisième maison à partir de chez nous, a eu treize enfants et qu'ils sont tous vivants et se portent bien ? Même qu'il y en a un qui lui envoie un colis chaque semaine. A propos, savez-vous que Mr. Tupper, qui est employé dans un jardin d'enfants, à l'autre bout de Deeping, en a vu deux qui avaient déjà leurs dents de sagesse ?

— Mon Dieu !

Thomasina eut un hochement de tête qui en disait long.

— Quant à Miranda, c'est une voisine agréable, et bien sûr il n'y a rien à en dire, sauf que, à les entendre, ce n'est pas très *raisonnable* de voir Augustus Remington aussi souvent — notre voisin, voyez-vous, qui n'arrête pas d'entrer et de sortir. Et puis, il y a ce Mr. Robinson. Il a une façon de vivre tellement bizarre — quelqu'un qui dispose pour lui tout seul de toute une aile de la maison — et personne pour lui faire la cuisine ou l'aider, et la moitié de ses fenêtres sont condamnées. Il ne sort jamais, sauf pour observer les oiseaux. Il ne va même pas à leurs réunions, ce qui est tout à fait inexplicable. Cela a duré pendant des heures comme ça avant qu'elles ne parlent d'Anna.

Maurice accourut vers elles, le visage tout rouge, hors d'haleine.

— Jennifer, elle a dit qu'on était dans le bois et si vous nous cherchez vous faites ohé ! ohé !

— Merci, Maurice. Tu es très gentil.

Il repartit aussitôt en courant, martelant le sol des talons et agitant les bras.

Miss Silver, qui avait gardé en mémoire la façon dont les enfants l'avaient inopinément laissée en plan, lors de leur première promenade, ne put s'empêcher d'éprouver une certaine satisfaction.

Après qu'il eut disparu, elle dit :

— Miss Ball vous a-t-elle jamais parlé d'un homme qui aurait été son ami ?

— Non, jamais. Je croyais pourtant qu'elle me disait tout... ce n'était sans doute pas le cas.

Miss Silver savait par expérience que personne ne dit jamais tout.

Thomasina poursuivit.

— Il y a encore autre chose dont elle ne m'avait

jamais parlé. J'ignorais qu'elle savait conduire. Elle a dû apprendre lors de son séjour en Allemagne... encore une chose qu'elle m'a cachée.

— Et jamais elle n'a mentionné ce nom, Sandrow ?

— Jamais. Mais, j'allais vous dire que... Comme personne n'avait répondu à ma petite annonce, je me suis fait envoyer sa malle. Vous savez, celle qu'elle m'avait expédiée avant de venir ici. Elle ne servait à rien chez moi en Écosse et je voulais la fouiller de nouveau, au cas où je trouverais un indice. Je pensais que quelque chose m'avait échappé.

— Décision très judicieuse. Et avez-vous trouvé quelque chose ?

— Tout d'abord, j'ai cru que non... mais après avoir écouté le récit de Gwyneth et d'Elaine, la nuit dernière... j'ai un doute. Écoutez bien. Dans la malle, il y avait un vieux sac à main. Le fermoir était cassé, ce qui pouvait expliquer pourquoi elle ne l'avait pas gardé. Je l'ai fouillé et il était vide, à l'exception d'un bout de papier déchiré, glissé derrière le petit miroir, cassé lui aussi. Ce bout de papier froissé provenait d'un bloc-notes et on avait gribouillé dessus plusieurs noms — Sandro, écrit à l'italienne : SANDRO, puis avec un W, Sandrow. Et de diverses autres manières, je ne peux pas toutes me les rappeler, des noms tels que Sindrow, Sendrow. Sur le moment, je n'en ai rien pensé, mais maintenant... ne trouvez-vous pas cela étrange ?

Miss Silver lui confirma qu'effectivement c'était très étrange.

C'est en rentrant à la maison qu'elle vit pour la première fois Mr. John Robinson, le locataire de l'autre aile. Les enfants avaient été conquis par Thomasina et parlaient tous en même temps. Ils voulaient absolument qu'elle vienne prendre le thé et, quand elle leur annonça que les Tremlett l'attendaient, ils la saisirent par les bras et lui firent dévaler la pente et traverser des champs en friche.

Miss Silver, qui suivait à son rythme, les retrouva tous dans la sinistre cour, sous la façade aveugle et mutilée de la maison. Benjy était tout excité :

— Il reste plus rien dedans... que des araignées et de la poussière, et il y a le bureau de papa, où on doit jamais aller à cause du livre qu'il écrit et parce qu'il y a des pierres qui peuvent tomber sur nous.

Sa voix aiguë et enfantine résonnait entre les deux ailes de la bâtisse. Le mot « tomber » leur revint porté par l'écho, et l'air en vibrait encore quand John Robinson apparut, au coin de l'aile gauche, à quelque distance du petit groupe.

Plus tard, quand elle essaya de se remémorer la vision qu'elle avait eue du personnage, Miss Silver comprit que le portrait qu'elle en avait gardé correspondait à celui de tant de gens qu'il en perdait toute valeur. Il était de taille moyenne, semblait plutôt mince, mais ses vêtements étaient si amples et flottants que le doute était permis. Un imperméable qui pendouille cache facilement un tour de taille respectable. Sous l'imperméable, un vieux pantalon de flanelle et des bottes dans un état lamentable. Autour du cou un long cache-nez en laine de couleur incertaine, surmonté d'une courte barbe, de sourcils peu fournis, d'une chevelure brune en désordre, parsemée de cheveux gris. Il se tenait là, et observait — Miss Silver et son manteau noir, sa vieille écharpe de fourrure, son chapeau ordinaire; Thomasina, toute rouge d'avoir couru; les enfants qui riaient et chuchotaient autour d'elle. Il regardait, et soudain on entendit ces mots teintés d'un fort accent local :

— La jeunesse à la proue — et Prudence — à la barre.

Après cette citation, inexacte, il s'esquiva, laissant

136

Miss Silver quelque peu interloquée. Que penser d'un parfait étranger qui l'évoquait sous le nom de Prudence ? Tout de même mieux, à vrai dire, que le « Plaisir » dont parlait la citation qu'il avait estropiée. Mais pourquoi justement cette citation ?

A peine s'était-il évanoui que les enfants se firent une joie de lui en apprendre plus.

— C'était Mr. Robinson.

— Mr. John Robinson.

— Il étudie les oiseaux... il sait tout sur eux. Même qu'il passe ses nuits dehors à les observer.

— Et la journée aussi !

— Il est toqué ! précisa Maurice.

Et Jennifer d'ajouter :

— Il est toujours comme ça quand vous le rencontrez. Il dit trois mots et il s'en va. Parfois c'est de la poésie, parfois non. Au village, on dit qu'il est fou parce qu'il se promène dans les bois et dans les champs en parlant tout seul. Mais le vieux Masters, lui il dit : « Et pourquoi pas, si ça lui plaît ? Il y a un tas de gens dont la conversation est moins intéressante que celle que l'on a avec soi-même. »

Thomasina s'en retourna vers les anciennes écuries. Les sœurs Tremlett l'attendaient pour le thé. Elle avait dix minutes de retard.

16

Mr. Craddock participa au repas du soir, où il monopolisa la conversation. Le potage fut l'occasion de l'entendre pérorer sur l'alchimie et la pierre philosophale. Quand on servit le poisson bouilli, il était engagé dans un long discours entortillé sur l'influence des planètes, auquel nul ne prêtait attention, hormis Miss Silver. Mrs. Craddock s'occupait du service, ponctuant chaque demande d'un « Oh, oui » ou d'un « Oh, non » fébrile. Les enfants terminèrent leur poisson. A un moment, Jennifer lança un long coup d'œil perçant vers son beau-père. C'était un regard chargé de colère, et de quelque chose d'autre, mais quand celui-ci se tourna vers elle, et soutint son regard, l'éclat sombre disparut de ses yeux. Elle tendit la main, prit du sel et en répandit un peu entre eux. L'atmosphère était on ne peut plus tendue, bien à l'image de Deepe House, qui n'était certes pas une maison où il faisait bon vivre.

Le discours de Mr. Craddock, de plus en plus confus, se prolongea jusqu'à ce que Benjy l'interrompe par un hurlement à la vue d'un plat de blancmanger rien moins qu'appétissant.

— J'en veux pas ! J'aime pas ça ! J'en mangerai pas !

— Chuut ! lui fit Mrs. Craddock, comme pour s'excuser. Mrs. Masters aura oublié. Je le lui ai dit pourtant... que personne n'aime ce plat.

— Elle, elle aime ça ! lança Maurice, avec un regard mauvais.

— Si tu ne gardais pas cette farine de maïs, elle ne pourrait plus en faire, accusa Jennifer.

D'une main qui tremblait, Mrs. Craddock servit de l'horrible chose blanche. Mr. Craddock n'avait encore rien dit, mais on le sentait prêt à disparaître dans une nuée d'éclairs. Au lieu de quoi, il se contenta de repousser sa chaise et de quitter la table.

Personne ne toucha au gâteau, hormis Miss Silver, mais, aussitôt Mr. Craddock disparu, les enfants se firent de grosses tartines de confiture, et c'était à celui qui trouverait le meilleur adjectif pour qualifier le blanc-manger détesté.

Plus tard, quand ils furent couchés, Mrs. Craddock revint sur l'incident.

— Je suis une si mauvaise maîtresse de maison, dit-elle.

Son aiguille à repriser tremblait au bout de sa main.

— Et je ne sais pas cuisiner. Tout va de travers quand j'essaye.

— N'est-ce pas Mrs. Masters qui prépare les repas ? dit Miss Silver.

— Elle me méprise, dit Emily Craddock d'une voix éteinte. Comme elle sait que je ne suis bonne à rien à la maison, elle ne tient absolument pas compte de mes remarques. Je lui ai dit mille fois que Mr. Craddock ne supportait pas la vision d'un plat de blanc-manger, et que les enfants détestaient ça. Mais c'est tellement facile à faire, alors, si elle est pressée...

— Et si vous n'aviez plus de farine de maïs... proposa Miss Silver.

— Elle utiliserait du sagou, ce serait pire.

— Mais si vous n'en aviez pas non plus?

— Elle trouverait autre chose, dit Mrs. Craddock, au bord du désespoir.

Une larme tomba sur le sous-vêtement auquel elle travaillait et qui n'en était plus à un reprisage près.

— Parfois, j'ai envie de baisser les bras. Si vous n'étiez pas là...

Elle eut un petit reniflement.

Miss Silver répondit avec le plus grand sérieux.

— Vous avez besoin de vous reposer et qu'on vous décharge de vos responsabilités. Jennifer et Maurice seraient beaucoup mieux à l'école... ainsi que Benjy.

Emily Craddock poussa un cri de frayeur.

— Oh non, *non*! C'est hors de question! Mr. Craddock s'y opposerait... et je m'inquiéterais pour leur sécurité! Il dit que je suis folle, mais je ne peux m'empêcher de trembler quand ils ne sont pas près de moi. Vous savez, j'ai vraiment failli les perdre, l'été dernier...

— Ma pauvre Mrs. Craddock!

Ses joues étaient inondées de larmes.

— Nous étions en vacances au bord de la mer, c'était très agréable bien sûr, mais ils ont tous failli mourir... y compris Mr. Craddock. Le bateau sur lequel ils avaient pris place s'est retourné. Moi, j'avais décidé de me reposer cet après-midi-là, et pendant ce temps, ils ont tous failli se noyer! Les sauveteurs ont mis beaucoup de temps pour retrouver Benjy. Aucun enfant ne savait nager.

— Et Mr. Craddock?

— Il nage très mal... il arrive juste à se maintenir à la surface. Il ne pouvait pas les secourir. S'il n'y avait pas eu un bateau tout proche... J'étais anéantie. Je ne crois pas m'en être encore remise.

Elle chercha fébrilement un mouchoir et s'essuya les yeux.

Miss Silver, qui voulait changer de conversation, se souvint de la rencontre avec Mr. John Robinson. C'était l'occasion d'arracher Mrs. Craddock à ses idées noires, et une chance de satisfaire la forte curiosité que lui inspirait le locataire de l'autre aile de la maison. Elle parvint très adroitement à mêler son nom à la conversation, avant d'ajouter :

— Il est venu nous parler dans la cour, alors que nous revenions de notre promenade, cet après-midi.

Mrs. Craddock ne pleurait plus. Elle battit des paupières.

— Ah... Comment l'avez-vous trouvé... un peu bizarre, non ?

Miss Silver mettait la dernière main à la petite veste bleu pâle.

— Il nous a cité de la poésie, répondit-elle

— Ça lui arrive — du moins, je crois — c'est ce que l'on m'a dit. Voyez-vous, je ne lui ai jamais parlé. Il est...

Elle hésitait sur le mot.

— Comment dire, c'est un excentrique. Très solitaire, à mon avis. Il est là depuis quelques mois, mais je ne l'ai vu qu'une ou deux fois, et de loin. Cela va vous sembler curieux, mais je crois qu'il est inoffensif. Il lui arrive de parler aux enfants. Cela m'inquiétait, jusqu'à ce que, l'automne dernier... Oh, Miss Silver, ils l'ont vraiment échappé belle... grâce à lui, je peux vous l'assurer... alors ce que disent les gens... moi, je lui serai toujours reconnaissante de ce qu'il a fait.

Miss Silver, posément, fit un point et coupa le fil.

— Ils l'ont échappé belle, disiez-vous ?

Les mains maigres d'Emily Craddock se tordaient convulsivement.

— Si vous saviez ! C'était pendant le séjour de cette Miss Ball. Bien sûr, ce n'est pas sur elle qu'il fallait compter dans ce genre de situation. Ils étaient partis cueillir des champignons et ils en avaient trouvés de très beaux, tout en haut de la pinède, de l'autre côté de la colline. Au retour, ils ont rencontré Mr. Robinson, qui leur a demandé où ils avaient bien pu trouver une telle quantité de champignons. Quand il l'a su, il leur a dit que ce n'étaient pas du tout des champignons, mais des plantes vénéneuses. Il leur a expliqué que les vrais champignons ne poussent pas sous les pins, mais qu'on peut y trouver des plantes qui leur ressemblent beaucoup. Il leur a tout fait jeter. Bien sûr, ce n'était pas la faute de Miss Ball, comment aurait-elle pu savoir... mais j'en ai été *complètement* retournée. Et vous pouvez imaginer combien j'étais reconnaissante envers Mr. Robinson, parce que, s'il ne les avait pas rencontrés...

— Oui, c'était véritablement providentiel, confirma Miss Silver.

17

Miss Silver s'éveilla dans le noir. Elle faisait un rêve, vague, mais agréable, et une seconde plus tard, elle était pleinement consciente, se demandant ce qui avait bien pu la tirer du sommeil. C'était comme si elle était passée d'une pièce à une autre et avait refermé la porte derrière elle. Mais, au moment de franchir la porte, elle avait entendu un bruit, un cri avait-elle pensé. Elle alluma la lampe de chevet. Il était entre une et deux heures du matin. Le bruit provenait sans doute de l'extérieur — un hibou, peut-être, mais elle en doutait. Elle se dit que cela devait venir de la chambre voisine, celle de Jennifer. Dès son arrivée, elle avait trouvé la porte faisant communiquer les deux chambres fermée à clef, et nulle clef, ni d'un côté ni de l'autre. Elle se leva, enfila ses pantoufles, sortit dans le couloir.

Quatre des cinq chambres habitées se trouvaient de ce côté-ci du couloir — la chambre voisine, celle de Jennifer donc, celle de Mrs. Craddock et celle des garçons tout au bout. Au-delà du puits sombre de l'escalier, la chambre de Mr. Craddock, orientée vers le bâtiment principal, avait vue sur la cour.

Le couloir était totalement plongé dans le noir. Miss Silver demeura aux aguets. Un bruit parvenait de la chambre voisine — quelque chose qui tenait du gémissement et du sanglot. Elle s'approcha doucement et ouvrit la porte. L'obscurité dans la chambre était pratiquement complète, hormis une faible lueur dessinant le rectangle de la fenêtre. Un filet d'air passa entre la porte ouverte et la fenêtre. Un rideau frémit, se souleva et retomba.

— Non... non... *non* ! haleta Jennifer. Enlevez-la !

Miss Silver entra dans la chambre, alluma, referma la porte. Jennifer était assise toute raide, bras tendus le long du corps, les mains appuyant très fortement sur le lit, les yeux exorbités, les cheveux fous. Elle ne regarda pas Miss Silver car elle ne l'avait pas vue entrer. Elle ne voyait qu'une image, une image qui appartenait à un rêve, une image horrible.

Miss Silver s'approcha du lit, s'y assit et posa doucement la main sur une des mains crispées de la jeune fille. Ce geste provoqua un sursaut de l'adolescente qui s'agrippa de toutes ses forces à Miss Silver. Son regard n'était plus vide, il semblait terrorisé. Ses yeux se posèrent sur Miss Silver, dans un effort douloureux pour la reconnaître.

— Tout va bien, mon enfant, dit Miss Silver d'une voix douce et aussi naturelle que possible. Ce n'est qu'un rêve.

La jeune fille se cramponnait à Miss Silver avec une force peu commune. Pendant des jours, celle-ci devait garder les bleus qu'avaient imprimés ses doigts sur sa peau, généralement peu sensible aux contusions. Jennifer chuchota, horrifiée :

— *C'était la Main !*

— Ce n'était qu'un rêve, mon enfant.

Elle soupira longuement, profondément.

— Vous ne l'avez pas vue, vous.

— Ce n'était qu'un rêve. Il n'y avait rien à voir.

Mais Jennifer eut un frémissement de terreur qui fit trembler le lit.

— Vous ne l'avez pas vue, vous. Je l'ai vue, moi, je l'ai vue !

— Ma chère Jennifer, dit Miss Silver avec fermeté, ce n'était rien. Vous avez fait un cauchemar qui vous a effrayée. Maintenant, vous êtes réveillée. Il n'y aucune raison d'avoir peur. Si vous vouliez bien me rendre ma liberté, je vous apporterais un verre d'eau.

Elle n'aurait jamais cru Jennifer capable de l'agripper encore plus fort, mais ce fut le cas. Son corps mince tremblait, elle ouvrait des yeux immenses. Les mots se bousculaient.

— Vous ne savez rien !... vous ne l'avez pas vue ! Mr. Masters me l'a dit... j'ai cru que c'était une histoire... une histoire... j'ai cru que c'était rien qu'une histoire !

— Que vous a-t-il dit, mon enfant ?

Jennifer continuait à fixer le vide devant elle et à trembler.

— Il m'a parlé des Everly... pourquoi il n'y a aucun descendant. Il n'y avait pas de garçons. Rien que la vieille demoiselle, Maria, mais cela s'est passé du temps de sa jeunesse, et il y avait aussi Clarice et Isabella — toutes les trois — et il y avait un homme, leur cousin, mais elles ne pouvaient pas toutes les trois l'épouser. Mr. Masters dit que c'est vraiment dommage, car ce qui est arrivé ne serait jamais arrivé.

Miss Silver toussota.

— Remarque particulièrement déraisonnable et inconvenante, mon enfant.

— Cela ne serait jamais arrivé, insista Jennifer... si seulement il avait pu les épouser toutes les *trois*. Est-ce que Salomon n'avait pas un millier de femmes ? C'est dans la Bible. Mr. Masters disait qu'avec une seule, en général on avait suffisamment d'ennuis, alors trois pour un seul homme, vous pensez, mais cela aurait été mieux que le cousin les épouse toutes les trois, parce qu'alors Isabella n'aurait pas...

Elle s'étrangla et eut un hoquet.

— Qu'a fait Isabella ? demanda Miss Silver, très attentive.

— *Elle l'a tuée !* souffla-t-elle, et elle en eut la chair de poule. Il devait se marier avec Clarice, alors elle l'a tuée... à coups de hache... devant la remise pour le bois. Elle lui a coupé la main droite... celle à laquelle elle portait la bague qu'il lui avait offerte. On a dit qu'elle était folle... on l'a enfermée. Maria a vécu ici toute seule jusqu'à sa mort. Et c'est comme cela qu'ont disparu les Everly.

— Une histoire effrayante, mon enfant. Mr. Masters n'aurait jamais dû vous la raconter.

Jennifer eut un nouveau frisson.

— Au contraire... il n'y est pour rien. Je lui ai parlé de toutes ces portes toujours fermées dans la maison. Je lui ai dit que je voulais savoir ce qui se cachait derrière, et il m'a dit de ne pas le faire, parce que...

Elle butait et trébuchait sur chaque mot.

— ... parce que... à cause de la main... à cause de la main de Clarice.

— Ma pauvre enfant...

— Il m'a dit que des gens l'avaient vue. Il a dit qu'il y avait un garçon... il y a très très longtemps... qui l'avait vue... et qui en était devenu muet.

— Mais, dans ce cas, comment sait-on ce qu'il a vu ?

Jennifer eut un sursaut d'impatience.

— Je n'en sais rien... c'est ce que dit Mr. Masters... Et il y a une fille... qui s'est noyée. Elle travaillait ici, elle s'appelait Mary Cheeseman. Elle disait qu'elle ne croyait pas à ces fables et elle a trouvé un moyen d'y entrer. Du moins je le crois... elle n'est plus là pour en parler. Elle s'est noyée en rentrant

chez elle. On l'avait poussée dans le marécage.
« Comme si elle avait été poussée par une main », a
dit Mr. Masters.

— Mr. Masters est un vieil homme superstitieux
qui n'a pas toute sa raison. Je crois qu'aucune de ces
histoires ne perd à être racontée. On m'a parlé de
cette pauvre Mary. Il pleuvait cette nuit-là. Elle a raté
le pont et s'est perdue dans le marais.

Jennifer se redressa, le visage tout contre celui de
Miss Silver, ses yeux lançant des éclairs inhabituels.

— C'est vrai?... *C'est bien vrai?*

Elle lâcha Miss Silver aussi soudainement qu'elle
s'y était cramponnée.

— Peut-être que c'est vrai. Vous n'en savez rien,
et moi non plus, pas plus que Mr. Masters.

Sa voix diminua jusqu'à n'être qu'un souffle.

— *Moi, je sais ce que j'ai vu.*

— Qu'avez-vous vu, Jennifer?

Les longs cils s'abaissèrent. Quelque chose passa
furtivement dans le regard. Espoir — incertitude —
crainte? se demanda Miss Silver.

— Vous ne me croiriez pas si je vous en parlais,
dit Jennifer. Les gens n'y croient pas... pas s'ils ne
veulent pas.

Puis, toujours sur le même ton :

— Je peux ouvrir la porte entre nos deux chambres, dit-elle. J'ai caché la clef à cause de Miss Ball.
Votre chambre servait de penderie, voyez-vous. Mais
si la porte est ouverte je crois que je n'aurai plus de
cauchemar... vous ne croyez pas? Ma mère m'avait
donné une veilleuse, mais il me l'a interdite.

— On se repose mieux dans le noir.

Jennifer était en train de sortir de son lit. Elle lança
un regard dédaigneux à Miss Silver.

— Ah oui? dit-elle.

18

Ledlington a de nombreux points communs avec
d'autres chefs-lieux de comté. Une partie de la ville
offre un visage pittoresque, chargé d'histoire, au
contraire de l'autre partie. Pendant l'entre-deux-
guerres, sa périphérie s'est couverte de petites maisons aux styles des plus disparates. Une fois qu'on les
a dépassées, on se trouve devant les hautes et laides
bâtisses de la fin de l'époque victorienne, avec leurs
sous-sols, leurs étages mansardés, et la triste vue
qu'offrent des rangées d'arbustes qui les séparent de
la route. Un peu plus loin apparaissent une ou deux
belles demeures de style georgien[1], ou datant de la
reine Anne[2], avec leur brique d'un rouge tendre et
leur porche à auvent pointu, si caractéristique — maisons confortables pour l'époque, transformées
aujourd'hui pour l'essentiel en bureaux et apparte-
ments. La route devient alors plus étroite et prend le
nom de High Street. Elle sinue parmi les maisons
bâties à l'époque élisabéthaine. Certaines ont hérité de

1. De l'époque des rois George Ier à George IV 1714-1830
(*N.d.T.*)
2. Anne Stuart, reine d'Angleterre, d'Écosse et d'Irlande, de
1702 à 1714. (*N.d.T.*)

nouvelles façades, particulièrement incongrues, dont les baies vitrées observent la rue. Un nouveau virage, et, avant d'arriver à la gare, on se heurte au monument extrêmement hideux élevé sous Guillaume IV[1] en l'honneur d'un ancien maire. On n'aurait pu imaginer monument plus mal situé, mais, justement, personne ne semble l'avoir imaginé. Comme presque tout en Angleterre, il donne l'impression d'être apparu fortuitement. Régulièrement, une voix iconoclaste s'élève au conseil municipal pour demander son déplacement, sans résultat aucun. Un peu plus loin, de l'autre côté de High Street, un virage encore plus étroit conduit à Market Square, dont deux des côtés possèdent une promenade à colonnades, l'*Auberge du Roi George* en occupant le troisième, quelques demeures splendides le quatrième.

C'est ce paysage pittoresque que surplombe la gigantesque statue de Sir Albert Dawnish. Elle passe pour être l'une des plus affreuses de Grande-Bretagne, mais la concurrence est rude. Sir Albert fut l'un des bienfaiteurs de Ledlington. On lui doit la chaîne de magasins qui porte son nom — Dawnish Quick Cash Stores. Connue de tous, la toute première boutique, berceau de son empire, défigura pendant des années un des angles de la place. On finit par la détruire, en 1935, avant de la rebâtir à l'endroit où High Street s'élargit, mais la statue de Sir Albert n'a malheureusement pas quitté son socle. Mieux, une vingtaine de bombes tombèrent sur la ville et ses environs sans même faire un accroc au pantalon de marbre du grand homme.

L'autocar de Deep End, qui avait emprunté la nouvelle bretelle de contournement, s'immobilisa en face

1. Guillaume IV, roi de Grande-Bretagne et d'Irlande, de 1830 à 1837. (*N.d.T.*)

de la gare à quatorze heures cinquante-trois, soit avec sept minutes d'avance sur l'horaire, ce dont profitèrent le chauffeur et le receveur pour faire un tour au snack-bar le plus proche. Miss Silver descendit.

Au même moment, un homme sortit de la gare. Il aurait été difficile de ne pas le remarquer, ou de ne pas le plaindre : son crâne et tout un côté de son visage étaient recouverts d'un énorme bandage, et il s'aidait d'une canne, qu'il tenait de sa main gauche, gantée. En dépit de son handicap et de la mallette qu'il portait, c'est d'un pas étonnamment vif qu'il dépassa le monument du maire et s'engagea dans High Street, où il prit à gauche, pour, au sortir de l'étroite rue, se diriger vers la grande artère qui datait de la Régence[1], et dont l'un des principaux bâtiments est devenu le siège de la County Bank.

A quatorze heures cinquante-sept exactement, l'homme au bandage franchit en claudiquant deux petites marches et poussa la porte de la banque. Une fille qui en sortait lui tint la porte ouverte et s'effaça pour le laisser passer. Puis elle descendit les marches et pénétra dans une petite voiture dont elle fit démarrer le moteur. Par la suite, les quelques témoins qui l'avaient aperçue la décrivirent comme une jeune blonde des plus avenantes. Un garçon boulanger donna même la marque de la voiture et les deux premiers numéros de sa plaque d'immatriculation — information qui permit juste d'apprendre que le véhicule avait été volé.

Miss Muffin, qui se rendait à la poste pour expédier le courrier de la vieille Mrs. Wotherspoon, apporta des informations plus concrètes :

— Des cheveux *très* blonds. A se demander si c'était leur couleur naturelle, mais on sait que,

1. La Régence exercée par le futur George IV, 1810-1820. (*N.d.T.*)

de nos jours, les femmes sont capables de faire subir ce genre de traitement à leur chevelure — les femmes comme il faut, je veux dire... Et, oui, *extrêmement* maquillée, inspecteur. Avec des sourcils lui couvrant une bonne partie du front... vraiment bizarre. Et son teint... elle avait dû y passer des heures, si vous voyez ce que je veux dire. En revanche, ses vêtements étaient tout à fait communs... un ensemble noir et un chapeau de feutre ordinaire... noir, m'a-t-il semblé, ou peut-être d'un bleu marine très foncé, c'est difficile à dire, mais le ciel était très chargé et il faisait plutôt sombre.

Comme il semblait bien que cette dame s'était contentée de passer devant la voiture avec ses lettres à la main, très pressée d'aller les poster, car Mrs. Wotherspoon n'aimait pas demeurer seule chez elle, l'inspecteur Jackson fut plutôt étonné de la précision de sa description.

Le témoignage de Mr. Edward Carpenter, bien que moins détaillé, n'était pas non plus sans valeur. Non seulement il avait vu, mais ce qu'il avait vu lui avait déplu. Du temps de sa jeunesse, il n'aurait eu aucun mal à situer cette dame, mais aujourd'hui c'était peine perdue. Elle aurait pu être n'importe qui, car le mot d'ordre vestimentaire actuel semblait être la recherche effrénée de l'anonymat. C'était la mode, jusque dans sa propre famille : ne pas se faire remarquer.

En revanche, le jeune Pottinger était plutôt élogieux :

— Une de ces blondes sensass, je vous le dis ! Pas grand-chose à ajouter. Elle remettait en place son chapeau, quand je l'ai croisée, et je n'allais tout de même pas m'arrêter pour la dévisager.

Malheureusement, il fut impossible d'interroger le directeur de la banque, non plus que le jeune employé, Hector Wayne. Le destin avait voulu que ce qu'ils auraient pu dire soit reporté à une date inconnue de tous. Au moment où l'homme au bandage refermait la porte de la banque et descendait les deux petites marches menant vers la rue, l'un d'eux était déjà mort et l'autre mourant.

Miss Muffin, que l'événement rendait volubile, assura avoir entendu les deux coups de feu. Le garçon boulanger, lui, avait cru entendre une moto démarrer en pétaradant du côté de Market Square. Mr. Carpenter, par contre, se demandait comment il était possible de faire une quelconque différence parmi tous les bruits de ce qu'il appelait l'enfer sonore de High Street. Le jeune Pottinger affirma qu'un camion de bière était en train de livrer ses fûts devant le *Friar's Cut*, pub situé juste en face de la banque, et qu'il lui paraissait fort improbable que l'on ait entendu quoi que ce soit. Il avait sans doute raison, car l'homme au bandage avait utilisé un silencieux.

Quoi qu'il en soit, l'homme, sa mallette à la main, fit quelques pas sur le trottoir et s'engouffra dans la voiture qui l'attendait. Celle-ci démarra sur les chapeaux de roue. On la retrouva une heure plus tard vide, à une douzaine de kilomètres, dans un chemin près de Ledstow. Personne n'avait aperçu de blonde affriolante, pas plus que d'homme portant un bandage.

19

Après avoir quitté le bus, Miss Silver remonta la rampe d'accès menant à la gare. Depuis que tous les passagers étaient descendus, elle était la seule à agir ainsi. Quelques personnes étaient entrées dans la gare, mais la plupart se dirigeaient vers High Street et Market Square.

La gare se trouve en contrebas de la bretelle de contournement et Miss Silver était à peu près à mi-chemin de la montée quand elle remarqua l'homme à la tête bandée. Comme il n'était pas dans le bus, il devait venir de la gare, et comme, par ailleurs, l'hôpital du comté était situé à quelques centaines de mètres sur la droite, elle supposa tout naturellement qu'il irait dans cette direction. Elle avait l'habitude de noter tout ce qui lui semblait sortir de l'ordinaire. L'homme lui inspira de la commisération. Outre son bandage, il boitait fortement et devait s'aider d'une canne. Son grand imperméable semblait lourd à porter et la mallette dans sa main libre ne facilitait pas sa marche. En dépit de tous ces handicaps, il la dépassa, et attaqua la montée. Quand elle parvint à la bretelle, il avait déjà traversé. A ce moment, elle cessa de s'intéresser à lui, car une voiture s'était garée à quelques mètres et Frank Abbott l'appelait.

Il attendit qu'elle ait pris place sur le siège de devant et qu'elle ait refermé la portière.

— Je ne suis pas descendu... on ne sait jamais. J'ai pensé qu'il valait mieux prendre nos précautions, à cause du bus de Deep End. Quelqu'un aurait pu me voir lors de ma première visite et nous ne tenons pas vraiment à ce que l'on sache que la police enquête. Je vous propose un nouveau restaurant qui vient d'ouvrir sur la route de Ledstow. C'est un rendez-vous d'amoureux, paraît-il, tables intimes et lumières tamisées. Nous serons plus tranquilles.

Ils roulèrent lentement sur la bretelle. Ils n'entendirent pas les deux coups de revolver qui venaient d'abattre le directeur de la banque et son employé.

« Je suis très heureuse de vous voir, Frank » lui avait-elle lancé, ce à quoi il répondit qu'il en allait de même pour lui, mais qu'il s'était inquiété, avant de lui demander ce qu'elle pouvait lui apprendre de neuf.

— Pas grand-chose, je le crains. Mrs. Craddock, outre une santé délicate, est surchargée de travail. L'éducation des enfants a été négligée ou mal faite, mais ils commencent à bien réagir à une approche mieux adaptée à leur cas. Je ne pense donc pas perdre mon temps.

La route était bien dégagée et il en profita pour lui lancer un regard où se mêlaient affection et reproche.

— Vous vous êtes donc transformée en nounou !

Miss Silver sourit.

— Pas entièrement. J'espère convaincre Mrs. Craddock de mettre Jennifer et Maurice en pension. Ce serait mieux pour eux dans tous les sens du terme. Mais je crois que vous attendez d'autres informations. Vous n'ignorez pas, bien sûr, que Thomasina Elliot est venue.

— J'ai fait de mon mieux pour l'en empêcher. De beaux yeux, mais plus têtue qu'une mule. J'ai décidé de la laisser épouser Peter Brandon.

— Tout d'abord, sa venue m'a considérablement perturbée, mais elle est idéalement placée pour entendre tout ce que l'on raconte sur Miss Ball. Les demoiselles Tremlett raffolent des commérages.

Il haussa un sourcil.

— Est-ce que des bruits courent sur Miss Ball? Entendez-vous par *commérages* ce que l'on entend généralement?

— Exactement. On parle d'un homme qu'elle allait rejoindre chaque soir en douce. Mrs. Craddock m'a dit les avoir vus ensemble, et cela ne lui plaisait pas du tout. Miss Elliot m'a rapporté que chacune des sœurs Tremlett les a également vus.

Elle entreprit de lui narrer les trois incidents, tels que les lui avaient rapportés Mrs. Craddock et Thomasina, avant d'en venir au bout de papier retrouvé dans le sac à main d'Anna Ball.

— Je ne sais pas ce que vous en penserez, mais il me semble que Miss Ball, en écrivant ces variantes sur ce nom, Sandrow, cherchait soit à se souvenir de quelqu'un dont le nom lui échappait, soit à trouver un faux nom pour quelqu'un cherchant à dissimuler son identité.

Il approuva de la tête.

— Je pense que vous avez raison. Il y avait donc vraiment un homme — j'aurais quand même dû y penser. Quand une fille disparaît, cherchez l'homme, ça ne manque jamais. Et les gens qui devraient être le mieux renseignés viennent nous dire que Mary ou Doris ou Elsie n'ont jamais eu d'homme dans leur vie. Je crois qu'on nous a pris pour des poires.

— Mon cher Frank! dit-elle d'un ton plein de reproches.

— Disons que l'on nous a menés en bateau. Ce qui, en définitive, nous éloigne de la Colonie, qu'en pensez-vous? Bref, elle rencontrait son Mr. Sandrow la nuit et elle a quitté les Craddock avant d'achever son mois. Cela ne me semble guère sorcier. C'est l'histoire de la fille seule, avec un gros complexe d'infériorité, qui tombe dans les bras d'un bel étranger et s'enfuit avec lui. Je crois que nous pouvons supposer que les intentions de ce jeune homme étaient tout sauf honnêtes. S'ils s'étaient mariés, elle n'aurait pas manqué de l'annoncer à Thomasina.

Miss Silver prit son temps pour répondre.

— C'est possible. Mais deux points restent dans l'ombre. Tout d'abord, nous observons un comportement bien singulier, qui joue sur la franchise et le secret. A un moment elle dissimule ses rencontres avec cet homme, à un autre elle les met en pleine lumière. La nuit, elle quitte la maison en douce, mais, à Ledlington, elle passe en voiture, en plein jour, sous le nez de Miss Gwyneth Tremlett.

— Anna ne pouvait pas prévoir qu'elle allait la rencontrer.

— Mon cher Frank ! Je peux vous assurer que si l'une des Tremlett se rend à Dedham ou à Ledlington, tout le monde dans la Colonie saura quel bus elle prendra à l'aller comme au retour.

— C'est à ce point-là ?

— Vous pouvez me croire. Leur plus grand plaisir consiste à tenir le monde au courant du moindre de leurs mouvements. Je suis sûre qu'Anna Ball savait que Gwyneth attendrait son bus au moment où elle passerait avec Mr. Sandrow.

— Vous pensez qu'elle voulait être vue en sa compagnie ?

— Oui.

— Pourquoi ?

— Je l'ignore. C'est le premier point — d'abord on cache Mr. Sandrow, puis on l'exhibe. Plus particulièrement son nom. Elle le communique à

Mrs. Craddock, puis à Miss Elaine, sans aucunement en avoir été priée. On dirait qu'elle voudrait que ce nom soit connu. Mais rien de plus. Toute tentative d'en savoir plus est grossièrement éludée. Et j'en viens au second point. Si, comme vous le croyez, elle a quitté les Craddock pour suivre son amant, pourquoi était-elle si abattue ?

— Abattue ?

— Vous me l'avez dit vous-même. Quand vous êtes venu enquêter, les Tremlett et Miranda vous ont dit qu'elles avaient aperçu Miss Ball dans la voiture de Mr. Craddock. Elle portait un chapeau rouge, cadeau des Craddock. Le chef de gare de Dedham, où elle a pris un billet pour Londres...

— Oui, je m'en souviens — il m'a dit que Craddock l'accompagnait — une jeune femme brune avec un chapeau rouge. Selon lui, elle ne se sentait pas bien, et Mr. Craddock lui a avoué que c'était les nerfs, et qu'ils n'étaient pas mécontents de la voir partir.

— Oui. Vous rappelez-vous qu'il ait dit qu'elle pleurait ?

— Je ne sais pas... je crois que j'en ai eu l'impression. Attendez... Non, je ne crois pas qu'il en ait dit plus que « extrêmement abattue ». Où voulez-vous en venir ?

— Si elle avait pleuré, dit doucement Miss Silver, elle aurait probablement caché son visage dans son mouchoir. « Extrêmement abattue », et les dires de Mr. Craddock sur l'état des nerfs de Miss Ball ne m'incitent pas à songer à des larmes ou à en tenir compte. Si, véritablement, elle pleurait, quelle en était la raison ? Mais supposez qu'elle ne pleurait pas. Supposez que les larmes n'étaient qu'un prétexte pour sortir son mouchoir.

Frank ne put s'empêcher d'émettre un sifflement.

— Que voulez-vous dire ?

— Je me suis demandé si c'était Anna Ball qui avait pris ce jour-là le train de Londres.

Frank Abbott fit un écart pour éviter une moto qui venait de surgir d'une manière fort soudaine d'un chemin particulièrement étroit.

— Qu'est-ce qui vous fait penser que ce n'était pas elle ? finit-il par dire.

— Je ne vais pas jusque-là. Je me demande simplement si la jeune femme qui est montée dans le train était bien Anna Ball.

— Comment vous est venue cette idée ?

— A cause du chapeau rouge.

— Le chapeau rouge ! répéta-t-il, surpris.

— Oui. Tout d'abord, j'ai bien réfléchi à cette histoire de chapeau rouge. Anna Ball n'était pas contente de sa place chez les Craddock, qui ne l'appréciaient pas. Elle allait rejoindre un homme la nuit, dont elle ne leur a rien dit, sauf le nom. Elle s'est montrée très grossière avec Mrs. Craddock, elle était renfrognée et distante. Pourquoi devraient-ils brusquement changer d'attitude à son égard et lui offrir un chapeau rouge ? Il doit, certes, exister d'autres raisons. Mais il y en a une qui me trotte par la tête. Si, pour une raison quelconque, on avait voulu donner l'impression que Miss Ball était partie par le train, alors qu'elle n'était pas partie du tout, ou pas de cette manière, ou pas ce jour-là, dans ce cas le chapeau rouge aurait été très utile pour donner cette impression. Quand les sœurs Tremlett disent qu'elles ont vu Miss Ball accompagnée de Mr. Craddock, quand Miranda et Mr. Remington le confirment, que croyez-vous que ces quatre personnes aient effectivement vu ? Ils ont entendu la voiture arriver, ils ont regardé qui était à l'intérieur, ils ont vu Mr. Craddock et une fille portant un chapeau rouge. Je doute fort qu'ils en aient vu plus. Ils savaient tous qu'on lui avait offert le chapeau. Croyez-vous qu'ils auraient pu imaginer que la personne qui le portait n'était pas Miss Ball ? S'il s'agissait d'une mise en scène destinée à tromper son monde, il aurait été facile à la personne qui portait le chapeau de faire semblant de converser avec Mr. Craddock, mais alors, tout ce qu'ont vu les Tremlett, Miranda ou Mr. Remington, se résumerait à la vision fugace d'une chevelure brune sous un chapeau rouge. Quant au chef de gare de Dedham, il est fort improbable qu'il eût déjà aperçu Anna Ball, mais, au cas où quelqu'un la connaîtrait de Deep End, la fille au chapeau rouge simule un petit malaise. Elle se tamponne les yeux avec son mouchoir, ce qui lui permet également de dissimuler son visage. Mr. Craddock insiste auprès du chef de gare, elle est malade des nerfs et ils sont très heureux de la voir partir. Cela a un double intérêt : on attire l'attention du chef de gare sur le fait qu'Anna Ball a bien quitté Deep End pour Londres, et on permet à cette dernière de ne pas laisser voir son visage.

Frank Abbott lui lança un regard quelque peu railleur.

— Nous ne sommes pas du tout sûrs qu'elle ait fait l'un ou l'autre.

Elle lui répondit, avec la plus grande affabilité :

— Mon cher Frank, je crois avoir introduit mes allégations par le mot « si » : « Si, pour une raison quelconque, on avait voulu donner l'impression que Miss Ball avait pris le train pour Londres... S'il s'agissait d'une mise en scène destinée à tromper son monde... » Je n'ai nullement affirmé que c'était le cas. J'ai simplement voulu souligner que si l'on avait voulu l'organiser, elle n'aurait guère été difficile à exécuter.

— Et pourquoi diable une telle mise en scène ? Pour le dire autrement, pourquoi Mr. Craddock

159

aurait-il voulu faire disparaître Miss Ball ? Vous comprenez bien que votre théorie l'implique jusqu'au cou. Les Tremlett, Miranda, Augustus Remington et le chef de gare sont une chose... Craddock c'est très différent. S'il y en a bien un qu'on n'aurait pas pu tromper, c'est lui. Si la fille qui était à Dedham n'était pas Anna Ball, il l'a forcément su.

— Bien évidemment.

— Nous revoilà à la recherche du mobile. Pourquoi toute cette mise en scène ? A quoi cela rime-t-il ?

— Oui... c'est bien ce qui me turlupine. Plus particulièrement, pourquoi avoir offert ce chapeau rouge ? Je ne prétends pas qu'il n'y a aucune réponse satisfaisante à ces questions, mais, pour l'instant, nous n'avons rien trouvé.

— La meilleure réponse, seule la fille pourrait nous la donner, dit Frank Abbott avec un petit rire. Vraiment dommage qu'on ne l'ait pas retrouvée.

— Nous sommes revenus à notre point de départ, lui répondit posément Miss Silver. Où est Anna Ball

20

Comme ils tournaient pour se garer devant le restaurant, une petite voiture les dépassa, roulant en
direction de Ledstow. Il y avait deux personnes à
bord. Frank Abbott enregistra deux chiffres de la
plaque d'immatriculation. Miss Silver remarqua
qu'une femme était au volant. Aucun d'entre eux
n'avait de raison d'en remarquer plus. Ce n'est que
beaucoup plus tard, quand on retrouva la voiture dans
Miller's Lane, qu'ils comprirent qu'il s'agissait du
meurtrier de la banque de Ledlington et de sa
complice. La voiture roulait effectivement à très vive
allure.

A l'intérieur, ils se firent servir du thé et poursuivirent leur conversation. Frank n'avait pas menti :
l'endroit était propice à l'intimité. Il offrait de petits
boxes bien isolés, des recoins discrets, de bons fauteuils, une lumière douce. Après avoir écouté tout ce
que Miss Silver avait à lui dire, il lui fit part à son tour
de ce qu'il avait appris.

— Vous ne m'avez pas demandé la raison de ma
venue.

— Me la direz-vous ? sourit Miss Silver.

— Oui. Vous souvenez-vous de ce que je vous

avais dit sur le hold-up d'une banque, à Enderby Green, il y a un mois?

— Une vilaine affaire. Le directeur a été tué, et l'employé... j'espère qu'il s'en est tiré.

Frank confirma de la tête.

— Il a eu de la chance... la balle n'a touché aucun organe vital. Je crois vous avoir dit qu'il avait eu beaucoup de présence d'esprit. Il inscrivait quelque chose à l'encre rouge et il s'est arrangé pour marquer une des liasses qu'il a dû leur remettre. Tout le monde a donc été prévenu de rechercher ces billets. Bien sûr, le meurtrier ne va pas essayer d'écouler les billets trop facilement repérables. Mais comme l'employé a trempé son doigt dans l'encrier avant de le passer sur le côté de la liasse, sur certains billets l'encre a pu couler vers l'intérieur, sur d'autres les traces n'ont pas dépassé le rebord extérieur de la tranche, et il est possible de les faire disparaître. On a donc prévenu les banques de faire attention à ces billets, dont on a retrouvé deux exemplaires cette semaine. C'est un jeune employé de la County Bank, Wayne, qui les a remarqués. On peut le féliciter, car l'encre avait été très soigneusement effacée. Moi-même je n'aurais rien remarqué si je n'avais pas su ce que je devais chercher. Mais, avec une loupe, on voit que le rebord a été frotté et il reste même des traces d'encre. Le chef m'a demandé d'enquêter et nous avons passé presque toute la matinée là-dessus.

— Savez-vous d'où proviennent ces billets?

— Jusqu'à un certain point, oui. Du moins, l'un d'entre eux. Ils proviennent de deux paiements différents. Quand ce Wayne a remarqué le premier billet, il l'a porté à son directeur, et en examinant toute la série ils en ont trouvé un second. A ce moment, personne n'aurait pu dire d'où il provenait. Ce second billet nous confirme donc que quelqu'un écoule les

illets volés dans la région. Mais, pour celui-ci, nous
gnorons sa provenance.

— Et pour le premier?

— Il a été encaissé par une certaine Miss Weekes,
ui tient une mercerie à Dedham. Je lui ai rendu
visite, avec Jackson. Elle n'a pas de jour particulier
our faire ses dépôts. Elle a des amis à Ledlington,
ivec lesquels elle passe la journée quand elle s'y rend.
Tout dépend donc de leur emploi du temps. En son
ibsence, elle confie la boutique à une amie.

Miss Silver sourit.

— Les merceries sont souvent gérées avec une
grande désinvolture. C'est considéré comme une
occupation très chic par les gens qui n'ont pas eu de
ormation commerciale.

Il rit.

— Miss Weekes est on ne peut plus chic. Ne
'avez-vous pas rencontrée?

— Sa laine est d'excellente qualité. Je lui en ai
cheté il y a deux jours.

— Avec quoi avez-vous payé?

— Avec un billet d'une livre... Mon cher Frank,
eriez-vous en train de me dire que...

— Je ne sais pas... j'aimerais être fixé. Miss
Weekes a encaissé quatre billets d'une livre hier. Sur
es quatre, elle en a encaissé personnellement trois,
dont le vôtre. Elle vous a décrite comme la dame de
Deepe House qui est passionnée de tricot.

— Oui, je lui ai été recommandée par Mr. Haw-
kes, le facteur. Un de ses proches, il me semble.

Ses magnifiques sourcils marquèrent son étonnement.

— Celui qui a dit qu'une moitié du monde ignorait
out de l'autre n'avait jamais mis les pieds dans un
village anglais. Les ors de la cour ne sont rien compa-
és aux feux qui brûlent dans les campagnes.

Miss Silver toussota.

— J'y ai souvent pensé. Mais revenons à Miss Weekes et à ses quatre billets d'une livre. L'un d'eux venait de moi. Qu'en est-il des autres?

— Mr. Augustus Remington a acheté, le même jour que vous, de la soie à broder. C'est un habitué et elle le connaît bien. Sa facture s'élevait à 32 shillings et 6 pence. Il a payé avec un billet d'une livre, un billet de dix shillings et une demi-couronne[1]. Plus tard dans l'après-midi Miss Gwyneth Tremlett s'est fournie en canevas et raphia. Elle aussi a payé avec une livre. Cela fait donc trois. Personne ne semble savoir d'où vient le quatrième billet. Miss Weekes semblait consternée. Selon elle, son amie a dû l'encaisser mardi matin pendant qu'elle-même faisait ses courses. L'amie en question s'appelle Hill, et c'est une vraie nouille. Il suffit que deux personnes se trouvent ensemble dans le magasin pour qu'elle perde tous ses moyens. Mardi matin, apparemment, c'était la grande cohue, six personnes au bas mot. Elle a perdu la tête. Quand Jackson et moi avons eu fini de l'interroger, elle n'était sûre que d'une chose. Elle a mis l'argent dans la caisse et s'il y avait une livre en trop, c'est que quelqu'un avait dû la lui donner, et même sur son lit de mort, elle n'en démordrait pas, et si on devait la jeter en prison, elle ne s'y opposerait pas, mais qu'au moins on la laisse mourir sans entacher son honneur et qu'elle ne soit pas obligée d'affronter ses voisins. Est-ce que vous imaginez un peu?

— Elle fait partie de ces gens avec lesquels il es délicat de s'entretenir.

— Bel euphémisme. Jackson affirme qu'il a une tante qui lui ressemble, et que vous ne pouvez absolu

1. Jusqu'en 1971 : 1 livre : 20 shillings; 1 shilling : 5 pence 1 couronne : 5 shillings. Aujourd'hui, 1 livre : 100 pence.

ment rien faire. Comme il dit, quand ils ont fini de s'échauffer, ils ne distinguent plus leur gauche de leur droite, le blanc du noir. Résumons-nous : votre billet, celui d'Augustus Remington, celui de Miss Gwyneth, et celui de qui vous plaira. D'où provient votre billet ?

— Mrs. Craddock me verse mon salaire chaque semaine, dit-elle sans émotion particulière.

— Ah bon ! Vraiment ? Et ce billet en faisait partie ? En êtes-vous sûre ?

— Sûre et certaine.

— Trois billets proviennent donc de la Colonie.

Miss Silver toussota.

— Le hold-up à Enderby Green remonte à plus d'un mois. Les billets ont eu le temps de circuler. Celui que j'ai donné à Miss Weekes peut avoir changé souvent de main avant de me parvenir. Comme, personnellement, je ne saurais affirmer que je ne l'ai pas eu en main, il en va de même pour Mr. Remington et Miss Gwyneth Tremlet. Chacun de nous peut avoir fait circuler ces billets volés en toute innocence.

— Mais il y a quand même de fortes chances que ces billets proviennent de la Colonie.

— Je crois qu'il serait plus honnête de dire qu'ils sont *passés* par la Colonie, dit-elle d'un ton où perçait une très légère réprobation.

21

En retournant vers la gare pour y attendre son bus
Miss Silver fit le point. La conversation avec Frank
Abbott n'avait rien clarifié, elle ne leur avait fourni
aucune piste, mais elle avait certainement renforcé
l'appréhension que la situation lui inspirait. Elle avait
la désagréable sensation de chercher son chemin dans
le brouillard. Chaque indice faisait long feu, toute tentative d'en tirer parti ajoutant à la confusion. Après
avoir commencé à découvrir ce qui était arrivé à Anna
Ball, elle s'était trouvée confrontée aux inquiétudes
de Mrs. Craddock concernant la sécurité de ses
enfants. Maintenant, en surimpression de tout le reste
surgissait l'affaire des billets volés dans la banque
d'Enderby Green. Quand elle avait fait allusion à ce
que l'on aurait pu appeler le problème Craddock,
Frank ne lui avait pas prêté grande attention. Trois
enfants incontrôlés suffisaient à faire chavirer
n'importe quelle embarcation, quant à l'épisode des
champignons... il *correspondait* à ce point à une réalité que personne ne pouvait faire l'impasse dessus.
Frank s'était souvenu d'un courrier dans le *Times* à ce
propos. Les experts avaient fini par conclure que rien
n'était définitivement prouvé, mais ce qui poussait au
pied des pins n'était pas des champignons, voilà tout

S'agissant des billets volés, comme elle le lui avait fait remarquer, une fois en circulation, chaque exemplaire avait pu passer entre les mains d'une douzaine de personnes avant d'atterrir dans la caisse de Miss Weekes. Mais, qu'elle considérât le problème des Craddock ou celui des billets, son appréhension non seulement persistait mais augmentait.

Elle était à mi-chemin de la rampe d'accès à la gare quand elle perçut un bruit de pas dans son dos.

— Et où s'en va-t-on, Belle Dame ? lui souffla une voix.

Elle ne connaissait qu'une personne au monde capable d'utiliser ce genre de formule et ne s'étonna pas de voir Augustus Remington venir à sa hauteur — le personnage était vêtu avec moins d'excentricité que d'habitude. Non pas qu'il ressemblât à M. Tout-le-monde, mais il avait abandonné la blouse et le pantalon de velours côtelé qu'il exhibait à la Colonie, et, si l'on oubliait leur coupe quelque peu flottante et le fait que sa chemise n'avait pas de col, ses vêtements ressemblaient assez à ceux du commun des mortels. Il était nu-tête et la brise soulevait ses longs cheveux blancs duveteux.

— Je prends le bus de cinq heures, répondit sobrement Miss Silver.

Les longues mains s'agitèrent.

— Moi de même. Une nécessité bien ennuyeuse. Ces inventions mécaniques souillent la pureté de la vie campagnarde.

Jamais au grand jamais Miss Silver n'avait vu une quelconque pureté dans la vie campagnarde, mais elle s'abstint de le lui dire.

— L'odeur... dit-il d'une voix qui baissa d'un ton. Le bruit... je suis particulièrement sensible au bruit. L'impitoyable et inexorable litanie des... des engrenages. J'ignore tout de ces horribles dispositifs méca-

niques, mais je me crois autorisé à les *considérer* tels.
Comme je viens de le dire, une commodité bien
pénible, une atteinte au sens artistique, mais une
nécessité moderne. Vous avez fait des courses?

— J'ai pris le thé avec un ami.

— Tandis que moi je poursuivais la beauté.

Il émit un petit rire nerveux.

— Ne vous méprenez pas. Je fais allusion à cette
beauté abstraite qui est la pierre de touche de l'art, et
qui, dans mon cas, m'a fait découvrir ce que je cherchais vainement depuis de trop longues semaines.
Empêchements, obstacles et frustrations furent mon
lot, mais, aujourd'hui, mes efforts ont été couronnés
de succès. Par le plus grand des hasards, j'ai poussé la
porte d'une petite échoppe de Market Square. Ses
vieilles poutres fleuraient bon le passé... d'étranges
murmures habitaient ses murs. Une jeune fille me servit, aussi épanouie et dépourvue d'imagination qu'une
rose chou. Elle était affligée d'un accent atroce, et
venait de sucer des bonbons à la menthe. Elle m'a
montré un assortiment de soies à broder et c'est alors
qu'enfin, mes yeux ont vu le coloris que je cherchais... une de ces nuances passées qui évoquent le
fantôme d'une rose morte en bouton.

Ils avaient atteint le bus. Comme il restait cinq
minutes avant le départ, beaucoup de sièges étaient
inoccupés. Miss Silver ne put empêcher Mr. Remington de s'asseoir à ses côtés et dut supporter la suite
d'un discours qui commençait à mettre sa patience à
rude épreuve. Un peu avant dix-sept heures, Miss
Gwyneth Tremlett monta à bord et, juste avant le
départ, un homme jeune et grand, qui portait une
valise et se dirigea vers un siège libre tout à l'avant. I
s'y assit et fixa d'un air maussade le dos du chauffeur

Miss Silver le reconnut aussitôt et l'on comprendra
qu'elle en fut exaspérée, car c'était la goutte qui fai

168

sait déborder le vase. Mais, bien sûr, elle n'y pouvait rien. On entendit le bruit du moteur, et, après une légère vibration, le bus démarra. Augustus Remington ne manqua pas de lui faire part des sensations qu'il en éprouvait, d'une voix qui tour à tour devenait inaudible ou se changeait en une sorte de murmure haletant. Miss Silver l'ignorait. Elle ne quittait pas des yeux la nuque de Peter Brandon, très ennuyée qu'il ait suivi Thomasina Elliot à Deep End et se demandant comment l'en faire repartir au plus vite.

Au fur et à mesure qu'ils approchaient de Deeping, le nombre de passagers diminuait, la majorité descendant à Ledhill, un ancien bourg que l'industrialisation transformait rapidement. Il y avait maintenant une place libre, juste de l'autre côté du couloir, et Miss Gwyneth Tremlett en profita pour l'occuper, ce qui lui valut un accueil empressé de Mr. Remington.

— Ah, enfin... voilà qui est mieux ! Je me demandais : mais pourquoi donc sommes-nous mis en quarantaine ?

Miss Gwyneth se rengorgea plaisamment.

— *Franchement*, Augustus !... ne dites pas d'inepties ! Il ne vous aura certainement pas échappé que j'ai dû pratiquement me contenter du seul siège qui était disponible.

Il émit un énorme soupir.

— J'ai le cœur si sensible. Le moindre signe de froideur de la part d'une amie me rend malade. La semaine dernière, quand vous m'avez fait de la peine, j'ai dû prendre trois aspirines. Et aujourd'hui encore, je souffrais. Personne ne peut douter de l'admiration que je porte à notre Peveril, et je sais qu'Elaine et vous ne supportez pas la moindre critique à son sujet, mais je mentirais si je disais que je ne me sens pas blessé quand il se rend en voiture à Ledlington et en revient sans même penser à nous offrir une place.

Miss Gwyneth était assise toute droite sur son siège. Elle portait un manteau vert sans style, et un grand nombre d'écharpes, une, orange à rayures violettes, lui couvrant la tête, deux ou trois autres de diverses couleurs lui protégeant le cou et les épaules. Quand elle parlait, les extrémités voltigeaient, et elle devait sans cesse les remettre en place.

— Mais, Peveril n'était pas à Ledlington, dit-elle, avec une certaine brusquerie.

La voix d'Augustus Remington se fit insinuante.

— Ma très chère Gwyneth, bien sûr qu'il y était. Il s'était garé à Market Square... je l'ai aperçu en sortant de ma petite boutique obscure. C'est vrai, vous n'êtes pas au courant, j'étais en train d'en parler à Miss Silver. Savez-vous, ma chère, que j'ai enfin mis la main sur l'objet de ma quête... ce coloris exquis qui me fuyait depuis si longtemps que je commençais à désespérer de jamais pouvoir le trouver. Comme il brillait dans cette petite échoppe si sombre ! Et voilà qu'en sortant, que ne vois-je pas ? L'automobile de Peveril ! Je me souvins alors que je lui avais fait part de mon désir de venir à Ledlington cet après-midi, et j'eus vraiment du mal à ne pas me sentir blessé. Ai-je eu tort ?

Miss Gwyneth, qui, elle aussi, avait prévenu Peveril de son intention de se rendre à Ledlington ce même après-midi, ne put s'empêcher d'avoir une réaction qui ne manquait pas de rudesse.

— S'il avait voulu nous prendre à son bord, j'imagine qu'il nous l'aurait suggéré !

— Chère, chère Gwyneth ! C'est exactement cela ! S'il l'avait voulu, il nous l'aurait demandé ! C'est si simplement, si directement, si magnifiquement exprimé ! Puisqu'il ne nous en a rien dit, il ne le désirait pas ! Déduction imparable ! Toute la blessante vérité en trois mots ! Seuls ceux qui possèdent cette

suprême sagesse qu'on appelle le bon sens ont suffi-
samment de cran pour atteindre à une telle clarté ! Quant à moi, je ne vis que par l'émotion, je suis incapable d'analyse. Je suis pure émotion. Quand souffle
la bise glaciale de l'adversité, je tremble et ne dis mot.

Miss Gwyneth avait rougi. Elle semblait vouloir
parler, mais elle dut attendre qu'il lui en donne l'occasion.

Miss Silver continuait à écouter, sans détacher son
regard du dos de Peter Brandon. Un changement
d'orientation de la lumière lui permit de l'entrevoir
dans le reflet de la vitre de séparation derrière laquelle
il se trouvait. L'image n'était pas très nette, car elle se
reflétait par contraste avec le vêtement sombre du
chauffeur et variait en fonction de l'angle sous lequel
la lumière frappait le verre, mais elle confirma son
impression première : Mr. Brandon était de très
méchante humeur, ce qui augmentait la probabilité de
le voir faire preuve d'une imprudence fatale.

Le bus parvint enfin à Deeping, où les voyageurs se
rendant à Deep End descendirent pour rejoindre à
pied leur destination, à un peu plus d'un kilomètre.
C'est alors que Peter Brandon demanda à Augustus
Remington la direction de Deep End et en profita
pour s'enquérir d'un endroit où passer la nuit.

— Je suis venu voir une de mes relations qui y
séjourne. Une affaire professionnelle. Mon nom est
Brandon.

Ces propos, tenus à voix haute et sans préliminaires, ne pouvaient échapper ni à Miss Gwyneth ni à
Miss Silver. Il apparut évident à celle-ci que
Mr. Brandon tâtait le terrain et cherchait par la même
occasion à se faire inviter.

La réaction de Miss Gwyneth fut immédiate.

— Mr. Brandon... permettez-moi de me présenter.
Votre tante était une amie très chère. Comme vous le

savez, ma sœur et moi-même hébergeons actuellement votre chère petite cousine. Je m'appelle Tremlett... Miss Gwyneth Tremlett. J'espère que tout va bien. Nous sommes si heureuses de la visite d'Ina.

A ce mot, il ne put s'empêcher de grimacer. Miss Silver se dit qu'il avait le genre de visage idéal pour un film muet — un visage éloquent, aurait-elle dit. Mais Miss Gwyneth, dont les écharpes voletaient dans tous les sens, et qui se préoccupait surtout de ne pas les laisser s'envoler et de les replacer sous son manteau, ne remarqua rien. Dès qu'elle fut parvenue à ses fins, elle regretta l'absence d'une seconde chambre d'ami et se demanda si Mrs. Masters ne pouvait pas héberger Mr. Brandon.

— Elle dispose d'une très jolie chambre, en parfait état. Je sais qu'elle est inoccupée, parce que le jeune Goddard, qui y habitait depuis un an et demi, a fini par en obtenir une dans les nouveaux immeubles municipaux de Deeping, aussi a-t-il décidé de se marier sur-le-champ. Lui et Mabel Wellstead attendaient simplement de pouvoir vivre ensemble. Pour Mrs. Masters, il était hors de question de loger un couple marié, et il est évident que Deeping leur conviendra mieux, car il y travaille, dans les pépinières. Mais je ne vous connais pas suffisamment, Mr. Brandon. Voyez-vous, Mrs. Masters se rend chaque matin chez les Craddock, à Harmony, pendant trois heures. Bien sûr, elle préparait un casse-croûte à Jim Goddard, et il prenait son petit déjeuner et son dîner avec elle et son beau-père, qui est notre doyen à tous.

Obligée de garder le silence dans le bus, Miss Gwyneth entendait bien rattraper le temps perdu. Peter sentit qu'il risquait d'être submergé. Il dit que peu lui importait l'endroit où il prendrait ses repas, et que la chambre de Mrs. Masters correspondait exactement à ce qu'il cherchait.

172

Il dut tout répéter quand ils parvinrent au cottage, où il lui fut très difficile de placer un mot, Miss Gwyneth se montrant extraordinairement prolixe en informations et Mrs. Masters profitant de chaque pause pour répéter qu'elle n'avait jamais eu l'intention de prendre un autre locataire, encore moins un aristo.

C'est Mr. Masters qui régla le problème. Dans le dos de sa belle-fille, il fit signe du doigt à Peter Brandon de s'approcher. La lumière était allumée dans la cuisine, où brûlait un bon feu de bois, et la table était mise pour le repas. L'odeur de la paraffine se mêlait à celle des harengs, une bouilloire chantait et un chat ronronnait. Le vieux Masters lui indiqua une chaise.

— Asseyez-vous.

Il entrebâilla la porte et hurla dans la nuit :

— Viens ici, Sarah, et sers-nous à manger ! Je suis chez moi et il restera !

C'était bien avant cela, en fait à peine dix minutes après que le bus eut quitté Ledlington, que Frank Abbott avait été introduit dans la County Bank, totalement interdite au public, et dont les volets avaient été fermés. Il était accompagné de l'inspecteur Jackson et attendu par le commissaire de Ledlington, ainsi que par le directeur de la police du comté. Au-dehors, le crépuscule hivernal faisait place aux ténèbres. A l'intérieur du bâtiment, on voyait des lumières vives et des ombres nettement découpées. Les lumières révélaient les cadavres des deux hommes abattus, deux hommes qui étaient bien vivants, en pleine forme, quand il leur avait parlé, pas plus tard que ce matin. Ils ne diraient plus rien désormais, mais leur sang demeurait comme seul témoin à charge. Le directeur était marié et avait deux enfants qui fréquentaient encore l'école. L'employé, Hector Wayne, était celui-là même qui s'était si rapidement aperçu qu'un des billets d'une livre déposés par Miss Weekes était louche. Devant leurs corps, une colère froide s'empara de Frank. Il n'avait rien à dire et il ne dit rien. C'est le directeur de la police qui trouva les mots.

— Sale affaire, dit-il.

22

Nouveau hold-up dans une banque — Double meurtre à Ledlington, titraient les journaux du lendemain. Quand elle descendit, Miss Silver trouva Mrs. Craddock qui tentait d'empêcher les enfants de parler de l'événement. Elle avait le plus grand mal, et, en l'apercevant, Maurice se précipita vers Miss Silver. Brandissant un journal, il lui hurla aux oreilles :

— Vous avez entendu les coups de feu ? Votre bus est arrivé juste à temps ! Le directeur de la banque a été tué, et un de ses employés ! Vous étiez près de la banque ? Vous avez entendu quelque chose ? Ça m'aurait drôlement plu ! J'aurais dû aller à Ledlington avec vous, parce que je serais allé acheter des billes et le magasin qui en vend est juste en face de la banque, alors j'aurais entendu les coups de feu et j'aurais vu l'homme qui a fait ça ! Le journal dit que c'est le Bandit au Bandage ! Il avait la tête cachée dans un bandage !

— Mon cher Maurice !

— C'est vrai ! Il en avait plein autour de la tête, alors on pouvait pas savoir à quoi il ressemblait ! Ça, c'est une idée géniale, vous croyez pas ? Miss Silver, si je l'avais vu, j'aurais pu essayer de l'attraper. J'aurais pu lui donner un coup de pied dans les tibias, et sauter derrière la voiture s'il avait essayé de me tirer dessus, vous croyez pas?

— Moi aussi, je lui aurais donné des coups de pied! hurla à son tour Benjy de sa voix la plus aiguë. Je lui aurais fait comme ça!

Il donna un violent coup dans le pied de la table, se fit mal et hurla.

Maurice, sans reprendre souffle, continuait à raconter.

— Il y avait une voiture avec une fille! La Belle Blonde, ils disent dans le journal! C'est elle qui l'a emmené! La Belle Blonde et le Bandit au Bandage, ils disent! Ils ont disparu comme ça! Mais la police a une piste! Regardez, c'est tout écrit là!

Miss Silver lui prit le journal des mains et porta un regard critique sur ses ongles.

— Mon cher Maurice, comment t'es-tu arrangé pour être aussi sale avant le petit déjeuner? S'il te plaît, va te laver. Non, Benjy, ce n'est pas la faute de la table, c'est la tienne. C'est toi qui l'as frappée... ce n'est pas elle.

Les larmes cessèrent de couler sur le visage tout rouge de Benjy. Son menton tremblota et il commença à rire.

— Ça aurait été rigolo si elle m'avait frappé! Ça serait rigolo si toutes les tables et toutes les chaises commençaient à se bagarrer et à donner des coups de pied! Ça serait rigolo si ce gros vieux fauteuil se levait et allait donner un coup de pied à Mrs. Masters!

Jennifer n'avait rien dit. Elle avait son air renfermé. Elle saisit brusquement Benjy et le secoua.

— Ce ne serait pas du tout rigolo... ce serait horrible!

On entendit la voix désespérée de Mrs. Craddock.

— Les enfants... les enfants... *s'il vous plaît!*

La porte s'ouvrit et Peveril Craddock entra dans la pièce.

Le silence se fit soudain. Maurice s'interrompit au milieu d'une phrase et Benjy demeura bouche bée. Jennifer s'écarta de lui et recula jusqu'à sa place à la table. Elle tira brusquement sa chaise et s'y installa. Les garçons se précipitèrent vers leurs places et se mirent à manger le porridge qui était en train de refroidir. Jennifer n'y toucha pas. Elle but une tasse de thé diététique, puis fit mine de se lever, avant de s'en resservir une autre.

Mr. Craddock avait l'habitude de lire un des journaux au petit déjeuner, et de garder l'autre près de lui, au cas où il aurait également voulu le lire. Ce matin-là, il ne leur prêta aucune attention, se contentant de les ramasser sur la table, de les plier et de les mettre de côté. Tout cela d'un air lointain et peu amène. Il était impossible de ne pas se dire qu'il avait déjà lu les nouvelles et qu'elles l'avaient durement affecté. Miss Silver n'avait pas tardé à découvrir que, tout en proclamant que les enfants étaient entièrement libres de s'exprimer comme ils l'entendaient, dans la pratique il se montrait particulièrement intolérant pour tout ce qui allait à l'encontre de ses opinions ou risquait de nuire à son confort. Il était aussi évident que Jennifer ne l'aimait pas, tout en le craignant, et même l'effronterie de Maurice disparaissait quand il le regardait d'un air plutôt menaçant, et, quand Maurice se tenait coi, Benjy perdait tout courage. Pour l'heure, ils se tenaient aussi tranquilles que des images et avalaient leur porridge. Mr. Craddock fronça les sourcils au-dessus de son café, se plaignit des saucisses et demanda qu'on lui dise combien de fois il avait répété qu'il n'était *pas question* de manger ses toasts froids.

Jennifer était allée en faire d'autres quand Emily reposa sa tasse et dit, d'une voix qui tremblait :

— Avez-vous lu les journaux ? C'est vraiment terrible, n'est-ce pas ?

Le pli soucieux de son front jupitérien se tourna vers elle.

— Je ne considère pas qu'il soit de bon goût de parler de cela au moment du petit déjeuner, mais, puisque vous avez abordé le sujet, je dirai simplement que je suis très choqué. Hier encore, j'étais à la banque, où j'ai échangé quelques mots avec le directeur. C'est un événement tragique, mais, je le répète, il ne sied pas de l'évoquer dans une réunion de famille. Ne serait-il vraiment pas possible, Emily, d'avoir un meilleur café que celui-ci ? Puis-je savoir combien vous avez mis de cuillerées ?

Mrs. Craddock prit un air coupable.

— Je... je... Mrs. Masters...

— Vous laissez Mrs. Masters faire le café ! Après toutes les remarques que je vous ai faites ! Je ne voudrais pas vous imposer une surcharge de travail, mais il me semble vous avoir particulièrement recommandé de vous occuper vous-même du café. Mrs. Masters est incapable de faire la différence entre une eau qui vient de bouillir et une eau qui, soit n'a pas bouilli, soit est restée sur le feu pendant des heures. Ce café a été fait avec la moitié seulement de la quantité indispensable, et il a été réchauffé. Mon mélange aromatique spécial, destiné non seulement à améliorer le goût mais à combattre les effets négatifs de la caféine, n'a pas été utilisé. Est-ce que Jennifer est en train de faire les toasts ou doit-elle aussi cuire le pain ?

— Voilà... voilà... plein de toasts !

— S'ils sont brûlés, je n'en *mange pas* , dit Peveril Craddock d'une voix grinçante.

Par bonheur, ils ne l'étaient pas. Après les avoir disposés devant lui, Jennifer se reversa une tasse de thé et l'avala à petites gorgées, tenant la tasse entre ses deux mains, comme pour les réchauffer.

La police arriva juste après dix heures.

23

Au moment où ils tournaient dans le chemin, Frank Abbott fit ses recommandations à l'inspecteur Jackson :

— Je veux que Miss Silver soit présente quand nous interrogerons ces gens, et le seul moyen d'y parvenir c'est de les réunir tous ensemble. Elle les connaît, contrairement à nous, et je veux savoir ce qu'elle pense de leurs réactions. Mais attention de ne pas leur mettre la puce à l'oreille. J'ignore combien de temps elle a l'intention de rester ici, et sa situation deviendrait impossible s'ils pensaient qu'elle a quelque chose à voir avec la police. Donc, si vous êtes d'accord, je suggère de rassembler toute la Colonie à Deepe House et, si nous avons une bonne raison, nous pourrons les interroger séparément plus tard. Tenez, si je vous laisse ici, vous pourrez prévenir Remington, Miranda et les sœurs Tremlett, pendant que je mets la main sur l'insaisissable Robinson. Ramenez aussi Miss Elliot, elle habite chez les Tremlett. Je pense qu'ils seront tous chez eux.

L'inspecteur Jackson acquiesça. Frank Abbott arrêta la voiture pour lui permettre de descendre.

Il s'arrêta de nouveau devant l'aile orientale, où il perdit dix minutes à tenter de signaler sa présence à

Mr. John Robinson. Toutes les fenêtres donnant sur la cour avaient été condamnées, et, à voir les feuilles mortes qui s'entassaient devant la porte de devant ainsi que les toiles d'araignées poussiéreuses, on comprenait qu'elle n'était plus utilisée. La sonnette ne marchait certainement pas. Après avoir fait le plus de bruit possible avec le heurtoir, sans autre résultat que d'éveiller des échos dans la cour, il longea la haie impénétrable qui aboutissait à la façade principale de la maison et appela : « Ohé ! Oohéé ! » Après la sixième ou septième tentative, on lui répondit.

— Voulez quèque chose ? fit une voix d'homme.

— Je cherche Mr. Robinson.

— Ah oui ?

— Êtes-vous Mr. Robinson ?

— Exact. Que me voulez-vous ?

— Vous poser quelques questions. Je suis l'inspecteur Abbott, de Scotland Yard. Avec mon collègue l'inspecteur Jackson, de la police du comté de Ledshire, nous sommes chargés d'une enquête. Nous aimerions que vous rejoigniez les autres membres de la Colonie chez Mr. Craddock.

Un sifflement qui ne manquait pas de grâce se fit entendre de derrière la haie.

— Que se passe-t-il ? demanda Robinson.

— Enquête de routine.

— Même les enquêtes de routine ont un objet précis. Très bien. J'en saurai plus si je retrouve tout ce beau monde, n'est-ce pas ? Il faudra vous contenter de mes habits de travail.

Sa voix s'estompait. Frank se demandait s'il avait disparu pour de bon, quand il entendit un bruit de pas sur sa gauche et Robinson apparut. Les habits de travail auxquels il avait fait allusion étaient de la pire espèce — pantalon de flanelle où on ne comptait plus les trous, généreusement crotté de surcroît, deux tricots superposés, passés à la va-vite ; celui du dessous, qui jadis avait été bleu, dépassait au col et aux poignets, et affleurait aux coudes troués de celui du dessus. Le tout était couronné d'une courte barbe, d'une tignasse en désordre et d'yeux noirs enfouis sous des sourcils broussailleux.

Tout en s'approchant, il fit un signe de tête affable, avant de remarquer :

— Va où la gloire t'appelle, mais, quand elle t'aura élu, souviens-toi de moi, comme disait Thomas Moore. Et si par hasard vous avez l'intention de me mettre le grappin dessus et de m'envoyer à l'ombre à cause de quelque chose que je n'aurais pas fait, je me permets simplement de vous signaler que je suis responsable d'une famille de poules, d'un merle à la patte cassée, et d'un rat apprivoisé du nom de Samuel Whiskers. C'est le seul capable de se débrouiller seul, je recommande donc les autres à vos bons sentiments — pour autant qu'un policier en éprouve. Certes, c'est peut-être beaucoup demander.

Sa voix était douce et agréable, et son accent campagnard était plus perceptible que lorsqu'elle provenait de l'autre côté de la haie.

Ils arrivèrent à la porte de l'aile opposée où ils furent reçus par Mrs. Masters, qui les fit entrer dans le bureau, avant d'aller annoncer à Mrs. Craddock qu'il y avait un policier avec « ce Mr. Robinson », manière de rappeler qu'elle avait toujours dit qu'il n'était pas très net.

Peveril Craddock pénétra dans le bureau, en propriétaire sûr de son fait et maître de la situation. Il ressemblait à un directeur d'école recevant une délégation d'élèves qui ne devait rien attendre de lui — mélange de morosité courtoise et de condescendance magnanime. Il joua des plus chaudes intonations de sa voix.

La police?... Il ne voyait aucune raison à sa présence... mais bien sûr, il était tout à leur service... Les autres membres de la Colonie?... Sérieusement?... Bien sûr, si tel était leur désir... Mais oui, absolument, absolument...

Il portait un pantalon en velours côtelé d'un bleu discret et une blouse à ceinture de la même couleur, au col et aux poignets brodés de rouge et de vert. Barbe et cheveux étaient impeccables et le parfum qui en émanait provenait très certainement d'une brillantine aux herbes. Son regard se posa brièvement sur l'accoutrement déplorable de Mr. Robinson, avant de l'abandonner.

Celui-ci à aucun moment ne se départit de son calme bonhomme. Il continua à regarder Peveril, comme s'il cherchait la citation qui lui correspondrait le mieux en cet instant. De fait, il hésitait entre une que l'on tiendrait pour offensante, et une autre, plus anodine, qu'il estimait ne pas convenir, quand la porte s'ouvrit. Les deux Tremlett, Thomasina Elliot, Augustus Remington et Miranda entrèrent tous ensemble, l'inspecteur Jackson jouant le rôle du berger. On se salua. On se posa bon nombre de questions. Les sœurs Tremlett étaient fort agitées. Sa chevelure rouge surplombant la scène, Miranda se taisait, renfrognée. Augustus Remington ne trouvait pas assez de mots pour protester.

— Mon travail de la matinée est fichu. Je tenais une idée... toute petite, infime, prête à s'envoler.

Il s'adressa à Gwyneth Tremlett.

— Inspiré par la couleur si exquise de cette soie que j'ai achetée hier — une merveille, ma chère, une véritable merveille, mais aussi fragile que l'éclat d'une aile de papillon. Vous me comprendrez... à ce instant, un rien, un souffle, un courant froid d'animosité, et l'idée naissante est abîmée, dégradée, emportée. J'espère qu'il n'en sera pas de même cette fois, mais j'en ai extrêmement peur.

Il continua à se lamenter tandis qu'on appelait Mrs. Craddock et Miss Silver. Ses cheveux jaune paille vaguement ébouriffés et ses habits ordinaires, à savoir un pantalon de velours brun et une blouse vert pré, lui donnaient l'air, d'après Thomasina, d'une sauterelle — si l'on peut imaginer une sauterelle aux cheveux jaune paille. Bien sûr, elle était beaucoup trop préoccupée par ses affaires pour lui accorder plus qu'une attention momentanée. A l'évidence, il était fou, mais presque tout le monde ici l'était, ou du moins était suffisamment dérangé pour qu'on ne distinguât pas une grande différence. Elle repensa à Peter Brandon. Qu'il ait osé la suivre ici — se faisant héberger par Mrs. Masters et s'imposant chez Miss Gwyneth — la mettait en rage. Si la police cherchait quelqu'un à arrêter, il était tout désigné. Que cela lui serve de leçon.

Ces pensées romantiques furent interrompues par l'entrée de Miss Silver et de Mrs. Craddock, celle-ci aussi pâle et nerveuse que si on l'introduisait dans la cage d'un lion et non dans un salon rempli de personnes qu'elle voyait tous les jours. Elle prit la première chaise venue et se posa sur le bord du siège, tout effrayée. Il n'y avait aucune chaise libre près d'elle et Miss Silver dut la laisser là et traverser la pièce. Elle trouva un siège qui lui offrait un angle de vision excellent sur toute l'assemblée. Les sœurs Tremlett et Thomasina se tenaient près d'elle, un peu plus loin Mr. Craddock, Mr. John Robinson de l'autre côté, penché, tournant le dos à la fenêtre située derrière sa banquette. A l'autre extrémité de la pièce, Augustus Remington et Miranda lui faisaient face, Miranda affalée sur un des fauteuils les plus confortables, Augustus sur un tabouret bas, dans une attitude qui, aux yeux de Miranda, n'était que pose et affectation. Les deux inspecteurs avaient approché leur chaises du bureau.

Quand tout le monde fut installé, l'inspecteur Jack son parla, de sa voix lente et bien timbrée d'homm de la campagne.

— Je ne doute pas que chacun de vous essaier d'aider la police. L'inspecteur Abbott est venu spé cialement de Londres à cause de quelques billets d banque que nous aimerions retrouver. Deux de ce billets ont circulé ici même. Le premier a été remis la County Bank de Ledlington, par Miss Weekes, qu tient une mercerie à Dedham. D'après elle, il faisai partie des encaissements de mardi dernier et elle nou a donné les noms de plusieurs personnes susceptible de le lui avoir remis. Trois de ces personnes s trouvent dans cette pièce. Je voudrais leur demande si elles peuvent se souvenir de quelque chose suscep tible de nous aider — par exemple, le montant de leu facture, le mode de paiement, et, dans le cas d'u règlement en liquide, si elles auraient remarqué quo que ce soit d'inhabituel sur ces billets.

— Jamais de ma vie je n'ai mis les pieds dans un mercerie, dit Peveril Craddock d'une voix calme e forte.

Augustus leva les bras au ciel.

— Mais, mon cher Peveril, vous ne savez pas c que vous manquez! Toutes ces rangées de pelotes d laine comme de gros moutons béats formant u superbe arc-en-ciel inconnu du laborieux cultivateu — l'éclat de la soie, l'infini miroitement des teintes e des nuances les plus exquises, les aiguilles de plas tique étincelant comme des sagaies de lumière...

Il en fallait plus pour étonner l'inspecteur Jackson Il demanda, d'un ton sans réplique :

— Mr. Remington, avez-vous, ce mardi, achet quelque chose chez Miss Weekes?

184

Augustus prit un air vague.

— C'est possible. J'étais à la recherche d'une certaine couleur de soie — une quête malheureuse. Mais, si vous me demandez quel jour de la semaine... je crains de ne pouvoir vous aider. Je suis de ceux qui pensent que le temps n'est qu'illusion. Parfois il nous emporte... et parfois il nous file sous le nez. Je suis tout à fait incapable de vous dire si c'est bien mardi que ma quête m'a conduit dans la ville de Dedham.

Miss Gwyneth se pencha en avant. Elle portait un collier de grosses perles de bois brun qui cliquetèrent.

— *C'était* mardi, dit-elle. Parce que quand j'y suis entrée, l'après-midi, on m'a dit que vous étiez passé. C'est Miss Weekes qui me l'a dit — je n'ai pas parlé à Miss Hill. Miss Weekes m'a dit qu'elle avait été désolée de ne pas avoir la couleur que vous cherchiez.

— Oui, une de ces couleurs vaporeuses... murmura Augustus.

— Très bien, Mr. Remington, c'était donc mardi, intervint Jackson. Pourriez-vous me dire à combien se montait votre facture?

— Mon Dieu, non! L'argent n'est qu'un symbole déplaisant... Je n'y prête vraiment aucune attention.

Il minaudait, zozotait et Jackson se dit qu'on aurait dû le gifler quand il était jeune, dès que ça le prenait. Il avait deux petits garçons et ils auraient eu droit à une sacrée fessée si jamais ils s'étaient permis une telle attitude.

— Selon Miss Weekes, elle se montait à 32 shillings et 6 pence... le coupa Jackson.

— Elle a sans doute raison.

— ... que vous avez réglé avec un billet d'une livre, un billet de dix shillings et une demi-couronne.

— Quel terrifiant sens de l'observation!

— Vous confirmez ses dires?

Il leva ses mains, comme pour le supplier.

— Mon cher monsieur, ne me demandez plus rien ! Je suis sûr qu'elle a raison.

— Je dois aussi vous demander si vous avez remarqué quelque chose d'inhabituel sur le billet d'une livre.

C'est à ce moment que l'on entendit la voix de Mr. John Robinson qui fit remarquer que l'espoir renaissait toujours dans le cœur de l'homme. Augustus soupira.

— Je ne fais pas attention aux billets de banque. Je viens de vous le dire. Ils existent, soit, mais je ne leur accorde aucune autre place dans mon esprit.

L'inspecteur Jackson s'entêta.

— Pouvez-vous me dire comment vous êtes entré en possession de ce billet d'une livre ?

Augustus secoua la tête négativement.

— Par ma banque, j'imagine. J'ai ouvert un compte à Dedham. Mes moyens sont modestes, mais il m'arrive d'encaisser un chèque.

— Eh bien, ils pourront nous communiquer la date de votre dernier encaissement — à moins que vous ne vous en souveniez ?

— Oh, non !

Jackson se tourna vers Miss Gwyneth, qui se montra loquace et extrêmement précise. Elle avait acheté un mètre de canevas, de couleur neutre, trois paquets de raphia bleu, plus trois autres, un vert, un rouge et un jaune. Elle avait payé à l'aide d'un billet d'une livre qui ne couvrait pas le total, mais elle avait un petit crédit, car elle avait rapporté deux paquets de raphia qu'elle avait achetés sans bien les voir, la semaine précédente.

— Absolument pas la couleur que je cherchais, inspecteur, et Miss Weekes est toujours si obligeante. J'ai payé avec un billet d'une livre, comme je l'ai dit, mais j'ai peur de ne pas savoir d'où il provenait, à cause de ce billet de cinq livres que j'avais mis de côté, car j'ai fait de la monnaie à la gare de Dedham, la dernière fois que je suis allée à Londres, il y a un mois environ, et le billet m'a peut-être été donné à cette occasion, ou bien je l'avais avec moi depuis quelque temps... non, je ne saurais vous dire. Mais je suis sûre de n'avoir rien remarqué de particulier.

Un excès d'informations peut être aussi déconcertant qu'un manque d'informations. Miss Gwyneth poursuivit, racontant qu'elle avait reçu une lettre recommandée, à Noël, contenant trois billets d'une livre, cadeau d'une tante âgée qui refusait absolument de remplir un chèque. Elle se souvint aussi d'avoir rendu service à Mrs. Craddock en lui échangeant une livre en argent contre un billet d'une livre, un jour qu'elle n'avait pas de monnaie pour le bus. Il y avait environ deux semaines, mais elle ne pouvait l'affirmer.

Appelée à confirmer, Mrs. Craddock dit que c'était exact. L'argent dont il s'agissait était destiné aux soins du ménage. Environ une fois par mois, Mr. Craddock tirait un chèque avant de le lui remettre. Une partie en billets, une partie en pièces d'argent. Elle avait manqué de pièces d'argent et Miss Gwyneth avait eu l'obligeance de lui échanger un de ses billets en papier. Oh, non, elle n'avait jamais pensé que ce billet eût pu être d'origine douteuse.

Elle était assise sur sa chaise, l'air abattu, et ne levait jamais les yeux. Ses paroles étaient difficilement audibles. Jackson pensa à un lapin pris au piège, trop effrayé pour bouger. Mais pourquoi diable avait-elle si peur ? Il aurait bien aimé le savoir. Il savait reconnaître quelqu'un qui avait peur et, pas de doute, elle avait peur, mais pourquoi ?

Frank Abbott prenait des notes. Lui aussi avait remarqué la peur d'Emily Craddock. Femme nerveuse, fragile. Les nerfs, sans doute — à moins qu'elle ne sût quelque chose ? Il écouta Peveril Craddock parler de son compte à la County Bank de Ledlington et du chèque qu'il faisait chaque mois pour les besoins domestiques. Tout cela ne menait nulle part. Il fallait aller jusqu'au bout, mais il n'y avait pas l'ombre d'une chance d'identifier le billet que ce pauvre Wayne avait remarqué parmi tous ceux qui avaient circulé à l'intérieur et à l'extérieur de la Colonie. Autant chercher une aiguille dans une botte de foin. La seule chance, c'était d'apprendre quelque chose à partir d'une réaction involontaire d'une des personnes présentes. Il leva les yeux et observa, pour le moins, une réaction. Mr. John Robinson le considérait, une lueur ironique dans l'œil. Étant donné la position de celui-ci, assis sur la banquette dans l'embrasure de la fenêtre, le dos tourné à la lumière du jour, les traits dans l'ombre, un peu plus obscurcis encore à cause de la barbe et des sourcils, la brève lueur qui lui parvint lui fit un effet extraordinaire. L'inspecteur Abbott eut l'impression on ne peut plus nette que la police était en train de se ridiculiser, mais qu'elle avait toute la sympathie de Mr. Robinson.

Quoi qu'il en soit, Jackson en avait terminé avec le billet d'une livre et invitait maintenant très poliment chaque membre de l'assemblée à donner son emploi du temps entre quatorze et dix-neuf heures, l'après-midi précédent. Comme personne ne protestait, il entreprit de faire le tour de l'assemblée, dans le sens des aiguilles d'une montre.

— Miss... euh... Miranda ?

Elle secoua sa lourde chevelure rouge sombre.

— Miranda, dit-elle d'une voix grave. Pas plus de Miss que de Mrs. Miranda, un point c'est tout.

L'inspecteur Jackson se dit qu'il n'avait jamais rencontré pareil assortiment de toqués. Il évita de discuter.

— Très bien. Peut-être aurez-vous l'amabilité de me dire ce que vous faisiez hier après-midi ?

— Bien sûr... pourquoi pas ? Je suis allée me promener sur le terrain communal. Je ne connais pas exactement l'heure de mon départ, pas plus que celle de mon retour, mais j'ai dû allumer en entrant chez moi, je pense donc qu'il devait être seize heures.

— Mr Remington ?

Augustus soupira à fendre l'âme.

— Mon cher monsieur, vous n'en aurez donc jamais fini ? N'avons-nous pas déjà parlé de tout cela ?... Non ? Bon, puisque vous le dites. Ces voyages sordides... un bus me semble toujours être un des organismes mécaniques les plus méprisables ! J'espère que vous n'allez pas me demander de vous raconter tous les voyages que j'ai pu faire à Dedham ou à Ledlington... Rien qu'hier après-midi ? Je ferai de mon mieux.

Il se tourna vers Miranda.

— J'imagine que je suis allé à Ledlington, hier après-midi ?

— Ne soyez pas ridicule, Augustus ! Vous le savez parfaitement ! Je vous ai vu partir, et vous êtes revenu par le bus de dix-sept heures, avec Gwyneth.

— Mais oui... ma recherche ! Enfin couronnée de succès ! J'ai trouvé cette couleur exquise qui m'avait fui pendant si longtemps. Mais ces choses n'ont aucun rapport avec l'espace-temps... Je suis sûr que vous comprenez cela.

Il posa un regard tout à fait sérieux sur Jackson, qui lui demanda sans sourciller :

— Quel bus avez-vous pris à l'aller ?

— Celui d'une heure quarante peut-être ?

Il fit une nouvelle fois appel à Miranda. Elle approuva d'un bref hochement de tête.

— Si vous l'avez pris. Je vous ai vu partir. Je ne

vous ai pas vu monter dedans, mais vous aviez largement le temps.

Il soupira — de soulagement cette fois.

— Et voilà, inspecteur. Rien ne lui échappe !

Jackson continua à l'interroger, l'air sévère, mais
comme on pouvait s'y attendre, le récit que fi
Mr. Remington de son après-midi fut des plus vagues
Il s'était promené, avait admiré les maison
anciennes. Il avait découvert la soie de ses rêves. I
avait aperçu la voiture de Peveril Craddock garée
dans Market Square. Non, non, il ne savait plus à
quelle heure. Il avait bu un café, mais il ne se souvenait plus où. Il avait flâné dans un magasin-galerie
d'art et admiré pendant un moment l'œuvre d'ur
jeune artiste qui avait mis au point une technique
toute nouvelle.

— Pas encore totalement aboutie, certes, inspecteur, mais révélant une aspiration indubitable vers le
supra-sensible.

L'inspecteur Jackson se tourna avec soulagemen
vers Mr. John Robinson.

— Et vous, monsieur ?

John Robinson semblait s'amuser. Il parla en exa-
gérant son accent campagnard.

— J'crains de devoir avouer, moi aussi, d'avoir été
à Ledlington. Mais je n'ai pas pris le bus... mon vélo
me suffit. Mais j'crains de pas pouvoir être très préci
sur l'heure du départ, pas plus que d'l'arrivée. J'sui
parti juste après mon repas de midi... celui qu'je
prends seulement quand j'ai faim. J'avais pas l'intention d'me rendre du tout à Ledlington — ça m'es
v'nu en route. Je voulais aller dans le bois de Rowbury, mais y s'trouvait un chasseur par là-bas, alor
j'ai fait demi-tour et quand j'me suis aperçu que
j'étais pas loin de Ledlington, j'me suis dit que je
pouvais pousser jusque-là.

— Avez-vous une idée de l'heure qu'il était?

— Disons dans les quinze heures. J'en jurerais pas... j'avais l'esprit ailleurs.

— Dans les quinze heures. Et qu'avez-vous fait ensuite, Mr. Robinson?

— J'ai rendu une petite visite au musée. Je m'intéresse aux oiseaux, voyez-vous, et on y trouve la collection Hedlow.

— Combien de temps pensez-vous y être resté?

— Ah! dit John Robinson... Là, vous me coincez. J'avoue que je n'en ai aucune idée. La notion du temps, comme vous le savez... très variable, comme dirait Remington.

Sa voix soudain acquit les intonations de ce dernier:

— *Là où la crête immense de la falaise,*

[s'effondrant,
A laissé un gouffre, bouillonnant d'écume et de sable jaune, comme a dit le poète. L'allusion ne vous aura pas échappé.

Son regard moqueur fit le tour de l'assemblée.

— Les musées vous font vraiment cet effet... comme certains clubs vraiment anciens... on ressent une sorte de transe tout à fait semblable à la mort. Le danger est d'être ramassé et enterré sans avoir le temps de dire ouf. J'espère que ce sera fait proprement. *Et rarement le petit port avait connu plus coûteuses funérailles.* Vous aurez naturellement reconnu la citation. Une des plus fameuses bourdes de Tennyson. Je ne voudrais pas que l'on s'imagine que j'en suis l'auteur.

Frank Abbott, qui connaissait l'amour de Miss Silver pour le poète victorien, attendit une manifestation de désapprobation de sa part. Il ne vit qu'un froncement de sourcil, particulièrement marqué. Mr. Robinson ne se démonta pas pour autant, et c'est Miss Silver qui détourna les yeux la première.

L'inspecteur Jackson poursuivit son interrogatoire

Miss Gwyneth fut capable de raconter dans tous le détails un après-midi sans tache, consacré à faire de courses. Miss Elaine était restée chez elle, où, aprè une petite sieste, elle s'était efforcée de distraire s jeune amie, Miss Elliot.

Miss Silver déclara qu'elle s'était rendue Ledlington par le bus qui y arrivait juste avant quinz heures, qu'elle avait rencontré un vieil ami ave lequel elle avait passé l'après-midi, et qu'elle éta revenue à Deeping par le bus de dix-sept heures. O ne lui posa pas d'autres questions.

Mr. Craddock avait attendu son tour dans u silence digne. Quand on lui demanda de raconter s journée, il le fit d'un ton emphatique.

— Je me suis rendu par la route à Ledlington. J n'ai pas consulté ma montre, je ne peux donc vou dire à quelle heure exactement. J'étais plongé dan mes travaux littéraires, et je ne me suis pas joint à l famille pour le déjeuner — quand cela m'arriv Mrs. Craddock m'apporte un plateau. Quand j'eu achevé le passage sur lequel je travaillais, j'ai éprouv le besoin d'aller respirer. Je me suis donc rendu Ledlington où je me suis garé à Market Square. Pui je me suis promené dans la ville et j'ai fait quelque achats — des timbres à la poste, des journaux à l gare, etc. Après quoi, j'ai récupéré mon véhicule et j suis rentré chez moi.

Pressé par Jackson, il fut incapable, tout comm Augustus Remington et John Robinson, de donne tant l'heure de son départ que de son arrivée. Il n'éta sûr que d'une chose : il était rentré avant la tombée d la nuit.

— Je n'ai vraiment rien d'autre à dire, conclut-i Je pourrais demander, à bon droit je pense, pou quelle raison nous avons été interrogés de cett

192

manière. Je ne vous cacherai pas que cela me choque énormément, non seulement à titre personnel, mais aussi au nom de la Colonie. Vous devez savoir que nous n'ignorons rien de nos droits. Nous avions parfaitement celui de refuser d'être questionnés ainsi. Mais nous sommes des citoyens respectueux de la loi, et nous n'avons rien à cacher.

Combien de temps aurait-il continué à s'écouter parler, nul ne le saura, car c'est le moment que choisit Mr. Robinson pour éclater de rire, d'un de ces rires brusques, spontanés, très naturels, venus du cœur, irrépressiblement joyeux. Il rit à gorge déployé, la tête en arrière, jusqu'à ce que ça lui passe.

Emily Craddock, en revanche, réagit de façon bien différente. Elle se raidit, jeta un regard terrifié autour d'elle, et tomba de sa chaise, évanouie.

24

Comme à son habitude, Miss Silver s'avéra extrêmement compétente. Elle surveilla le transport d'Emily vers le sofa de l'ancienne salle de classe et demanda à Jennifer de préparer une bonne tasse de thé. Elle n'avait pas mis très longtemps à découvrir que Mrs. Craddock gardait secrètement une petite réserve de ce qu'elle appelait du vrai thé. En l'absence de Mr. Craddock, les deux dames en profitaient ensemble, et si, au début, Mrs. Craddock avait cru devoir s'excuser, c'était rapidement devenu une habitude plaisante. Une *bonne* tasse de thé, avait bien précisé Miss Silver, et elle était sûre que Jennifer n'allait pas préparer à sa mère du thé pris dans la mauvaise boîte. Elle éloigna tout le monde de la salle de classe et fut aussitôt récompensée par quelques soupirs haletants, suivis d'une crise de larmes.

— Je suis tellement désolée... j'ai été stupide.

Miss Silver la rassura, l'air de rien.

— Vous êtes exténuée, et c'était un mauvais moment à passer. C'est fini maintenant. Vous n'avez rien à craindre.

— Vous... ne... savez pas...

Les mots venaient si péniblement que Miss Silver n'était pas certaine de bien entendre, mais elle ne put e défaire de la très forte impression qu'ils avaient été prononcés. Elle posa une main ferme mais douce sur l'épaule d'Emily Craddock.

— Je vous en prie, ne soyez pas si anxieuse, ne vous tourmentez pas. Je suis sûre que tout ira bien. Jennifer va vous apporter du thé. Elle ne vous quittera pas. Avez-vous suffisamment chaud ou voulez-vous que je remonte la couverture ?

Quand on frappa à la porte et qu'un jeune agent demanda si Miss Silver pouvait venir voir les deux inspecteurs, celle-ci leur répondit par l'affirmative. Deux tasses de thé et un œuf à la coque avaient déjà été consommés, l'œuf étant une idée de Jennifer :

— Tu n'as strictement rien pris au petit déjeuner, lui avait-elle reproché, avant d'ajouter, l'air sombre : Je t'ai *vue.*

Miss Silver fut donc très heureuse de la laisser s'occuper de sa mère.

Les deux inspecteurs étaient seuls dans le bureau. Frank Abbott attendit qu'elle ait pris place sur la chaise qu'il lui avait avancée.

— Eh bien, quelle impression tout cela vous fait-il ? Pensez-vous que ce malaise cache quelque chose ou non ?

Elle prit le temps de répondre, d'une voix qui se voulait neutre.

— Mrs. Craddock est en mauvaise santé. Elle n'a pas pris de petit déjeuner.

— C'est la seule raison ?

— Non, je ne pense pas.

— C'est arrivé juste après que Mr. Craddock a affirmé qu'ils n'avaient rien à cacher.

Miss Silver toussota.

— Je ne crois pas qu'il faille accorder une trop grande importance à ce détail.

Il se contenta de lever imperceptiblement les

épaules. S'ils avaient été seuls, il l'aurait accusée
d'avoir gardé une carte dans sa manche. Auquel cas,
il n'en démordrait pas avant de la connaître.

— Bien, bien, dit-il.

Et puis :

— Aucun commentaire désobligeant sur les Trem
lett ?

— Je ne crois pas.

Il rit.

— Nous les avons interrogées l'une après l'autre
— plus pour vous couvrir que pour autre chose. Jack
son est tout à fait sûr que leur réputation est sans
tache. Elles sont intarissables sur elles-mêmes, et
sérieusement désireuses de nous aider. Si nous ne leur
avions pas dit de partir, elles seraient encore là. Que
pensez-vous de Miranda et de son petit caprice ? Elle
n'a qu'une version, elle est allée se promener.
Remington brode sur son refrain favori : il est trop
éthéré pour se sentir concerné par des détails aussi
vulgaires que l'endroit où il est allé, ce qu'il a fait et à
quel moment.

— Nous devrions pouvoir vérifier ses dires, inter
vint l'inspecteur Jackson. Il ne passe pas inaperçu.

D'un mouvement vif et gracieux, Miss Silver se
tourna vers lui.

— Hier, il était habillé différemment. Il portait un
costume sombre et un imperméable bleu marine. Il
avait, c'est vrai, une de ces chemises à col ouvert
mais un cache-nez dépassait de la poche de son
imperméable — il aurait pu le porter en ville. Il était
tête nue, et il est sûr que ses cheveux très clairs ne
passent pas inaperçus, mais il aurait pu également
avoir une casquette dans sa poche.

Jackson la dévisagea.

— Vous l'avez vu ?

— Nous sommes revenus ensemble avec le bus de
dix-sept heures.

196

— Voilà au moins du concret, dit-il. Je connais le magasin-galerie dont il a parlé — *Jarrows*. C'est nouveau, plutôt intello. Ils devraient s'en souvenir. Non pas que lui ou qui que ce soit d'autre soit soupçonné, n'est-ce pas, mais ce billet d'une livre que ce pauvre Wayne avait repéré — eh bien, il avait un rapport certain avec la Colonie, et le directeur de la police pensait que nous devions suivre sa trace, surtout après ce qui s'est passé hier.

— Une affaire extrêmement grave, inspecteur. Et je crois avoir des informations à vous communiquer. Certes, je n'en sais pas plus que ce qu'en ont dit les journaux.

— Ma foi, je crois que nous en sommes tous là. Quelle est votre information ?

— Je crois que j'ai peut-être vu le meurtrier. Mon bus était en avance. Comme j'avais rendez-vous avec l'inspecteur Abbott à quinze heures pile, j'ai consulté ma montre. Il était exactement quatorze heures cinquante-trois... Je remontais lentement la rampe d'accès à la gare quand un homme m'a dépassée. Il avait la tête presque entièrement bandée, il s'aidait d'une canne et portait une mallette. Comme il n'était pas dans le bus, il devait venir de la gare. A le voir ainsi bandé, j'ai pensé qu'il allait sans doute à l'hôpital. Mais ce n'était pas le cas. L'inspecteur Abbott était en avance à notre rendez-vous. En montant dans sa voiture, et avant qu'il ne démarre, j'ai remarqué que l'homme au bandage avait traversé la route et marchait dans le virage qui mène à High Street. Je connais bien Ledlington, et, au pas où il allait, il pouvait certainement arriver à la County Bank juste avant quinze heures.

Les deux inspecteurs l'observaient avec la plus extrême attention. Ce fut Frank Abbott qui parla :

— C'était certainement le meurtrier... aucun doute.

Il sortit son petit carnet.

— Qu'avez-vous remarqué d'autre ? Quelle taille ?...

Elle se concentra un moment, essayant de retrouver l'image de ce personnage boitillant.

— Taille moyenne, dirais-je. Il s'aidait d'une canne, il boitait. Cela peut vous faire paraître plus petit, mais en donnant l'impression d'être voûté cela peut aussi vous faire passer pour plus grand qu'en réalité. Il portait aussi un imperméable léger, assez ample, un de ces vêtements en série, tristounets, que tout le monde porte en cette saison. Ils trompent facilement leur monde. Un maigre peut y paraître plus gros et un gros bien moins gros qu'il ne l'est. Il est évident que le bandage constituait un déguisement, et rien de plus facile que de l'enrouler rapidement, pour le mettre ou l'enlever, tout comme une casquette. De même, nous devons considérer que la claudication et l'imperméable trop grand faisaient partie d'un déguisement soigneusement étudié.

L'inspecteur Jackson écoutait, terriblement sérieux. S'il n'avait pas l'esprit aussi délié que celui de Frank Abbott, il était intelligent et méticuleux.

— C'est exact, dit-il. Il aura mis le bandage dans la gare, l'imperméable aussi peut-être. Le train de deux heures quarante-cinq venait d'arriver et il y avait beaucoup trop de monde pour que l'on remarque si un homme avec un bandage pénétrait dans une salle d'attente. Si on l'a vu en sortir, personne n'aura fait le rapport avec la personne tout à fait différente qui y était entrée. En outre, quand il en est reparti, il n'y avait plus autant de monde pour le remarquer, la foule s'étant éparpillée. Pas de doute, tout cela a été pensé du début à la fin.

Frank Abbott approuva.

— Un minutage parfait, dit-il.

Il se tourna vers Miss Silver.

— Écoutez, restons sur cette question de taille. Simplement pour faire des comparaisons et sans préjuger la culpabilité de personne... Qui, parmi les personnes ici présentes tout à l'heure, pourrait y correspondre ? Essayez de vous représenter chacun avec un bandage et un imperméable, sans oublier la canne et le boitillement.

Les mains de Miss Silver reposaient sagement croisées sur son giron. Elle leva les yeux, qu'elle gardait jusque-là baissés sur ses mains.

— Vous et l'inspecteur Jackson n'êtes pas concernés, dit-elle. Vous êtes tous les deux trop grands. Vous devez mesurer environ un mètre quatre-vingts, j'imagine, et vous, inspecteur Jackson, un peu plus. On ne peut dissimuler une telle taille par un boitillement.

Frank, qui donnait l'air de s'amuser, applaudit son esprit modéré et plein d'à-propos. Si elle avait décidé d'envisager tous les supects, personne ne serait épargné. Il remarqua, songeur :

— Craddock n'est pas aussi grand. Un peu plus d'un mètre soixante-quinze ?

— Pas autant. Il est de ces gens qui paraissent plus grands qu'ils ne sont. Ces blouses amples vous donnent du coffre et vous grandissent, et ses espèces de sandales ont des semelles compensées. Et n'oubliez pas sa chevelure.

— Voulez-vous dire que... ?

Elle resta parfaitement calme.

— Ne voyez aucune espèce d'allusion dans mes paroles. Je m'efforce simplement de répondre de mon mieux à votre question. Je ferais mieux de continuer. Elaine Tremlett n'a pas quitté Deep End, et ni elle ni Miss Gwyneth ne pourraient se faire passer pour un homme. Un homme petit a l'air grand dans des vête-

199

ments féminins, et une femme qui porte des vêtements masculins semble plus petite. Miss Gwyneth
est, sans conteste, trop petite pour avoir pu se faire
passer pour l'homme que j'ai vu. Par ailleurs,
Miranda doit mesurer dans les un mètre soixante-dix.
Sa chevelure ébouriffée, de couleur voyante, et les
habits amples qu'elle aime porter la font paraître
encore plus grande, mais je crois ne pas me tromper
sur sa taille. Ensuite, nous avons Mr. Remington. Sa
fragilité le fait apparaître plus petit qu'il ne l'est. Il
le cou extrêmement maigre, impression accentuée par
ses chemises à col ouvert. Son visage, au modelé délicat, et ses cheveux, si fins, tout y contribue. Lui aussi
porte des sandales, mais elles sont à l'ancienne, sans
semelles compensées.

Les deux inspecteurs l'observaient avec attention.
Jackson sembla quelque peu surpris. Frank Abbot
dit :

— En somme, si vous lui entourez la tête de bandages et lui mettez des chaussures qui lui feront
gagner deux centimètres, son mètre soixante-six ou
sept deviendrait un mètre soixante-huit ou neuf, ce
qui en fait un suspect possible. Il faudrait aussi qu'il
gagne un peu sur les épaules, dirais-je, mais je crois
que c'est envisageable.

Il s'interrompit et se mit à rire.

— Mon esprit a le plus grand mal à imaginer
Augustus maniant une arme plus meurtrière qu'une
aiguille à broder.

Miss Silver lui lança un regard réprobateur.

— Dois-je vous rappeler que la question à laquelle
je m'efforce de répondre concerne uniquement la
taille ?

Frank avait recouvré son sérieux.

— Vous avez parfaitement raison. Qu'en est-il de
Mr. Robinson ? Il est plutôt de taille moyenne — je

dirais un mètre soixante-douze, soixante-quatorze. Le bandage pourrait cacher sa barbe, ce qui est aussi le cas de Mr. Craddock. Quand on porte une barbe, on est obligé d'en tenir compte si on a l'intention d'assassiner son prochain. Pouvez-vous vous représenter Robinson, la tête bandée, sans barbe? Comment le voyez-vous?

Elle considéra la question un bref instant.

— S'agissant de sa taille, il n'y a rien à redire. Il n'est ni grand ni petit. Il porte des vêtements amples et tombants, mais je crois qu'il doit être dans la moyenne.

— Avez-vous vu les mains de notre homme? demanda Frank soudainement.

— Elles étaient gantées. Je ne peux rien vous dire sur leur taille. Par contre, les gants étaient de vieux gants en peau de chamois, plutôt grands. Je me suis dit qu'ils avaient un rapport avec ses blessures et j'ai détourné les yeux. Je suis désolée de ne pouvoir être plus précise, mais la délicatesse ne nous autorise qu'un regard furtif sur une personne physiquement atteinte.

Plus tard, l'inspecteur Jackson devait remarquer : « Bon sang, si c'est ce qu'elle appelle un regard furtif, je ne crois pas que j'aimerais être examiné à la loupe, comme on dit. » Sur le moment, il s'était contenté de repousser sa chaise et de se lever.

— Il faut que je voie Mr. Craddock, pour lui demander le numéro d'immatriculation de sa voiture. Au fait, on dirait qu'il ne la laisse pas dans le garage habituel, chez les Tremlett, alors que ça ne manque pas de place là-bas. Pourriez-vous nous renseigner à ce propos, Miss Silver?

— Je ne peux que vous répéter ce que l'on m'a dit. Mr. Craddock a installé son bureau dans le bâtiment principal de la maison, qui ne communique pas avec cette aile, car une bonne partie n'est pas sûre. Ses travaux exigent du calme et de la solitude. Je crois savoir qu'il étudie l'influence des planètes sur la vie de la faune et de la flore, et il a besoin de partir souvent faire ses observations sur les terrains communaux isolés et dans les bois, très nombreux dans les environs. Mais il me semble qu'il lui arrive aussi de s'éloigner considérablement. Afin de ne pas déranger les sœurs Tremlett, il s'est aménagé un garage dans une des pièces endommagées du corps principal. Je crois que c'est une ancienne cabane de jardinier et elle est idéalement située du côté nord du chemin, à l'opposé de la direction d'où vous êtes venus. Il peut ainsi aller et venir à n'importe quelle heure du jour ou de la nuit sans déranger personne.

— Et sans que personne ne sache s'il est là ou non. Idéalement située, c'est le mot.

Le ton de l'inspecteur Jackson était plutôt incisif. Il se dirigea vers la porte, fit demi-tour.

— Ce Craddock, Miss Silver... Vous habitez sous son toit, vous avez eu des occasions de le connaître que nous n'avons et n'aurons pas. Vous le voyez, quand il ne fait pas son numéro — à essayer d'en mettre plein la vue. Je voulais savoir, qu'en pensez-vous ? Est-ce que c'est juste un moulin à paroles, ou est-ce qu'il y a quelque chose derrière la façade ? J'en ai vu d'autres, dans son style. Parfois, tout est dans la devanture, parfois non.

Le visage aux traits fins et nets de Miss Silver n'avait rien perdu de son sérieux, et sa voix, quand elle parla, ne l'était pas moins.

— Selon vous, inspecteur, je suis bien placée pour jauger Mr. Craddock quand il ne fait pas un numéro ou qu'il n'essaye pas d'impressionner son monde. Ma foi, je me demande vraiment si quelqu'un s'est jamais trouvé dans cette situation.

— Voulez-vous dire qu'il joue tout le temps ? intervint Frank Abbott.

— Dans une très large mesure. Il montre une image. Il est possible qu'il soit le premier à y croire, mais je n'en suis pas sûre. Il est l'objet de l'adulation sans limite des sœurs Tremlett. Cette dame qui se fait appeler Miranda l'admire également et semble être venue s'installer ici grâce à lui. Mr. Remington, à mon avis, est plutôt jaloux, ce qui est une autre forme d'hommage. Son épouse, qui ne le désigne jamais autrement que comme Mr. Craddock, semble être dans ses petits souliers devant lui. Je ne l'ai jamais entendue utiliser son prénom. Leurs chambres sont aux deux extrémités de l'aile où nous nous trouvons. Quant à Jennifer, l'aînée des trois enfants — elle aura bientôt treize ans —, on m'a dit qu'elle a d'abord adoré son beau-père. Aujourd'hui, elle le hait, et elle le craint. C'est une jeune fille sensible, extrêmement nerveuse. Les deux garçons sont solides, et je ne crois pas qu'ils éprouvent beaucoup d'affection pour lui. Il parle sans arrêt d'expression libre, mais si les enfants le gênent, il sait se montrer sévère. En outre, c'est un vrai goinfre, enfin, il ne supporte pas la contradiction et ne cesse de critiquer Mrs. Craddock.

L'inspecteur Jackson avança les lèvres comme s'il allait émettre un sifflement, avant de se raviser.

— Eh bien, vous m'en direz tant ! Ce qui ne veut pas dire qu'il a dévalisé une banque.

— Non, inspecteur.

— Est-il le père d'un des enfants ?

— Non.

— L'inspecteur Abbott m'a parlé de cette histoire de barque qui s'est renversée, et de champignons qui n'en étaient pas. D'où venait l'information ?

— De Mrs. Craddock.

— A-t-elle de l'argent ?

— Oui.

— Cela a-t-il un rapport avec les enfants ?

— Oui... c'est ce qu'elle m'a dit.

— Quelque chose qui laisserait supposer qu'elle pense que son mari pourrait avoir un peu forcé la main du destin ?

Miss Silver ne répondit pas tout de suite.

— Je ne saurais vous dire. Elle était bouleversée, en plein désarroi. Elle fait beaucoup d'efforts pour me convaincre, et se convaincre peut-être, que les enfants ont beaucoup de chance d'avoir un tel beau-père. Je ne crois pas que je puisse vous en apprendre plus.

— Ah ! si c'était un rouquin... dit Jackson à part lui.

Ce qui fit rire Frank Abbott :

— Ce n'est pas le cas. Et si c'était le cas, cela ne changerait rien.

Et, comme le regard de Miss Silver allait de l'un à l'autre, il précisa :

— Le type du hold-up de Enderby Green avait les cheveux roux, vous vous en souvenez, n'est-ce pas ? Le directeur de la banque a été froidement abattu — de la même manière qu'hier à Ledlington. Mais l'employé de dix-huit ans a été plus chanceux que ce pauvre Wayne : il vient de quitter l'hôpital. Et s'il y a une chose dont il est sûr, c'est que le meurtrier était rouquin. Tout le reste était superbement neutre et effacé, mais on remarquait les cheveux roux. On est donc absolument certain que ces cheveux roux faisaient partie du déguisement, tout comme les bandages d'hier, et qu'il ne les porte pas dans la vie de tous les jours. Le jeune Smithers nous a aussi précisé qu'il avait un cache-nez enroulé deux fois autour du cou et qui lui remontait jusqu'aux oreilles. Aussi n'a-t-il pu voir s'il était barbu ou non. Je me demande bien s'il l'était.

— S'il était aussi bien emmailloté, fit Jackson, j'aimerais qu'on me dise comment l'employé a pu apercevoir des cheveux roux.

— Je dirais que le type a fait en sorte de les lui montrer. Quoi qu'il en soit, Smithers les a vus, il est prêt à le jurer. Ce qui nous fera une belle jambe !

Il fit un geste de la main.

— Très bien, Jackson, vous allez voir ce qu'on peut tirer de Craddock. Essayez de savoir où il était à trois heures de l'après-midi le 3 janvier. Je vous rejoindrai quand j'en aurai fini.

L'inspecteur Jackson se tourna de nouveau vers la porte.

— Je vous remercie, Miss Silver, dit-il avant de la franchir.

Miss Silver était en train de se dire que lorsque Miss Gwyneth Tremlett lui avait décrit Mr. Sandrow, elle s'était souvenue d'une barbe et de cheveux roux — détails qu'elle avait communiqués à Frank Abbott.

25

Quand ils furent seuls, Frank lui lança un regard froidement sarcastique.

— Eh bien?

— M'avez-vous posé une question, Frank?

— J'aimerais savoir ce que vous cachez dans votre manche.

— Mon cher Frank!

— Je sais, je sais... Vous ne sortez jamais d'atout, pas plus que de lapins de votre chapeau, et jamais, jamais au grand jamais, vous n'avez caché quelque chose à la police. Ou doit-on dire, exceptionnellement?

— Uniquement quand c'est une hypothèse qui reste à prouver — jamais s'il s'agit d'un fait avéré.

Il haussa un sourcil.

— Et quelle est la frontière entre fait et hypothèse? Un peu comme les frontières actuelles de l'Europe, non? Donc, vous avez une hypothèse. Allez-vous m'en parler?... Non? Tant pis, j'en ai une moi aussi, et j'aimerais vous la communiquer. Ce qui bien sûr, signifie que j'aimerais que vous la partagiez. C'est à propos de la fille qui attendait devant la banque pendant que son complice faisait son coup. Belle Blonde. Et son Bandit au Bandage, comme disent les journaux. J'imagine que vous ne l'avez pas aussi bien vue que l'homme ?

Il se voulait moqueur, mais elle lui répondit sérieusement.

— Non, Frank. Et si quelqu'un a pu la voir pendant qu'elle attendait son complice, je suis pratiquement sûre que personne ne la reverra plus.

— Voulez-vous dire que...

Il sembla désorienté.

— Non... je ne crois pas que vous le pensez. Bon, dites-moi, je voudrais être sûr de ne pas me tromper.

Elle fit un léger signe de dénégation.

— Oh non, je ne veux pas dire qu'elle a été assassinée, mais simplement qu'elle n'a jamais existé. Personne ne se lancerait dans un hold-up sanglant en compagnie d'une jeune blonde affriolante qui serait manifestement sa complice. Certes, elle a été aperçue par un certain nombre de passants, et je crois que c'était le but recherché. Puis-je savoir, au juste, ce que ces gens disent avoir vu ?

— Bien sûr ! Miss Muffin, une dame de compagnie âgée, est catégorique. Selon elle, la demoiselle avait « des cheveux *très* blonds. A se demander si c'était leur couleur naturelle, mais on sait que, de nos jours, les femmes comme il faut sont capables de faire subir ce genre de traitement à leur chevelure... Et, oui, des sourcils lui couvrant une bonne partie du front... vraiment bizarre... *extrêmement* maquillée. Et son teint... elle avait dû y passer des heures. En revanche, ses vêtements étaient tout à fait communs... un ensemble noir et un chapeau de feutre ordinaire... noir m'a-t-il semblé, ou peut-être d'un bleu marine très foncé, c'est difficile à dire, mais le ciel était très chargé et il faisait plutôt sombre ». C'est de loin la meilleure description, même si nous avons d'autres témoins, Mr. Carpenter, un jeune homme du nom de

Pottinger, et le garçon boulanger. Celui-ci était plu
intéressé par la voiture que par la dame, mais comm
la voiture a été volée à Market Square, cela ne nou
aide pas beaucoup. Carpenter et Pottinger l'ont remar
quée tous les deux. Carpenter d'un œil désapproba
teur. Pottinger plutôt intéressé, mais il n'a pas pu l
voir autant qu'il aurait aimé, car elle arrangeait so
chapeau de la main quand il est passé devant elle
Tous les deux sont d'accord, c'était une blonde affric
lante, comme vous dites. Bien sûr, je pense comm
vous que cette coiffure tape-à-l'œil fait partie, to
comme le bandage de l'assassin, d'une mise en scène
Nous devons donc diriger nos recherches vers un
fille quelconque, une de ces filles sur lesquelles per
sonne ne se retourne — on en trouve treize à la do
zaine dans la première ville venue, bien cachées dan
l'anonymat de la foule. Bref, on peut dire que c'es
dans la poche, qu'en pensez-vous?

Miss Silver approuva de la tête.

— Vous avez raison. Mais nous disposons, néan
moins, de quelques éléments intéressants. La descrip
tion de Miss Muffin nous sera très utile. Je cro
savoir qu'on a retrouvé la voiture vide dans un che
min près de Ledstow. La jeune femme aura donc d
trouver le moyen de quitter cet endroit, ce qu
implique qu'elle aura dû changer d'apparence. Enle
ver sa perruque et effacer son maquillage. Elle aur
sans doute passé un autre manteau, je verrais bien u
imperméable. C'est de saison et c'est pratique pou
dissimuler son visage. Remplacez le chapeau par u
foulard, et vous n'avez plus aucune chance de l
reconnaître. Il lui faut maintenant s'éloigner aus
rapidement que possible de l'endroit où la voiture
été abandonnée. Peut-être s'est-elle déjà séparée c
son complice, peut-être pas. A mon avis, elle l'aur
fait sans attendre. S'ils sont bien d'accord pour s

séparer et retourner sans délai à leur environnement habituel, ils savent qu'ils ne doivent pas prendre le risque d'emprunter les transports en commun. Je pencherais pour une moto ou un vélo. N'aurait-on pas, par hasard, dans le chemin où l'on a retrouvé la voiture, ou à proximité, découvert un endroit où il aurait été facile de dissimuler un vélo?

Frank fit signe que oui.

— Bien vu! Il y a un abri abandonné, près d'un sentier qui donne sur le chemin. On y avait caché une moto — Jackson a retrouvé des traces d'huile. L'homme a dû s'enfuir de cette façon. Il n'y a pas meilleur déguisement qu'une casquette et des lunettes de motard et il a pu longer la côte, ou poursuivre jusqu'à Ledstow, ou revenir à Ledlington. Il aurait pu prendre la fille avec lui sur la selle, à moins qu'elle n'ait disposé d'un vélo, d'une voiture, ou de quoi que ce soit d'autre et qu'elle ait filé dans une autre direction, peut-être avec le magot, qui se monte à environ 3 000 livres. Pour ma part, je pense qu'ils se sont séparés aussi vite que possible.

— C'est aussi mon avis.

Il repoussa sa chaise.

— Deux cœurs dans la même poitrine! Jackson et moi-même allons maintenant nous consacrer de nouveau à la recherche de quelques aiguilles dans quelques bottes de foin. A ce petit jeu, il est meilleur que moi. Ça m'ennuie rapidement.

Brusquement, il se pencha en avant.

— Dites-moi... pourquoi Mrs. Craddock s'est-elle aussi soudainement évanouie?

— C'est une femme fragile, Frank.

Un de ses sourcils incolores se dressa.

— Hum, j'imagine sans peine qu'elle le restera, mais de là à s'évanouir à tout propos? S'évanouir juste au moment où Craddock annonce qu'ils n'ont rien à cacher, est-ce seulement de la fragilité? Cela m'a paru un peu trop théâtral pour être le seul fait du hasard.

Miss Silver toussota.

— Il est indéniable que cela avait un côté théâtral. Mais n'avez-vous rien remarqué d'autre?

— Et qu'aurais-je dû remarquer d'autre?

— C'est, personnellement, la question que je me pose. Avez-vous, par exemple, bien observé le comportement de Mr. John Robinson?

Il sembla ne pas comprendre.

— A vrai dire... Il faisait un peu l'imbécile. A certains moments, je me disais qu'il s'amusait comme un petit fou. Si vous considérez les choses de ce point de vue, c'est le suspect idéal. Excentrique connu, ami de la nature et ornithologue, ce qui justifie des allées et venues à toute heure du jour ou de la nuit, des fenêtres condamnées, un jardin pratiquement invisible derrière sa palissade. Mais on peut en dire presque autant de Craddock. Il étudie l'influence des planètes sur la flore. Ce qui revient à dire qu'il arrache la cinquième potentille en partant de la gauche, à minuit moins trois exactement, quand la lune est noire, et une planète ou une autre à l'ascendant, pour respecter les bonnes formules magiques. Particulièrement pratique pour un homme qui aurait besoin d'un alibi. Et c'est Mrs. Craddock qui s'évanouit.

Miss Silver le considéra avec bienveillance.

— Revenons à Mr. John Robinson. Quand je vous ai demandé si vous l'aviez bien observé, je faisais allusion à son penchant pour les citations.

Frank Abbott se mit à rire.

— Oh, *ça* ? C'est un délit difficilement qualifiable. Nous l'avons tous commis. Mais je me souviens qu'il a d'abord cité Tennyson, avant de faire une remarque quelque peu offensante sur la citation, qui n'était pas, je l'avoue, de la plus haute poésie. Je vous ai lancé un coup d'œil, curieux de savoir si vous alliez le foudroyer, mais vous l'avez épargné.

Elle se permit un très bref et très léger sourire.

— Il a fait deux citations. Toutes les deux proviennent du même poème — plutôt célèbre. La première reprend les deux premiers vers, la seconde les deux derniers.

Il fronça les sourcils.

— Quelque chose à propos de falaises. Voyons...

Miss Silver lui récita la citation en son entier :

— *Là où la crête immense de la falaise,*
[s'effondrant,
A laissé un gouffre, bouillonnant d'écume et de
[sable jaune.

Il la considéra, l'air absent, et secoua la tête.

— Rien à en tirer, je le crains. Mais l'autre, *Et amais le petit port n'avait connu plus coûteuses funé-railles*, me fait vaguement penser à quelque chose.

— « Rarement, pas jamais », Frank, corrigea d'une voix douce Miss Silver.

Il éclata de rire.

— Bon, rarement ou jamais... je ne vois aucune différence. Allez-vous éclairer ma lanterne ?

— Je ne pense pas, Frank.

Il se leva.

— Je dois voir Jackson. J'aimerais faire une pause et jouer aux citations avec vous, mais j'ai peur que les gens de la Colonie ne s'imaginent que vous êtes la suspecte numéro un.

Il redevint tout à fait sérieux.

— Écoutez, dit-il, vous savez que votre présence ici ne me plaît guère, j'ai toujours été contre. Il y a quelque chose d'inhabituellement impitoyable dans ces crimes, et le seul indice dont nous disposons nous ramène entre ces quatre murs. Je veux que vous soyez très prudente, d'accord ?

Miss Silver sourit avec indulgence.

— Mon cher Frank, je suis toujours prudente.

26

Après que l'inspecteur Jackson, aussi courtois qu'obstiné, eut fini de l'interroger, l'humeur de Mr. Craddock n'était pas vraiment au beau fixe. Il pouvait toujours se dire, et ce fut sans doute le cas, qu'il n'avait à aucun moment perdu ses bonnes manières et une sérénité toute philosophique, mais, pour quelqu'un d'un peu plus objectif, il était certain qu'il était d'une humeur massacrante. Il pénétra dans la salle de travail et, debout face au foyer de la cheminée et non derrière le sofa sur lequel était étendue Emily Craddock, il gratifia son monde d'un grand discours. Où allait-on, demanda-t-il, et quelle était cette société qui permettait à un individu en tout point semblable à un membre de la Gestapo de s'introduire chez vous et d'exiger un rapport sur chaque minute de votre emploi du temps depuis plusieurs semaines, ainsi que le plan détaillé de vos déambulations tant à pied qu'en voiture?

— Où étais-je tel jour à telle heure?! Quelle route ai-je emprunté?! Combien de temps suis-je resté?! Cher inspecteur, lui ai-je rétorqué sans perdre mon sang-froid, croyez-vous que je note à la minute près toutes mes allées et venues? Vous-même, seriez-vous capable de répondre à de telles questions? Si oui, j'en suis vraiment navré pour vous, mais cela prouve que vous êtes tellement obsédé par les menus détails de la vie physique et de son environnement terre à terre que vous êtes incapable de voir les choses de plus haut. Quant à moi, je vis dans le royaume de l'esprit — les idées sont mon ordinaire. Je suis engagé dans une importante recherche sur les influences planétaires et suis incapable de vous dire ce que je faisais au juste à trois heures de l'après-midi dans la journée du 3 janvier. Peut-être étais-je sorti, peut-être pas. Peut-être étais-je en train de travailler, ou d'écrire, ou de réfléchir. Mais je n'étais certainement pas à Londres. C'est un endroit que je déteste — bruit, vacarme, et vibrations néfastes, très peu pour moi. Au cours de ces derniers mois, je n'y suis allé qu'une seule fois, pour rencontrer Miss Silver, qui, comme je l'ai suggéré à l'inspecteur, doit probablement se souvenir de la date, qui n'était sûrement pas un 3 janvier.

Il lança un regard inquisiteur et hautain à Miss Silver, assise près du sofa, en train de tricoter. Elle était face à Emily Craddock et put constater que la violence de son ton avait un effet désastreux sur celle-ci. Elle était aussi bien placée pour intercepter son regard et lui répondre :

— Je crois que c'était le 8 janvier.

Après ce bref intervalle, Mr. Craddock reprit son discours.

— Cet inspecteur n'avait littéralement rien à dire. Je crois que, tout en restant dans le cadre des bons usages, je lui ai donné une bonne leçon. On ne peut s'attendre à ce que ces gens de peu d'esprit fassent preuve d'un minimum de sensibilité, mais je crois lui avoir montré que son arrogance me laissait de marbre.

La voix tonitruante se fit grinçante. Il s'adressa à son épouse :

— Ma chère Emily, c'est bien à votre manque de

sang-froid que je dois tous ces désagréments. Mais que vous est-il donc arrivé ? Je suis en train d'affirmer, face aux autres membres de la Colonie, et en présence de deux officiers de police, que je n'ai rien à cacher, et voilà que vous trouvez le moyen de vous évanouir de la manière la plus sotte. Je m'estime en droit d'exiger une explication. Si vous ne devinez pas quelles conclusions blessantes on aurait pu tirer, et je ne doute pas qu'elles l'ont été, du spectacle affligeant que vous avez offert, il m'incombe de vous en instruire.

Les joues déjà pâles d'Emily Craddock devinrent encore plus pâles, ce qui semblait impossible vu la blancheur cadavérique de son visage. En tâtonnant, elle chercha la main de Miss Silver, qui posa son ouvrage et saisit chaleureusement cette main, glacée et tremblante, qu'on lui tendait.

— Mr. Craddock, votre épouse n'est pas en état de vous répondre. Elle n'a pas dormi de la nuit, a eu une matinée pénible et a sauté le petit déjeuner. J'ai moi-même informé les inspecteurs que sa santé était délicate. Tout ce qu'il lui faut maintenant, c'est du repos, et je crois qu'il ne sert à rien de continuer à discourir sur des moments qui ont été désagréables pour chacun d'entre nous.

Ses yeux se posèrent sur lui, comme, naguère, ils s'étaient posés sur toutes sortes d'élèves — nerveux, muets, intelligents, prétentieux, mal élevés, rebelles ou fanfarons. Dans ce regard, chacun avait trouvé une qualité compensatrice — du courage s'il en manquait, un reproche si c'est cela qu'il cherchait, de l'autorité chez le rebelle, et, toujours, une compréhension sans faille.

Peveril Craddock connut un moment d'horreur : il était incapable de parler. Sa tête bourdonnait de centaines de mots, mais aucun ne franchissait ses lèvres.

Miss Silver continuait à le fixer, sans lâcher la main d'Emily. Son front avait commencé à se couvrir de sueur quand elle s'adressa à lui :

— Vos travaux ont été sérieusement interrompus, n'est-ce pas ? Je veillerai à ce que Mrs. Craddock ne manque de rien.

C'était une façon de mettre un terme à la discussion, dont il fut tout heureux de profiter.

Après son départ, Emily Craddock retira sa main de celle de Miss Silver et s'en couvrit les yeux. Un moment passa, et puis elle dit, d'une petite voix sans vie :

— Ce serait mieux si je disparaissais.

Miss Silver avait repris son ouvrage. On n'entendait que le cliquetis léger et régulier des aiguilles.

— Oh non, ma chère, dit-elle d'une voix ferme mais enjouée. Pas du tout. Vous avez trois enfants à élever. Ce serait manquer à votre devoir.

— Je... je ne leur fais aucun bien.

Les mots étaient presque incompréhensibles, mais Miss Silver avait parfaitement compris.

— Ce n'est pas vrai. On ne peut jamais dire cela de quelqu'un qui fait son devoir. Vous ne devez pas tenter d'évaluer vos capacités ou le bien que vous êtes susceptible de faire. Cela ne vous concerne pas. Vous devez agir dans la mesure de vos moyens, jour après jour, sans regretter le jour qui s'achève, ni craindre le jour qui se lève.

Elle fit une pause et ajouta :

— Vos enfants ont le plus grand besoin de vous. Aujourd'hui, Jennifer...

Emily Craddock fondit en larmes.

— Elle ressemble tellement à son père ! Pas physiquement, mais par son caractère. Nous nous sommes disputés, je ne sais même plus pourquoi — il est parti. Ça le prenait souvent, il écrivait de articles, ou faisait des croquis, puis revenait. Mais, cette fois-là, il n'est pas revenu. Il est allé en Amérique et son avion s'est écrasé. Il n'y a pas eu de survivant. Puis Francis m'a laissé cet argent... et j'ai épousé Mr. Craddock.

Sa voix était de plus en plus faible et, après avoir prononcé le nom de Peveril Craddock, elle tourna la tête contre l'oreiller et se tut.

Tout ne fut plus que silence.

27

De retour chez elle, accompagnée des sœurs Trem-lett, Thomasina ne fut pas du tout surprise de découvrir Peter Brandon sur le pas de la porte. S'il ne se tenait pas exactement devant, il faisait les cent pas, avec l'intention évidente de les intercepter. Elle n'attendait rien d'autre que l'occasion de lui dire son fait sur sa présence à Deep End, aussi accepta-t-elle son invitation à aller faire un tour en se contentant de lui lancer un regard indigné. A cet instant, elle tournait le dos aux Tremlett, et la sympathie complice qui avait accompagné son départ avec Peter n'en fut en rien diminuée. Il valait mieux que Miss Elaine et Miss Gwyneth ignorent les violentes disputes qui émaillaient la vie des deux jeunes gens qu'elles regardaient s'éloigner d'un œil ému et sentimental.

A peine furent-ils à l'abri derrière un massif d'arbustes à feuilles persistantes que la jeune fille lança un regard furibond vers son compagnon. Regard qui traduisait tout ce qu'elle avait déjà deviné, à savoir que l'homme qui était là n'était pas venu se repentir, mais qu'elle avait affaire à une tête de mule d'aussi mauvaise humeur qu'elle-même. Pire même, car Peter entrait dans des rages folles, ce qu'elle s'interdisait. C'était le cas, en cet instant même, et il avait toujours beaucoup de mal à y mettre un terme. Mentalement, elle commença à passer en revue ses propres arguments. Une attaque frontale aurait l'avantage de mettre les choses au clair. Et qu'il ne s'imagine pas qu'elle allait lui laisser l'initiative, sûrement pas. Ses joues s'empourprèrent légèrement. Ses yeux gris, que deux jeunes gens au moins, sans se laisser décourager par le nombre limité de rimes disponibles, avaient — dans un poème — comparé à des étoiles, s'appesantirent sur lui.

— Qu'est-ce qui t'a pris de venir?

Une grande taille procure un avantage fort injuste. Il suffisait à Peter de baisser les yeux pour voir le sommet de son crâne. C'est ce qu'il fit quelques secondes, avant de répliquer :

— Je pourrais te retourner la question.

— Écoute-moi bien...

— Je n'en ai pas la moindre intention! Ma patience est à bout! Tu as fait tout ce foin stupide autour d'Anna Ball — bon, j'étais contre depuis le début, tu le sais. La fille avait sans doute une excellente raison de disparaître de la circulation, et, si jamais tu la retrouves, je suis sûr qu'elle n'en sera pas du tout ravie. Et maintenant, tu viens fouiner dans sa vie...

— Je ne suis pas venue fouiner!

Il éleva la voix et poursuivit.

— Tu engages un détective privé et, à peine a-t-elle commencé son travail que tu débarques avec tes gros sabots et viens te fourrer dans je ne sais quel guêpier. Ce type, Abbott, est ici, n'est-ce pas? Et il y a eu un hold-up dans une banque et un double meurtre à Ledlington. J'imagine que tu es au courant?

Thomasina redressa le menton.

— Vu que Frank et un inspecteur de Ledlington sont venus ici ce matin à cause de cette affaire, c'est bien possible.

— Et pourquoi sont-ils ici à cause de cette affaire ?

Elle lui répondit, d'une voix plus pensive que fâchée :

— Ils veulent savoir qui a utilisé un billet d'une livre dans une mercerie de Dedham et si ce billet avait quelque chose de particulier. Ils veulent aussi savoir qui était à Ledlington hier après-midi — et c'est vrai que beaucoup y étaient.

— Qui ?

Une lueur ironique adoucit son regard.

— Pas moi. Désolé pour toi, mais c'est la vérité.

— Je te demande *qui*.

— Oh, Miss Gwyneth — mais je doute qu'elle soit capable de dévaliser une banque — pas vraiment son genre. Et Miss Silver, et ce petit type bizarre, Remington, plus l'homme qui étudie les oiseaux, celui qui habite dans l'autre aile de Deepe House avec toutes les fenêtres condamnées, et Mr. Craddock. Ils y sont tous allés, mais aucun d'eux ne semble se souvenir de l'endroit où il était, et de ce qu'il faisait au moment de l'attaque de la banque. Miss Elaine et moi avons des alibis inattaquables, parce que, à trois heures pile, elle avait terminé sa sieste et me racontait une anecdote à propos de sa mère, le jour où celle-ci enregistrait un disque sur un phonographe, juste après son invention — à l'époque d'Edison — et sa mère, à cause de sa nervosité, avait eu un petit rire, au beau milieu de la chanson et bien sûr on pouvait l'entendre à l'écoute. Personne ne pourrait inventer un alibi pareil, preuve qu'il est vrai. Miss Elaine et moi-même sommes donc hors de cause.

Il demeurait néanmoins extrêmement perplexe.

— Pourquoi pense-t-il que quelqu'un d'ici serait mêlé à l'affaire ?

Thomasina, elle aussi, parlait sérieusement.

— Je ne sais pas s'ils le pensent... je crois qu'il

n'ont pas le choix. Cela aurait un rapport avec ce billet d'une livre dont il était question. Ils n'en ont pas parlé, évidemment, mais on a dévalisé une banque près de Londres, il y a un mois environ — où était-ce déjà ? — Enderby Green. Le directeur a été tué là-bas aussi, et j'ai comme une idée que cela est lié. Le billet qui les tracassait ne pouvait pas provenir du hold-up d'hier après-midi à Ledlington, car il faisait partie des encaissements de mardi dernier effectués par cette mercerie de Dedham. Ils semblaient avoir un moyen de le reconnaître et, bien sûr, s'ils pensaient que quelqu'un d'ici avait pu payer avec ce billet, il était normal qu'ils veuillent savoir où nous étions hier après-midi. Mais je ferais peut-être mieux de tout te raconter.

— Peut-être, oui.

C'était dit d'un ton rien moins qu'encourageant.

Thomasina ne se faisait pas d'illusions sur Peter Brandon. Les enfants savent toujours à qui ils ont affaire. Peut-être oublieront-ils plus tard, mais elle avait connu Peter quand elle était encore bébé, et elle n'était pas du genre à oublier. Elle savait comme il pouvait se montrer entêté, imbu de ses opinions et franchement odieux. Elle estimait qu'il avait un don certain pour étaler ces graves défauts, mais, comme elle avait à cœur de lui raconter l'interrogatoire de la police, elle prit sur elle et s'attacha à lui décrire l'épisode. Elle le fit de façon si vivante qu'à la fin Peter aurait presque pu dire qu'il y avait participé.

— ... et c'est au moment où le Pompeux Peveril clamait qu'ils n'avaient rien à cacher que Mr. Robinson a éclaté de rire, comme s'il trouvait cela très drôle, et Mrs. Craddock s'est évanouie.

Ils envisagèrent tout ce que pouvait impliquer le rire de Robinson et l'évanouissement d'Emily Craddock, ce qui leur donna l'occasion de se disputer avec

221

encore plus d'acrimonie, Peter finissant par conclure que toute l'affaire était si louche qu'elle puait, et que plus tôt elle partirait mieux cela vaudrait.

Thomasina ne se fit pas prier pour retourner dans l'arène.

— Si quelque chose sent mauvais, c'est parce qu'il y a quelque chose à nettoyer, ce qui est une bonne raison de rester, et non pas de décamper.

Peter enfonça ses mains dans ses poches.

— Tu sais, je crois qu'il vaut mieux laisser les éboueurs s'occuper des ordures, c'est-à-dire laisser travailler la police. Plus efficace, et moins de risque de les voir s'enfoncer, eux ou d'autres d'ailleurs. Il y a un train qui part de Ledlington à quinze heures cinq. Va chercher tes affaires, on prendra le bus jusqu'à la gare.

Plus tard, Thomasina se dit qu'elle avait fait preuve d'un grand calme et de beaucoup de dignité.

— Si tu t'imagines, dit-elle, que tu peux me faire monter dans des trains et des bus que je n'ai pas l'intention de prendre, tu n'y es pas du tout, parce que j'ai l'intention de rester.

Elle dut bien admettre, en son for intérieur, qu'elle aurait dû s'en tenir là. C'était une réponse calme, pertinente, qui aurait dû, pour le moins, le remettre à sa place. Hélas, au lieu de se taire, elle poursuivit. Elle ne savait plus très bien de quoi elle avait parlé, car ses sentiments avaient pris le dessus, mais elle se souvint d'avoir tapé du pied, puis d'avoir eu une crise de larmes quand elle évoqua Anna. Car, d'une manière ou d'une autre, elle était revenue au centre de leur dispute — pourquoi avait-elle disparu, où était-elle maintenant?

— Peter, ne comprends-tu pas que si, réellement quelqu'un d'ici va dévaliser les banques et tirer sur le personnel... il pourrait être arrivé quelque chose d'horrible à Anna ? Pour une seule raison. Tu l'as dit toi-même, c'est une fouineuse, et c'est *vrai* ! Elle voulait toujours se mêler de tout savoir. J'avais honte pour elle, je pensais que c'était parce qu'elle n'avait pas de famille, ou que sa vie manquait de piquant. Mais ne vois-tu pas que si elle était comme ça — et elle *l'était* —, ne vois-tu pas qu'elle a peut-être découvert quelque chose, quelque chose de dangereux ? Et qu'elle a peut-être donné à quelqu'un une très bonne raison de l'éliminer ?

Peter ôta ses mains de ses poches et lui saisit les poignets.

— Supposons que tu aies raison... supposons qu'on l'ait assassinée. Pour l'instant, je n'en crois pas un mot, mais supposons-le. Que proposes-tu de faire ? Aller mettre ton nez dans ce qui ne te regarde pas et te faire assassiner à ton tour ? Ça pourrait t'arriver, vois-tu ? Si tu cherchais vraiment, et s'il y avait vraiment un meurtrier qui se cache dans la Colonie. Tu crois sans doute que je vais rester les bras croisés à te regarder t'agiter ? Tu te trompes, et maintenant ça suffit !

— Lâche-moi !

— Cela regarde la police ! Tu le sais parfaitement ! Tu peux rester ici jusqu'à la saint-glinglin, tu ne peux rien faire de plus !

— Si, il y a quelque chose que je peux faire !

— Quoi donc ?

Si elle avait été un peu plus calme, ou s'il ne lui avait pas tenu les poignets, elle n'aurait peut-être pas continué à parler, mais trop de choses en elle bouillonnaient, trop de colère et de brûlures, qui ne demandaient qu'à s'épancher. Alors ce fut l'explosion.

— Quelqu'un doit finir par découvrir la vérité sur Anna. Cela fait près de cinq mois, peut-être, qu'elle est morte. Ou réduite au silence. Je n'arrête pas d'y

penser. Suppose qu'elle ait découvert quelque chos
et qu'on l'ait enfermée dans la partie abandonnée d
la maison. Personne n'y pénètre, sauf ce Craddock
C'est fermé à clef, parce qu'on prétend que c'est dan
gereux pour les enfants. Il y a des caves dans ce
vieilles maisons. Suppose qu'Anna soit enfermé
dans une cave... et tu voudrais que je m'en aille ? J'
pense quand je suis couchée. Suppose qu'elle so
enfermée dans une de ces caves, pendant que tout]
monde dit, comme toi : « Oh, ce n'est rien, elle
décidé de ne plus écrire. » Je n'arrête pas d'y penser.
Et à nous tous, qui nous levons le matin, qui déjeu
nons, allons et venons librement, sans que personne s
soucie d'elle, se préoccupe même de savoir si elle e
morte ou vivante. Peter, tu n'y pourras rien... je doi
faire quelque chose pour elle. Et... et... il y
quelqu'un qui vient... laisse-moi, ou je crie !

— Et tu m'accuses de t'avoir agressée ?

— Ça ne te ferait pas de mal, répondit-elle d'un
voix rapide et changée. Peter, laisse-moi... *il y*
quelqu'un qui vient !

John Robinson sortait du bois. Observer les oiseau
avait aiguisé son regard. Il comprit tout de suite qu'
survenait en pleine dispute. Il remarqua les traces d
larmes de Thomasina, ses yeux brillants, et son visag
qui s'empourprait de plus en plus à mesure qu'
approchait. Il remarqua une petite branche cassée,
une feuille écrasée à peu près à mi-distance entre ell
et le grand jeune homme menaçant et en déduisit qu'
venait brusquement de se reculer — il n'était certe
pas en train de l'embrasser. Miss Thomasina Elliot s
frottait les poignets. Le gaillard les lui avait saisi
avant de reculer. Il était nécessaire d'en avoir le cœu
net : la petite demoiselle était-elle en danger ? Il rale
tit un peu le pas, esquissa un sourire au travers de
barbe, et s'adressa à Thomasina :

— On prend un peu l'air après notre rencontre avec la maréchaussée ? Savez-vous que la vue est magnifique du haut de la colline ? Y êtes-vous déjà montée ?

Son débit était lent, sa voix plaisante, et son accent bien moins marqué qu'à Deepe House, tout à l'heure.

Thomasina fut plutôt contente de la manière qu'elle eut de lui sourire et de lui répondre.

— Oui, les enfants m'y ont emmenée. Je n'ai pas le temps ce matin. Peter et moi devons rentrer.

Ainsi, ce jeune homme était un ami. Mr. Robinson accueillit cette amorce de présentation avec un autre sourire et poursuivit son chemin en sifflotant mélodieusement.

Thomasina partit d'un pas décidé vers le bas de la colline, sans s'occuper de savoir si Peter la suivait. Elle ne voulait pas courir, de peur qu'il ne la poursuive. Elle marchait aussi vite qu'elle pouvait, sans regarder autour d'elle, et, qu'il la rattrape ou non, elle n'avait pas l'intention d'ajouter un mot de plus.

Mais, quand le cottage des sœurs Tremlett fut en vue, elle changea d'avis et se retourna. Aucune trace de Peter Brandon nulle part.

28

L'après-midi, les Tremlett invitèrent Thomasina à venir prendre le thé chez Miranda. Suite à la réunion matinale des membres de la Colonie, Thomasina ne fut pas mécontente d'être l'unique invitée. Même Peter n'était pas là. Certes, il n'avait aucune raison d'être présent, car il était fort improbable qu'il ait rencontré Miranda. Il était donc complètement irrationnel d'en concevoir un léger dépit.

L'accueil enthousiaste de Miranda ne lui remonta en rien le moral. Elle embrassa Miss Elaine et Miss Gwyneth comme si elles ne s'étaient pas vues depuis des mois, alors qu'elles s'étaient quittées quelques heures auparavant, et garda les mains de Thomasina dans les siennes un long moment. Il est déprimant de ne pas pouvoir répondre à une manifestation de sympathie. Et Thomasina n'apprécia pas du tout qu'une espèce d'excentrique aux cheveux rouges, en robe violette flottante, lui emprisonne les mains de cette manière. Elle espérait que les deux demoiselles n'estimeraient pas devoir faire durer le plaisir pendant des heures — mais elle n'était guère rassurée, car c'était chose courante à la Colonie.

Cette petite cérémonie lui donna l'occasion de s'apercevoir qu'elle avait de la chance d'être logée

hez les Tremlett et non pas chez quelqu'un d'autre.
nconditionnelles comme elles l'étaient de Peveril
Craddock, elles demeuraient néanmoins fidèles aux
onnes choses de la table. Ce n'est pas chez elles
u'on aurait trouvé du thé diététique, du café à base
l'autre chose que du café, ni de ces céréales qui res-
emblaient tellement à de petites bottes de paille
achée. Certes, on servait du pain bis, et du porridge,
nais c'était bien la seule concession.

Miranda avait son propre thé diététique, d'une
ague couleur vert pâle, dans lequel le citron rempla-
ait le lait. Thomasina lui trouva un goût épouvan-
able. Il y avait aussi des biscuits maison, contenant
ne forte proportion de charbon de bois, une confiture
le baies de sureau et de sorbier, à la fois insipide et
cide, et une tourte fortement parfumée à la sauge. Ce
l'était guère appétissant, mais le pire était d'affronter
'hospitalité exubérante de Miranda, qui, non contente
l'expliquer minutieusement la recette de chaque
nets, mettait tant d'empressement à proposer ses hor-
ibles inventions qu'il était impossible de refuser.

— Je crois que c'est là ma meilleure confiture !
Augustus dit qu'elle manque de sucre, mais elle tient
emarquablement bien. Et ma tourte — c'est une pre-
nière, une grande réussite je crois, je suis sûre que
ous serez de mon avis. Elaine, vous ne mangez
ien... Non, Gwyneth, il n'est pas question de refu-
er... vous devez absolument goûter ces sandwiches.
.a garniture est nouvelle, je ne vous en dirai pas plus,
vous de deviner... Oh, non, Peveril n'y est pour rien.
'il est très avancé dans certains domaines, il aurait
endance à stagner, question cuisine. L'expérimenta-
on doit précéder l'expérience. Nous ne savons pas
oujours où nous mettons les pieds. Miss Elliot... per-
nettez que je vous appelle Ina — toutes ces politesses
'ont aucun sens, ne croyez-vous pas ? vous n'avez

pratiquement rien pris. Eh bien, par quoi commencerons-nous... la tourte, les sandwiches ou les biscuits ?

Les sandwiches semblaient les plus petits. Thomasina en prit un, et deux autres aussitôt le rejoignirent dans son assiette.

— C'est assez original, je suis sûre que vous aimerez.

C'était extraordinairement mauvais, et elle ne parvint pas à donner un nom à plusieurs saveurs persistantes. Elle avait refusé qu'on lui serve une seconde tasse du thé vert pâle, mais sa tasse était déjà pleine et elle dut continuer à la siroter. Le destin lui fourni l'occasion de glisser les deux sandwiches non désirés dans la poche de son manteau, où leur contenu s'écoula, tachant horriblement la doublure. Le destin qui venait de lui venir en aide, avait pris l'apparence d'Augustus Remington, que personne n'attendait, et qui pénétra dans la pièce, vêtu d'une blouse courte bleu clair, un tambour à broder dans une main, une aiguille à broder dans l'autre, reliée au tambour par un morceau de soie orange. Comme les trois dames tournaient spontanément la tête vers lui, Thomasina en avait profité pour faire disparaître les sandwiches.

Une voix attristée s'éleva, contrastant avec les mots de bienvenue des sœurs Tremlett et l'insistance généreuse de Miranda.

— Non, non... je ne désire rien. Du charbon dans ces biscuits, c'est une faute — une pure dissonance. Et je vous ai toujours dit que votre confiture n'était pas assez sucrée. Non, non... n'insistez pas. Sûrement *pas* de gâteau aux herbes. Encore moins des sandwiches. Ils me rappellent de trop, trop pénibles souvenirs datant de cette horrible époque de mon enfance, l'ère des pique-niques — des araignées dans le dos et des perce-oreilles dans le lait. En outre, je n'ai absolu ment pas faim. Après cette grossière invasion matinale ! C'est absolument néfaste pour les bonnes ondes ! Je ne suis pas venu me sustenter, mais chercher le réconfort de l'amitié. J'ai entendu vos voix dans ma solitude, alors que je m'efforçais de recouvrer mon calme grâce à ma broderie, et mes pas m'ont mené jusqu'à vous.

Il montra le tambour à broder à Miss Gwyneth et, d'une voix confidentielle, susurra :

— Ma dernière création.

— Mais qu'est-ce que c'est, Augustus ?

Les demoiselles Tremlett regardaient avec étonnement le fin canevas déplié qui représentait un nuage sombre nuancé de rose, un œil humain entouré de trois corolles de tournesol et une plante volubile portant des baies rouge vif. L'œil était achevé, ainsi qu'une des têtes de tournesol et une partie de la plante volubile. Le nuage était bien avancé. C'était de la belle ouvrage, et Miranda ne se priva pas de le remarquer.

— Ne vous avais-je pas dit qu'il brodait merveilleusement ? dit-elle à Thomasina. Non, ce n'était pas à vous, c'était à cette Miss Silver. Cela n'y change rien, n'est-ce pas ?

— Mais qu'est-ce que ça représente ? répétèrent de concert les Tremlett.

Mr. Remington éluda la question d'un geste de la main.

— Ce n'est sûrement pas à moi de le dire. Je trouve le concept... j'essaie de lui donner forme et substance. Je ne saurais, en plus, en fournir une analyse pénétrante. La beauté est donnée au monde... c'est à lui de la recevoir.

Tout en parlant, il se laissa tomber sur une chaise, planta deux aiguilles dans un tournesol, et murmura, d'une voix languissante :

229

— Mon inspiration s'est évanouie. Depuis ce matin, je n'ai pas encore retrouvé mon équilibre.

Thomasina en avait déjà tant entendu qu'elle n'imaginait pas que Miss Gwyneth et Miss Elaine auraient encore quelque chose à dire à ce propos, en quoi elle se trompait. Non seulement elles, mais aussi Miranda et Augustus semblaient avoir en réserve d'innombrables hypothèses, suppositions et commentaires à proposer. Et tous semblaient très préoccupés par Mr. John Robinson.

— Un personnage si étrange.

— Toutes ces fenêtres condamnées.

— Personne ne sait rien de sa vie.

— Nous ne lui avons même jamais parlé. Il semble bien qu'il nous évite, déclarèrent les Tremlett.

— Maladivement secret.

Parfois, ils parlaient tous en même temps, parfois la voix sonore et profonde de Miranda imposait le silence aux autres. Thomasina pensa à l'histoire du bouc émissaire. Ce serait bien pratique, se disait-elle, si on pouvait amener la police à s'intéresser d'un peu plus près à Mr. Robinson, qui, tout en faisant partie de la Colonie, n'en était pas vraiment.

— Bien sûr, crut bon d'ajouter Miss Gwyneth nous sommes tous persuadés que cette horrible affaire n'a rien à voir avec nous.

— Peveril a été magnifique, dit Miss Elaine. Il a fait preuve d'une telle dignité, d'un tel sang-froid Mais, que l'on puisse... que quiconque parmi nous puisse être interrogé par la police !

Le regard de Miranda plana au-dessus de leurs têtes.

— Il est trop grand pour être atteint par cela, dit-elle.

Augustus Remington écarta son tambour à broder comme s'il s'agissait d'un objet insignifiant.

— Chère Miranda, comme vous avez raison ! Comme nous tous, je l'espère ! Cependant, l'innocence doit être prouvée. Je me suis dit que votre art pourrait nous y aider. Vous ne l'ignorez pas, je suis parfois sceptique envers... non, je ne dirai pas l'authenticité, car cela laisserait planer un doute sur votre honnêteté, et c'est bien la dernière de mes pensées.

Miranda retrouva la brusquerie dont elle était coutumière.

— Au fait, Augustus, et arrêtez de tourner autour du pot !

Il ferma les yeux quelques secondes.

— Ne me bousculez pas... cela m'empêche de me concentrer. J'étais sur le point de vous dire que, si je n'étais pas quelque peu sceptique sur l'utilité de la boule de cristal, j'aurais suggéré que vous l'interrogiez afin de tirer cette affaire au clair.

Miss Gwyneth s'anima.

— Miranda sait lire dans la boule de cristal, expliqua-t-elle à Thomasina. Si elle la consultait, elle pourrait apprendre des choses sur Mr. Robinson ou... ou sur... n'importe qui.

Elle se retourna vivement.

— Avez-vous essayé, Miranda ?

Miranda fit un signe de la main évasif.

— Tout est resté sombre...

— Peut-être pas aujourd'hui... avec nous tous pour vous aider !

A son tour, Miss Elaine manifestait son enthousiasme.

Augustus eut un geste plutôt sceptique.

— Je n'y crois qu'à moitié. Ne comptez pas sur moi.

Si ce n'avait pas été à cause de sa bonne éducation, Thomasina ne se serait pas fait faute de reprendre ces derniers mots à son compte.

Mais, à l'évidence, ces réticences semblaient avoir émoustillé Miranda et, sans qu'il soit besoin de le lui redemander, elle proposa d'accéder au désir des sœurs Tremlett. On débarrassa la table à thé et on posa dessus un carré de velours noir, et une grosse boule de cristal, sur un socle en ébène placé exactement au centre du carré. On éteignit toutes les lumières, à l'exception d'une seule qui projetait un unique rayon éblouissant. C'était des plus étranges, et quelque chose en Thomasina n'aimait pas cela. Elle ignorait pourquoi, et elle s'en moquait, parce que ce qu'elle ressentait n'avait rien de raisonnable. Cela la ramenait à l'enfant ou au sauvage qui a peur du noir. Et cet enfant ou ce sauvage n'avaient qu'un désir : briser cette boule de cristal sur-le-champ et s'enfuir de la pièce en hurlant. Naturellement, il ne vint même pas à l'esprit de la personne civilisée qu'était Thomasina de faire une telle chose.

Le rayon de lumière projeté par une lampe à abat-jour faisait ressembler la boule de cristal à une bulle de lumière flottant sur une eau noire et profonde. La table était invisible, ainsi que le carré de velours ou le support d'ébène — on ne voyait que la boule, à l'intérieur de laquelle tourbillonnait une lumière. Car c'est cela qu'on apercevait. Quelque chose qui tourbillonnait comme de l'eau — non, comme du brouillard — comme les pensées brumeuses d'un rêve. Et puis elles se dissipèrent, et, aussi nettement que si elle la voyait pour de vrai, elle aperçut le visage d'Anna Bai qui la regardait de l'intérieur de la boule de cristal. Cela ne dura qu'un instant avant de disparaître. Mais elle l'avait vu, et rien ni personne ne pourrait jamais l'en faire démordre. Elle serra les poings, fort, si fort que ses ongles s'enfoncèrent dans sa chair.

Miranda poussa un long et profond soupir et se pencha en arrière, vers les coussins de son fauteuil. La rayon et la boule de cristal se trouvaient entre elle et Thomasina. Quand elle se laissa aller en arrière, elle disparut dans les ténèbres. Sa voix en surgit, très basse et profonde.

— Anna, où es-tu?

Tous les mots étaient dits sur une seule note sourde et profonde. Puis la voix s'éleva. La voix devint autre, faible et lointaine.

— Pas... ici.

De nouveau, ce fut la voix profonde.

— Où es tu?

— Loin... loin... d'ici...

— Où?

— Je... ne veux pas... qu'elle... sache. Dites-lui... heureuse... pas bon... de s'accrocher... au passé... Les liens rompus... ne peuvent pas... être renoués... Fin du... message.

Après avoir produit un autre profond soupir, Miranda s'ébroua, leva la main vers sa tête, gémit péniblement, et se remit droite sur son siège.

— Qu'est-ce qui est arrivé? dit-elle de sa voix habituelle.

Elle semblait interloquée.

— Est-ce que quelqu'un a vu quelque chose? Je n'ai rien vu. Je suis tombée en transe... oui ou non? Je me sens très mal. Mon Dieu, remettez la lumière, Augustus, et écartez ce rayon — il m'aveugle!

Quand la lumière revint, on put voir que Miranda était toute pâle. A cause du rouge foncé de ses cheveux et de la couleur violette de sa robe, cette pâleur tirait sur le verdâtre. Mais la pièce avait retrouvé une banalité réconfortante. Les tasses et les soucoupes, hâtivement rangées sur une desserte, avaient un petit air domestique bien familier. Sur son support, la boule de cristal n'était plus qu'une grosse boule de verre. Sur le carré de velours noir, on distinguait un endroit

233

usé jusqu'à la corde et des rebords qui commençaien
à s'effilocher.

Miranda cligna des yeux et dit .

— Je ne me souviens de rien. Que s'est-il passé ?

Elaine était tout excitée.

— Vous êtes tombée en transe.

Miranda se passa la main dans les cheveux.

— Mais j'étais sur le point d'interroger la boule de
cristal...

— Ce n'est pas ce que vous avez fait ! Vous vou
êtes penchée en arrière et, bien sûr, nous avons su
qu'il s'agissait d'une transe. Puis vous vous êtes mise
à parler.

— Qu'est-ce que j'ai dit ?

— Vous avez dit : « Anna, où es-tu ? »

Thomasina avait parlé en contenant difficilement sa
colère.

— Pourquoi avez-vous fait cela ?

— Je n'en ai pas la moindre idée. Ai-je dit quelque
chose d'autre ?

On entendit l'étrange rire aigu d'Augustus Remington.

— Oh que oui, ma chère !... D'abord vous avez
dit : « Anna, où es-tu ? »...

— Puis, votre voix a changé, et vous avez dit
« Pas ici... »

— Et puis...

Ils se mirent tous à parler ensemble pour lu
apprendre ce qu'elle avait dit — se coupant la parole
mélangeant les mots, se corrigeant l'un l'autre. Seule
Thomasina n'intervint pas. Elle observait Miranda
sans un mot.

— « Anna, où es-tu ? » Ma foi, cela n'a ni queue n
tête, dit Miranda. Est-ce que quelqu'un pourrai
m'expliquer ?

Miss Gwyneth fronça les sourcils.

234

— Le prénom de cette Miss Ball, n'était-ce pas Anna ?

Miss Elaine fit une petite grimace.

— Je ne le pense pas, j'en suis sûre. Elle était tout sauf sympathique — personne ne l'appelait par son prénom. Et elle est repartie presque aussi vite qu'elle était arrivée.

— Et pourquoi devriez-vous recevoir un message de cette personne ? dit Gwyneth. C'est tellement... tellement insensé.

Augustus Remington avait repris son tambour à broder. Il tint l'aiguille en l'air avant de la piquer délicatement.

— Comme c'est vrai, invraisemblablement vrai ! Le côté absurde de ces messages m'intrigue ! A quoi bon revenir de l'au-delà pour dire de telles banalités ?

— Mais il y avait un message, insista Miss Elaine.

— Un message précis, renchérit Miss Gwyneth.

Elles ressemblaient à des duettistes.

— « Je ne veux pas qu'elle sache... »

— « Les liens rompus ne peuvent pas être renoués... »

Et puis, à l'unisson :

— Mais qu'est-ce que ça veut dire ? A qui s'adresse le message ?

Augustus fit un autre point. Il les considérait d'un air moqueur.

— Voilà bien, hélas, une question insoluble.

Miranda ferma les yeux.

— Ma foi, tout ce que je peux dire c'est que cela n'a aucun sens pour moi, sauf que j'y ai gagné un mal de tête. Mais c'est souvent le cas avec ce type de messages — ils n'ont pas de sens pour moi. Je ne suis que le médium.

Elle posa ses deux mains sur sa tête et les allongea, avec grâce.

— Bon, n'en parlons plus... Je reprendrais bien une autre tasse de thé.

Quand votre hôtesse avoue qu'elle a mal à la tête, il est de bon goût de ne pas s'attarder. Miss Elaine et Miss Gwyneth firent leurs adieux. On s'embrassa avec transport, mais Thomasina prit congé par une simple poignée de main.

Comme les deux demoiselles se dirigeaient vers les anciennes étables, toutes proches, Miss Elaine fit remarquer, non sans aigreur, qu'elle aurait cru Augustus suffisamment bien élevé pour se retirer comme elles l'avaient fait, plutôt que de rester avec Miranda à l'entretenir de sa sempiternelle broderie. Sur quoi, les deux sœurs se mirent à discuter pour savoir si Miranda aurait préféré qu'il s'en aille et s'il était vrai qu'il passait là toutes ses soirées, ne la quittant qu'à minuit bien sonné. Et c'est bien à cause de la jeunesse et de l'innocence de Thomasina, que l'une ou l'autre sœur, les deux peut-être, se retinrent d'ajouter « Parce que dans ce cas... »

29

Thomasina monta dans sa chambre et commença à se dévêtir. Après avoir déboutonné son manteau, elle glissa une main dans la poche où elle savait trouver un mouchoir et où elle se souvenait d'avoir dissimulé les sandwiches. Elle ne voulait pas qu'il soit irrémédiablement taché par l'horrible mixture de Miranda. Elle enfonça sa main, et la retira, toute poisseuse. Les sandwiches y étaient bien, mais pas le mouchoir. Elle ouvrit la fenêtre, jeta les sandwiches et se nettoya la main, le tout avec une certaine énergie.

C'est alors qu'elle se souvint d'avoir eu le mouchoir à la main avant de glisser les sandwiches dans sa poche. Une goutte de l'infâme thé verdâtre était tombée sur sa robe, à un endroit bien visible si on ouvrait le manteau. Le breuvage était si mauvais qu'elle en déduisit que la tache serait très difficile à enlever, aussi avait-elle pris son mouchoir pour l'éponger. Ensuite... qu'avait-elle fait du mouchoir ? Sa robe ne comportait pas de poche. Il n'était pas dans le manteau. Elle avait dû le poser sur ses genoux et l'oublier quand elle s'était levée. Elle reboutonna son manteau et dévala l'escalier.

Aucune des sœurs ne se trouvait dans le salon. Elle pouvait courir chez Miranda et récupérer son mouchoir sans avoir à fournir d'explications sur sa présence en ce lieu. Elaine et Gwyneth étaient gentilles, mais elles avaient la langue trop bien pendue, et l'histoire des sandwiches leur fournirait un sujet par trop délicat. Elle referma doucement la porte et se fondit dans la nuit.

Dès que ses yeux furent accoutumés aux ténèbres, elle distingua nettement une lumière dans le salon de Miranda. Entre les rideaux, incomplètement tirés, on distinguait une longue bande brillante. Elle s'approcha de la porte, qui était restée entrouverte. Miss Elaine, sans doute, incapable qu'elle était de refermer correctement une porte. Elle maintenait la poignée abaissée trop longtemps, chose que ne cessait de lui reprocher sa sœur.

En temps ordinaire, Thomasina n'aurait pas pénétré dans une maison étrangère sans frapper, mais ils venaient juste de la quitter. Miranda était présente et la porte n'était pas fermée. Elle pénétra dans le petit vestibule et était sur le point d'annoncer qu'elle était revenue chercher son mouchoir, quand la porte du salon s'ouvrit. Quelqu'un venait. La porte fut repoussée de quelques centimètres, puis s'immobilisa, comme si la personne derrière s'était retournée pour faire quelque chose.

Il s'agissait d'Augustus Remington, qui s'était retourné pour adresser ces mots à Miranda :

— C'était bien joué ! Vous avez parfaitement transmis le message !

Plus experte dans l'art d'écouter aux portes, Thomasina aurait pu en apprendre plus — elle aurait entendu la réponse de Miranda. Mais elle n'entendit rien. Le sang battait dans ses oreilles, et, sans savoir comment, elle se retrouva dehors, en train de courir à perdre haleine. L'instinct lui disait de rester sur la partie herbeuse. Il y avait un sentier et un bas-côte d'herbe rêche. C'est celui-ci qu'elle foulait. Maintenant, même en se rapprochant de la porte d'entrée, on n'aurait pu l'entendre.

Elle trouva le salon des Tremlett vide. Elle s'était absentée à peine quelques minutes et personne ne pourrait jamais savoir qu'elle était sortie. Elle remonta dans sa chambre, ferma la porte à clef et s'assit au bord du lit. Elle n'avait aucun doute sur le sens des paroles qu'elle avait surprises dans la bouche d'Augustus Remington. Toute la cérémonie avec la boule de cristal n'était qu'une mascarade. Miranda avait bien tenu son rôle, et Augustus l'en félicitait. Tous les deux avaient joué la comédie et Miranda « avait parfaitement transmis le message ». Elle ne se demanda même pas si ces mots pouvaient avoir un autre sens.

Il n'empêche, elle avait vu et bien vu le visage d'Anna dans la boule.

Une boule brillante, frappée par un rayon lumineux — c'était un vieux truc pour hypnotiser les gens. Elle avait senti ses pensées lui échapper tandis qu'elle observait le tourbillon de lumière. Bien sûr, elle ne tourbillonnait pas vraiment. Elle l'avait vue tourbillonner parce qu'elle était tombée dans une rêverie.

C'est alors qu'elle avait vu le visage d'Anna.

Elle l'avait vu parce que quelqu'un voulait qu'elle le voie. Quelqu'un tentait de l'hypnotiser et de lui faire apercevoir le visage d'Anna dans la boule de cristal. Une colère sourde s'immisça dans ses pensées. D'abord lui montrer le visage d'Anna, puis lui donner un message truqué. « Anna, où es-tu ?... Loin d'ici... Je ne veux pas qu'elle sache... Pas bon de s'accrocher au passé... Les liens rompus ne peuvent pas être renoués... Fin du message. » Les bouts de phrases se dressaient, noirs et éclatants contre sa colère. Et sa colère brûlait sourdement.

Sa colère lui révélait beaucoup de choses
Quelqu'un voulait l'éloigner. Quelqu'un voulai
qu'elle cesse de rechercher Anna. Pourquoi? Là auss
il existait une réponse. On voulait qu'elle s'éloign
parce qu'Anna était ici, en ce lieu. Ou, si ce n'étai
pas Anna en personne, quelque chose qui lui fourni
rait un indice sur ce qui lui était arrivé. Quelqu'u
avait peur, quelqu'un voulait la voir partir. Quelqu'u
voulait qu'elle croie qu'Anna avait délibérémen
décidé de rompre — décidé qu'elle n'avait plus rien
voir avec elle. Si Thomasina le croyait, elle partirait e
ne créerait plus d'ennuis. Cela signifiait que sa pré
sence créait un problème à quelqu'un.

Elle releva brusquement la tête.

A quoi bon tous ces « quelqu'un »? Elle savait par
faitement que Miranda était l'auteur de cette farce
Augustus Remington ne l'avait-il pas félicitée pour l
bon tour qu'elle lui avait joué? Si elle n'était pa
retournée chercher son mouchoir et si elle ne l'ava
pas entendu, cela aurait presque été vrai. Presque
mais pas tout à fait, à cause d'une petite chose, qu'ell
avait vue, enregistrée, et mise de côté, se promettan
d'y réfléchir. Elle n'avait pas eu le temps, à cause d
ce mouchoir qu'elle avait dû aller rechercher. Mainte
nant elle avait le temps. Elle se dit que ce petit déta
aurait dû lui faire comprendre qu'on s'était moqu
d'elle — même si elle n'avait pas entendu les parole
d'Augustus Remington.

Ce n'était presque rien. Rien qu'une tache d
poudre sur le devant de la robe violette de Miranda,
la hauteur des épaules. Un peu de poudre bien visibl
sur le fond violet de la robe quand les lumière
s'étaient rallumées — de la poudre de riz ordinair
tirant sur le vert. N'importe quelle femme pouva
avoir de la poudre de riz sur sa robe. Mais elle n'
était pas quand Miranda l'avait accueillie à br

ouverts. Elle n'y était pas quand elle insistait tant pour qu'on goûte à ses sandwiches et à sa tourte, ni lors du thé, ni quand elle avait installé la nappe de velours noir sur la table, après avoir débarrassé et posé le support et la boule de cristal par-dessus. Thomasina l'aurait juré, et elle aurait même affirmé avoir vu Miranda lever la main vers sa tête quand elle avait prétendu sortir de sa transe. Elle était d'une telle pâleur quand la lumière était revenue — verdâtre à vrai dire — que cela avait grandement contribué à parfaire l'illusion. Évidemment, rien de plus facile si vous cachez dans votre main un bout de coton couvert de la poudre adéquate. Elle se souvint exactement de la manière qu'avait eue Miranda de lever la main, comme si elle balayait son visage, ses paupières, son front. Et cela avait paru tout à fait naturel, car c'est exactement ce que l'on fait quand on a sommeil, ou mal à la tête, ou qu'on se réveille. Mais Miranda s'était poudrée le visage et un peu de cette poudre verte était tombé sur sa robe.

La colère de Thomasina s'était changée en une petite flamme dure. Trop de colère nuit à la réflexion, et elle avait besoin de réfléchir.

Après avoir réfléchi quelques instants, elle se sentit l'esprit clair. Ils voulaient la faire partir. Ils avaient repris les mots mêmes de l'annonce parue dans le journal : « Anna, où es-tu ? » Elle n'avait utilisé que le prénom, Anna, et signé Thomasina. Quelqu'un, en lisant l'annonce, avait compris qu'« Anna » était Anna Ball, que « Thomasina » était Thomasina Elliot. Peut-être même s'agissait-il d'Anna Ball en personne. Par quels moyens avaient-ils fait parler Anna ? Il existait des moyens terrifiants pour faire parler les gens. Ses propres mots, prononcés au plus fort de sa querelle avec Peter, lui revinrent en mémoire — « Il y a des caves dans ces vieilles maisons. Suppose qu'Anna soit enfermée dans une de ces caves. » La colère met le feu aux pensées. Les mots, sous l'effet de la colère, avaient flambé dans son esprit. Maintenant, ils lui revenaient, de manière différente — lentement, froidement, posément, et combien plus effrayants.

Suppose que tout soit vrai. Il devait y avoir une excellente raison pour qu'on lui ait joué cette comédie. Par exemple, qu'Anna soit véritablement enfermée dans la partie abandonnée de Deepe House, ou dans les caves du sous-sol... Dans ce cas, était-elle encore vivante ? Ou était-elle morte, enterrée sous des gravats ? Si elle était vivante, chaque minute devait lui sembler durer une éternité. Comment était-il possible de manger et de boire, de se coucher le soir, de se lever le matin, sans savoir si toutes ces minutes, toutes ces heures n'étaient pas vécues au rythme d'une lenteur cauchemardesque pour Anna Ball ?

Elle continua à réfléchir.

30

Si les demoiselles Tremlett avaient été moins
avardes, elles auraient remarqué que Thomasina
'avait pas dit grand-chose de toute la soirée, contrai-
ment à elles, chacune étant toujours soucieuse de
onner son opinion la première. Finalement, que Tho-
asina n'eût rien à dire leur convenait. Une invitée
uette, c'était l'idéal pour elles.

Tout d'abord, elles voulurent bien évidemment dis-
uter de la transe de Miranda et du message énig-
atique dont elle avait été le médium. Anna Ball ne
ur avait pas été sympathique.

— Non pas que nous la connaissions véritable-
ent, et elle se montrait si rebutante... de là à nous
éjouir qu'il lui soit *arrivé* quelque chose, certes non...

— Mais si *c'est le cas*, pourquoi chercherait-elle à
ntrer en contact avec *nous*? demanda Miss Elaine.

— C'est extrêmement déroutant, dit Miss Gwy-
eth. Voyez-vous, elle ne peut pas vous avoir connue,
a chère Ina, mais puisqu'elle parle d'*elle* — « Je ne
eux pas qu'*elle* sache » — le message n'était pas
estiné à Augustus.

— Il ne reste donc que Gwyneth et moi-même.

— Et, comme je vous le disais, nous la connais-
ons à peine.

— Mais ces messages semblent très souven
dépourvus de sens. Savez-vous, j'ai connu un cas o
une Miss Brown — ou Jones, je ne sais plus — bref
une nièce, ou une cousine ou une amie de Mrs. Haw
kins, qui était à Wyshmere quand votre tante s'y trou
vait, est allée trouver un médium à Londres parc
qu'un jeune homme, avec lequel elle était à moiti
fiancée, ne lui avait plus écrit, un mois ou deux aprè
son départ pour l'Amérique du Sud, et elle craignai
qu'il ne lui soit arrivé quelque chose. Elle a tou
raconté au médium, elle a regardé dans la boule d
cristal, et, selon elle, elle y a vu un bateau, arrivan
dans un port étranger — bien sûr, tout était vrai, parc
qu'il lui a écrit une fois ou deux après son arrivée là
bas. Puis elle a dit qu'elle avait vu une femme brune
et une sorte de nuage. Et, tout à la fin, un enterremen
Évidemment, Miss Jones — à supposer que c'étai
Jones et non pas Brown, et, franchement, j'ai oubli
—, évidemment, Miss Jones en a été bouleversée e
elle s'est persuadée que le jeune homme était mor
Mais c'était faux, parce que, longtemps après, elle
appris qu'il avait épousé une Chilienne et qu'il
avaient quatre enfants. La boule de cristal avait don
dit la vérité sur la femme brune, mais l'enterremen
pouvait seulement faire allusion à la vieille Mrs. Pon
dleby qui vivait de l'autre côté de leur rue, et qu
effectivement mourut trois semaines plus tard. Mais
comme elle avait plus de quatre-vingt-dix ans et étai
invalide depuis de nombreuses années, personne n'e
fut surpris. Selon moi, cela *montre*...

Elle n'expliqua pas ce que cela montrait, car, a
moment où elle reprenait son souffle, Miss Gwynet
l'interrompit avec l'histoire d'un jeune homme qu
par son mariage, connaissait la très charmant
Mrs. Hughes, une relation de Lord Dumbleton. Or
advint qu'il avait rêvé trois fois d'un cheval gris qu

gagnait le Derby d'Epsom[1]. Dans le rêve, il connaissait le nom du cheval et les couleurs du jockey, mais à son réveil, il avait tout oublié. Il se rappelait seulement un cheval gris qui gagnait la course.

— Il est donc allé consulter une célèbre médium de l'époque et la première chose qu'elle a voulu savoir c'est s'il y avait un cheval gris engagé, et, bien sûr, c'était pas de chance, car il y en avait deux. Alors, elle a regardé sa main et lui a dit qu'il était à la veille d'un grand événement et que tout dépendrait de ce qu'il allait décider. C'était tout à fait vrai, car il devait choisir entre partir en Afrique du Sud s'engager dans la police montée du Cap, ou prendre un poste dans une banque de Birmingham — et, bien sûr, s'il devait gagner pas mal d'argent grâce au Derby, il ne ferait ni l'un ni l'autre. Elle a donc regardé dans la boule de cristal et a vu un cheval gris qui faisait l'affaire, sauf qu'il ne gagnait pas de course apparemment. Il galopait avec beaucoup d'autres chevaux, et l'image disparut rapidement. Elle n'avait pas vu les couleurs du jockey, ou à quoi il ressemblait, ou n'importe quoi d'autre, mais elle dit que la lettre H lui avait laissé une forte impression. A peine avait-elle parlé que le neveu de Mrs. Hughes devint tout excité, affirmant que lui aussi avait eu cette impression. Mais cela ne leur a pas été d'un grand secours, car un des chevaux gris s'appelait Humboldt et l'autre Herring's Eyes . Elle a eu beau essayer de nouveau, elle n'a rien vu d'autre qu'un nuage de poussière. En fin de compte, un des chevaux gris a été disqualifié, et l'autre a fini avant-dernier. Le pauvre jeune homme est donc parti en Afrique du Sud, et je ne sais pas ce qu'il est devenu, car Mrs. Hughes a quitté Wyshmere pour s'installer dans les îles Anglo-Normandes.

1. Epsom, ville au sud de Londres. Célèbre course de chevaux (le Derby), depuis 1780. (*N.d.T.*)

Elles continuèrent à raconter de semblables histoires pendant deux bonnes heures. Thomasina n'en était pas gênée, du moment qu'elles n'abordaient pas le cas Anna Ball. Elle devait seulement donner l'impression d'être attentive et produire une sorte de murmure de temps à autre. Aucune de ces histoires ne semblait prouver autre chose que la propension des gens à croire ce qu'ils veulent bien croire.

Sur le coup de vingt-deux heures, tout le monde prit le thé, avant d'aller se coucher. En fait, seules les Tremlett se couchèrent. Thomasina baissa la lumière et demeura assise, écoutant la pendule murale du salon sonner les quarts d'heure. Elle avait décidé d'attendre jusqu'à vingt-trois heures trente, et le temps lui parut long, long... Il faisait de plus en plus froid. La maison semblait enveloppée d'un grand voile de silence. Chaque fois que l'horloge sonnait, le coup semblait plus surprenant. Thomasina en vint à l'attendre et à le redouter tout à la fois. C'était comme guetter l'explosion brutale d'une lampe au magnésium.

Le temps n'en finissait pas de ne pas passer, de quart d'heure en quart d'heure sonnant à l'horloge murale — vingt-deux heures trente... vingt-deux heures quarante-cinq... vingt-trois heures... vingt-trois heures quinze... Elle enfila son manteau et s'assura du bon fonctionnement de sa lampe de poche. Quand les deux coups de la demie de vingt-trois heures sonnèrent, elle ouvrit la porte de sa chambre et descendit furtivement l'escalier.

31

Peter Brandon en voulait autant à Thomasina qu'elle lui en voulait. Au cours de l'après-midi et dans la soirée, il lui était arrivé de tellement la détester qu'il aurait volontiers quitté pour de bon Deep End et ses abords boueux s'il n'avait été intimement persuadé que seule son intervention lui éviterait de se retrouver dans un horrible guêpier. Cela faisait très longtemps qu'il avait pour elle une affection essentiellement familiale. Il l'avait taquinée, critiquée, s'était querellé avec elle, sans jamais y mettre trop d'émotion, mais, au cours des six derniers mois, il avait commis la folie d'en tomber amoureux — chose qu'il n'avait jamais envisagée. Ses projets étaient de se marier, entre trente et trente-cinq ans, et d'avoir des enfants — pas moins de deux et pas plus de quatre, l'idéal étant deux garçons et une fille. Il se voyait en bon père et bon époux, donnant à sa femme une affection tranquille et heureuse, jouissant d'une vie domestique sereine, loin des exigences de la passion. S'il aurait eu du mal à décrire sa future épouse, une chose était sûre, elle ne ressemblait en rien à Thomasina. Et voilà qu'il tombait amoureux d'une femme qu'il avait connue au berceau.

Quand il comprit ce qui lui tombait sur la tête, il

crut que cette aberration n'aurait qu'un temps. Il ava
dû se rendre au chevet de Barbara Brandon, mourante
et il n'était pas aussi maître que d'habitude de se
émotions. Thomasina se montra extraordinairemer
courageuse et, quand tout fut fini, il comprit à que
point elle se sentait le cœur brisé et solitaire. Il lu
offrit une épaule pour pleurer. Tous deux n'étaie
pas dans leur assiette, mais, de retour à Londres, il n
put cesser de penser à elle. Il se convainquit que cel
passerait, mais, au contraire, cela empira. Il se mit
lui écrire de longues lettres et à attendre les sienne
Puis avait éclaté cette lamentable affaire Anna Ball, e
quand Thomasina avait filé vers le sud, il n'avait pa
pu s'empêcher de se disputer avec elle.

Cela aurait dû mettre un terme à son amour, mai
ce ne fut pas le cas. Il est assez extraordinaire de vo
à quel point on peut détester une personne dont on es
épris. Peter connut des moments de rage froide où
se dit qu'il ne voulait plus jamais la revoir. Comme
dans ces moments, il éprouvait en même temps un
incapacité totale à la quitter, il se sentait fort mal
son aise, et était bien loin de la disposition d'espr
permettant de lui faire éventuellement sa cour.

Quand il fut fatigué de marcher, il retourna dans l
chambre qu'il occupait, dans le cottage des Master
où il s'efforça de lire, à la lumière d'une lampe
huile, avant que le vieux Masters ne lui demande d
venir dîner. Mrs. Masters était absente — une de se
missions de charité, chez une voisine qui s'éta
ébouillantée la main — et ils se retrouvèrent en tête
tête.

— Et ça peut lui prendre du temps, comme ça pe
vite se terminer, on peut pas dire avec les brûlure
mais j'serais pas surpris qu'ce soit rien que beaucou
d'bruit pour pas grand-chose, vu qu'il s'agit de Lou
Gregory, une qu'on sait depuis qu'elle est hau

comme ça qu'elle crie avant même qu'on la touche. Six gosses qu'elle a eus, même qu'elle devait y passer à chacun, et y sont tous aussi vivants qu'la mauvaise herbe, et la Louie qui voudrait nous faire croire qu'elle a drôlement souffert pour les élever !

Au moment d'attaquer les œufs brouillés, Mr. Masters se vanta, non sans raison, de les réussir mieux que sa belle-fille. Il était d'excellente humeur, et, à la fin du repas, quand il eut allumé sa pipe, il avait commencé à raconter quelques-unes de ses bonnes vieilles histoires. C'est ainsi qu'il en vint à parler des Everly.

— C'est bien parce que c'est vous, Mr. Brandon, mais je n'en parle jamais à personne, car c'est une chose qu'il vaut mieux ne pas ébruiter. J'en connais qui aimeraient venir me poser des questions, qu'ils ne comptent pas sur moi pour leur répondre. C'est de l'histoire ancienne, et autant ne plus en parler, c'est ce que je dis et c'est ce que je lui ai répondu, à ce Cradlock, quand il est venu me voir. « Que s'est-il passé, Mr. Masters ? » qu'il me demande. « De quoi parlez-vous ? » que je lui fais, moi. Et lui : « Ce n'était pas à propos d'une main ? » et moi : « Bon Dieu... mais qui vous a raconté ça ? Est-ce que vous auriez vu quelque chose ? » Ça se pourrait bien, il me dit. Mais je ne lui ai rien dit, ce n'était pas ses oignons. A mon avis, s'il y a des phénomènes étranges, ceux qui en sont responsables n'aimeraient pas que ce genre de parvenus s'en mêlent. Les Everly, ça c'était des gens de la haute — ils se mélangeaient pas, fiers et hautains, vous pouvez le dire. Et les trois demoiselles Everly, c'était le pompon, bien la même race que les autres. Je les ai toutes connues, quand j'étais gamin — Miss Maria, Miss Isabella et Miss Clarice...

Il raconta sans se presser l'histoire de trois femmes seules vivant dans une maison en voie de délabrement, et l'arrivée du cousin qui vint s'installer et décida d'épouser Miss Clarice.

— Sauf que Miss Isabella n'était pas d'accord. Elle semblait pas apprécier que la cadette prenne le dessus, et elle en devint folle de rage, et ça s'est terminé par un meurtre. Aussi, après la mort de Miss Clarice, Miss Isabella a été enfermée chez les fous et Miss Maria est restée seule dans la maison jusqu'à sa mort. Et on dit que la main coupée de Miss Clarice continue à hanter la maison.

— La main coupée de Miss Clarice ?

Le visage du vieux Masters se couvrit de milliers de rides. Il opina du chef.

— Ce que lui a fait Miss Isabella — elle lui a coupé la main qui portait la bague.

Le ton désinvolte qu'il adoptait ajoutait encore à l'horreur de la chose. On aurait dit qu'il avait si souvent raconté l'histoire qu'elle n'était plus que l'écho d'une vieille légende. L'effet en était accentué par son débit de vieillard, la vétusté de la pièce, et la tache de lumière devant les ombres noires sur le mur. Peter sentit qu'au-delà du quotidien tranquille d'un village, il fallait compter avec la dure réalité de la nature humaine. Après avoir été secoué par l'horreur de cet acte, le village l'avait accepté, mais il semblai vouloir se tenir à l'écart du lieu du forfait. Le vieux Masters allait dans ce sens.

— N'allez pas croire que j'ai peur des fantômes, pas dans le cas de gens de ma famille, morts de leur belle mort, mais je ne mettrais pas les pieds à Deepe House la nuit — pas dans cette partie de la maison où le meurtre a été commis, je n'irais pas pour tout l'or du monde. Il y a un p'tit gars qui est devenu fou et muet, après y être allé, et d'autres que lui. Il est clair que les Everly ne veulent pas que l'on vienne fourrer son nez dans leurs affaires, et ça ne me tente vraiment pas.

250

Sa voix ne fut plus qu'un murmure rauque.

— Il y avait un vagabond qui s'était dit qu'il pourrait y passer la nuit, comme ils font avec les maisons vides. Il paraît qu'il s'est approché de la fenêtre — elle était en miettes à cause de la bombe, et il voulait juste enlever quelques morceaux de verre et se glisser à l'intérieur. Mais à peine il avait passé la main, une autre main a surgi des ténèbres et il a fait un bond et a pris ses jambes à son cou, il a traversé la cour et a disparu sur le chemin en hurlant.

Peut-être connaissait-il d'autres anecdotes, peut-être pas, mais le vieux Masters n'eut pas l'occasion de les raconter, car sa belle-fille revint à ce moment, plutôt remontée et se faisant un plaisir d'exprimer son opinion sur ces gens qui n'étaient même pas capables de panser un doigt brûlé et qui avaient besoin de déranger le monde entier pour qu'on le fasse à leur place.

— C'est du Louie Gregory tout crachée ! Exactement comme sa mère ! Tant qu'il y a quelqu'un pour le faire à votre place, inutile de vous fatiguer à le faire — c'est comme ça qu'ils ont toujours vu les choses et qu'ils se comportent. Que ça soit pour emprunter du sucre et oublier de le payer, ou pour vous laisser laver le bébé en prétextant un malaise, ils n'ont jamais changé !

Le vieux Masters leva un œil malicieux.

— Tu as lavé le bébé, Sarah ?

Les joues de Mrs. Masters, déjà rougies à cause des contrariétés et de la fatigue, devinrent violacées. Elle lança un mauvais regard à son beau-père.

— Ce que je peux être bête ! dit-elle. *Et* j'ai également fait la vaisselle, que personne n'avait pensé à faire, et j'ai donné leur thé aux enfants qui pleuraient et j'ai fait la plus grosse partie du ménage ! Et cette pauvre idiote de Louie qui était là à pleurnicher sur son doigt !

— Mais à quoi ça rime tout ça? demanda le vieux Masters.

Sarah Masters était en train de débarrasser en empilant bruyamment les assiettes.

— Mais dis-le donc... dis-le donc que je suis stupide!

Le vieux Masters le lui confirma avec un gloussement sardonique, ajoutant, pour ne rien gâcher, qu'elle avait trop de cœur et que cela allait lui jouer un sale tour si elle n'y prenait garde. Sur quoi, elle claqua la porte de la pièce et on l'entendit s'affairer bruyamment avec la vaisselle dans l'arrière-cuisine.

Peter retourna dans sa chambre et essaya d'écrire. Ce ne fut pas une grande réussite. Son stylo courait sur le papier, mais lui-même aurait été incapable de dire quelle facette de son esprit le guidait. Sans doute pas la plus intelligente, car, en se relisant, cela lui sembla n'avoir aucun sens. Le nom de Thomasina apparaissait deux fois. Après avoir déchiré la feuille et tout repris à zéro, il parvint à contrôler un peu mieux ce qui s'inscrivait sur le papier. Tout cela pour obtenir un tas d'inepties ennuyeuses comme il n'en avait jamais lu dans sa vie. Ces pages rejoignirent les autres dans la corbeille. S'il ne pouvait s'empêcher de penser à Thomasina, autant le faire de façon rationnelle et intelligente. Pour commencer, pour quelle raison était-il dans un tel état? Ce n'était ni leur première ni leur dernière dispute. Ce n'était pas leur dispute qui le tourmentait.

Qu'était-ce donc? Il le sut dès qu'il commença à se le demander. Il s'était comporté en sceptique invétéré dans cette affaire Anna Ball, mais il était fort possible que ce ne soit pas du vent. On ne pouvait nier que des femmes se faisaient assassiner, et Anna était tout à fait le genre à qui ça pendait au nez. Et si cela avait été le cas... Thomasina allait se retrouver dans un ter rible pétrin. Il n'aimait pas Deepe House, il n'aimait pas ses pièces à moitié défoncées par les bombes, et ses fenêtres condamnées. Et c'était sûrement un endroit dangereux pour la santé. Il n'avait pas aimé l'histoire du vieux Masters à propos des sœurs Everly. Comme un nombre surprenant de gens, il ne croyait pas aux maisons hantées, mais il ne les aimait pas. Elles rappelaient d'horribles événements du passé qu'il valait mieux oublier. A cet instant de son raisonnement, il sut exactement ce qui lui faisait si peur : que Thomasina se mette dans la tête d'aller explorer toute seule cette maison délabrée, à la recherche d'Anna Ball.

Il pensa aux caves dont elle avait parlé. Et si jamais elle décidait de chercher Anna en pleine nuit, dans cette demeure lugubre ! Elle en était bien capable. Elle était en colère, elle était têtue, et d'un courage confinant à l'absurdité. Elle était à la merci du moindre faux pas, qui la ferait passer à travers une lame du parquet ou se retrouver nez à nez avec le... la... ce dont avait parlé le vieux Masters, et qui avait fait hurler ce vagabond qui avait filé fou de terreur.

Il eut une vision horrible, à peine une image, mais d'une netteté insupportable — ce n'était plus sa Thomasina, montant sur ses grands chevaux, fière, colérique, sûre d'elle-même, mais une petite fille morte de peur, hurlant dans le noir. Il consulta sa montre. Il était vingt-trois heures vingt. Il avait perdu trop de temps à écrire, à réfléchir. Tout pouvait arriver à Deepe House, était déjà peut-être arrivé. Ici, les Masters dormaient bel et bien, le vieux Masters s'était couché à vingt et une heures, et Sarah aussitôt après avoir fini de passer ses nerfs sur la vaisselle et le ménage. Il ouvrit la fenêtre, prit appui sur le rebord et se laissa tomber. Ce fut assez facile, car il y avait moins de deux mètres cinquante de hauteur entre le

253

sol et le plafond du rez-de-chaussée — à son retour, i
ne serait pas à le premier à utiliser le vieux poirie
comme échelle, songea-t-il.

C'était une nuit fraîche et humide, mais pas réelle
ment froide. Il n'avait aucun plan, hormis l'intentio
d'aller voir s'il y avait de la lumière chez les Trem
lett. Il n'imaginait ou n'envisageait rien d'autre, et i
se dit que sa sortie n'avait aucun sens, car, si le
fenêtres étaient toutes dans l'ombre, cela aurait p
signifier que Thomasina était dans son lit, ou endor
mie, à moins qu'elle ne fût sortie et déjà loin. À
l'inverse, s'il y avait de la lumière à sa fenêtre, cel
pouvait signifier qu'elle ne dormait pas. Elle lisai
peut-être au lit. Ou faisait tout ce que l'on peut fair
quand on ne veut pas dormir. Ou bien était-ell
dehors, dans les ténèbres, et avait laissé la lumièr
allumée pour retrouver son chemin.

Il parvint au cottage et vit qu'aucune lumière n
brillait. Une petite clôture à claire-voie, peinte en ver
entourait l'ancienne cour de l'écurie et on y pénétrai
par une barrière munie d'un de ces verrous capricieu
aussi difficiles à ouvrir qu'à refermer. Il était mis, e
Peter eut beaucoup du mal à le faire fonctionner, s
pinçant les doigts et jurant à part lui. A l'intérieur, l
plupart des pavés étaient toujours en place, mais dan
certaines assises, de forme carrée, on avait creusé u
trou pour y planter des bulbes. Dans le noir, c'étai
autant de pièges humides.

Sur l'arrière du bâtiment, Peter aperçut troi
fenêtres, une seule étant éclairée. Les fenêtres no
éclairées semblaient ouvertes, mais celle qui éta
éclairée était fermée, signe de la présence d
quelqu'un, car on ne laisse pas sa fenêtre ouverte e
janvier, à moins de se fourrer au lit sous un amas d
couvertures.

Quelqu'un veillait donc. Mais rien ne disait qu'

'agissait de Thomasina. Cela aurait pu être Gwyneth
ou Elaine. Thomasina pouvait être sortie, errant Dieu
sait où ! Il continua à regarder la fenêtre, partagé entre
la colère et la peur, qui toutes deux augmentaient.

Dans certains états d'esprit, la notion du temps
s'accélère, dans d'autres elle se ralentit. Peter ne
savait pas depuis combien de temps il scrutait la
lumière qui filtrait, légèrement bleutée, à travers les
rideaux, quand il sentit brusquement qu'il faisait
fausse route. Si Thomasina était là, tout allait bien
pour elle. Si elle ne s'y trouvait pas, elle était à Deepe
House, et la meilleure chose à faire était d'aller l'y
chercher.

Il se heurta à un autre creux préparé pour les fleurs,
referma la barrière sans se préoccuper du verrou, et
partit en direction de la demeure. Il avait une lampe
électrique mais ne voulait pas l'utiliser, d'ailleurs, une
fois loin du cottage, le sentier traversait le parc et
n'était guère difficile à suivre. La masse de Deepe
House se dressa devant le ciel, compacte tout d'abord,
puis sous la forme d'un rectangle noir aux deux ailes
raccourcies.

Il pénétra dans la cour, entre les ailes, et s'immobilisa pour écouter et observer. La nuit, ici, était totale,
même l'horizon avait disparu. Un silence absolu. Pas
un souffle, pas un murmure, pas un son, aussi infime
soit-il. Il avait vu l'endroit de jour et savait que les
fenêtres de droite avaient des rideaux, celles de
gauche étant condamnées. Il continua à aller de
l'avant — à cet instant, il ne se rappelait plus si toute
la façade était condamnée, chaque fenêtre protégée du
vent et de la pluie par une planche clouée, ou si quelques-unes avaient conservé leurs vitres.

Il s'aventura plus avant dans la cour, les mains tendues devant lui. Il y avait une porte — il se rappelait
une porte avec un genre de marquise. Oui, c'était bien

celle-là, une marquise flanquée de piliers. Il en touch
un de la main. Il sentit un dépôt froid et visqueu:
Deux marches, lisses et peu élevées, conduisaient
une lourde porte. Il se souvint de l'avoir vue en ple
jour, d'avoir remarqué la trace laissée dans le bo
quand on avait arraché le heurtoir, pour le mettre
l'abri sans doute. Sa main gauche trouva l'endroit
le tâta. Le clou qui maintenait le heurtoir avait lais
un trou profond. Le clou, la trace, tout cela entra
sortit aussitôt de sa pensée quand il comprit souda
que la surface qu'il touchait n'était pas exacteme
face à lui. Cela aurait dû être à plat, mais ça ne l'éta
pas. Cela aurait dû être immobile, mais ça ne l'éta
pas. C'était disposé de biais et n'offrait pas de rési
tance. La porte était entrouverte.

32

Tandis que Peter Brandon observait sa fenêtre, Thomasina suivait le sentier qui traversait le parc. Comme Peter, elle avait une torche électrique dont elle ne voulait pas se servir. C'était inutile car, si la lune était cachée, sa lumière était suffisante pour, dès qu'on s'éloignait des arbres, distinguer la direction de la grande bâtisse et suivre le sentier. Elle n'était pas à mi-chemin du parc qu'elle se souvint avec agacement d'avoir oublié d'éteindre dans sa chambre. Elle s'efforça de penser à Anna, à la colère de Peter, et décida qu'il fallait être d'une lâcheté méprisable pour entreprendre quelque chose et abandonner sous l'effet de la peur.

Stimulée par ces pensées, elle parvint jusqu'à la cour. Ses pieds sentirent la mousse glissante qui en tapissait les dalles. On pouvait marcher sans faire aucun bruit, mais, à chaque pas, une faible odeur de pourriture s'élevait dans l'air.

Insensiblement, elle se dirigea un peu plus vers la droite, car, derrière les rideaux de l'aile située sur sa droite, se trouvaient six personnes — Mr. et Mrs. Craddock, les trois enfants, et Miss Silver. Le chauffage et la lumière venaient de s'éteindre dans les chambres, l'obscurité régnait, le froid commençait à s'installer. Si elle avait appelé, on aurait pu l'entendre.

Pourquoi diable aurait-elle dû appeler ? Et pourquoi donc était-elle venue ici ? Sans doute pas pour rester dans le noir à se demander si Miss Silver l'entendrait si elle poussait un cri... Elle était venue avec l'intention de pénétrer dans la partie inhabitée de la maison. Une pensée horrible ne la quittait pas et elle tenait à en avoir le cœur net : cette demeure cachait-elle oui ou non un effroyable secret concernant Anna Ball ? Cette éventualité, qui, une heure auparavant, lui avait paru extrêmement probable, lui semblait de plus en plus douteuse. La maison n'était qu'une ruine vide. Une odeur humide et désolée en émanait à travers les planches branlantes clouées aux fenêtres délabrées. Elle comprit que si elle s'attardait une minute de plus à cet endroit, elle serait incapable de continuer, ce dont elle se mépriserait toute sa vie.

Elle se détourna de l'aile inhabitée et fit un pas en avant quand quelque chose bougea, au loin sur la gauche. Elle n'avait même pas aperçu ne serait-ce qu'une ombre, et n'avait rien entendu. Mais quelque chose avait bougé. Elle s'immobilisa sur place. Le mouvement se situait au-delà de la cour. Elle en perçut la continuité. Quelqu'un ou quelque chose approchait de la cour. Elle ne voyait ni n'entendait rien, mais quelque chose avançait dans le noir.

L'instant d'après elle en fut certaine. Un pied glissa sur une des marches basses qui menaient à la porte, une lampe de poche s'alluma, la porte s'ouvrit et quelqu'un entra. Elle ne put voir de qui il s'agissait, mais elle était décidée à le savoir. L'éclat de la torche avait brièvement éclairé le bord de la porte avant de disparaître. Cela avait suffi à faire disparaître les neuf dixièmes de ses craintes. Le silence, les ténèbres, le délabrement — dans les profondeurs de son âme, l'être humain perd tout courage devant ces trois éléments. L'homme a toujours craint l'ennemi qu'il ne peut ni voir ni combattre. Thomasina n'allait certainement pas se laisser impressionner par un objet aussi vulgaire qu'une lampe de poche. Ce simple rayon lumineux avait rendu à la situation une dimension plus humaine. Quelqu'un, muni d'une torche électrique, avait pénétré dans la maison et elle allait tenter de découvrir le nom de ce quelqu'un. Un visiteur normal aurait frappé à la porte ou sonné. S'il avait eu une lampe, il s'en serait servi. La personne qui était entrée dans la maison ne voulait ni être vue, ni être entendue, tout comme elle.

Elle s'approcha silencieusement de la porte et la poussa. Comme elle n'avait entendu ni bruit de loquet, de clef tournant dans la serrure, ou de verrou repoussé, elle était pratiquement sûre qu'il lui suffirait de la pousser. Elle s'ouvrit, mais elle eut un bref sentiment de frayeur — devant elle ce n'était que ténèbres baignant dans une forte odeur d'humidité et de moisi.

Les mots sont trop lents. La pensée est tellement plus rapide. Il ne s'était écoulé que quelques secondes depuis qu'elle avait vu l'éclat de la torche, la porte se refermer sur une vague silhouette. Quand elle franchit à son tour la porte, elle eut conscience d'un bruit de pas qui s'éloignait, d'une lumière qui trouait brièvement les ténèbres comme si on venait d'allumer et d'éteindre dans certain couloir permettant de quitter le hall. Elle put ainsi comprendre où elle se trouvait — à l'entrée d'un vestibule menant dans le noir tunnel du hall. Aucun repère, rien que ce tunnel noir s'enfonçant dans la maison et l'impression qu'il y avait un escalier — sentiment très vague, à peine formulé, aussitôt englouti par les ténèbres.

Elle se mit à marcher en direction de l'endroit d'où avait semblé provenir la lumière, les mains tendues devant elle, les pieds tâtonnant sur le sol. Il n'y eut pas d'autre éclair. Quand elle eut effectué environ

une vingtaine de pas, elle ne fut plus très sûre d'alle
dans la direction d'où provenait la lumière. D
l'entrée, elle avait estimé qu'elle provenait plutôt d
côté droit, mais peut-être n'avait-elle pas marché tou
droit. Cela est extrêmement difficile dans le noir. Cer
taines personnes se déportent vers la gauche, d'autre
vers la droite. Garder une trajectoire rectiligne, c'est l
chose la plus difficile au monde.

Elle aurait dû laisser la porte grande ouverte der
rière elle. Cela n'aurait pas éclairé, mais, en se retour
nant, elle aurait pu remarquer la différence entre l
nuit extérieure et les ténèbres intérieures de la maison
ce qui lui aurait permis de se situer. Mais elle avai
laissé la porte comme elle l'avait trouvée, entrebâillé
de deux à trois centimètres — alors, cela lui avait sem
blé un gage de sécurité. La personne qu'elle suivai
aurait pu se retourner et regarder en arrière, o
quelqu'un d'autre aurait pu survenir, et la porte béant
l'aurait trahie.

Elle cessa de marcher, regardant en arrière et écou
tant. Il y eut un bruit — était-ce un bruit ? Une vieill
maison vide n'est pas totalement silencieuse. Ce bru
ne provenait pas de la maison. Il venait de l'autre côt
de la porte laissée entrouverte. Du moins le croyai
elle, sans en être sûre. Mais si quelqu'un venait, ell
ne devait pas se faire surprendre. Elle devait fuir.

Elle s'apprêtait à reposer le pied par terre, quand, e
un éclair, elle fut projetée de l'imaginaire dans le rée
Elle s'était avancée plus qu'elle ne le croyait et s'éta
déportée vers la droite. Si elle avait fait un pas de plu
sa main aurait touché le panneau d'une porte. Ma
elle n'en eut pas le temps car celle-ci s'ouvrit violem
ment et le rayon fulgurant d'une torche électrique l
frappa en plein visage.

33

Un peu avant ces événements, Frank Abbott alluma
le plafonnier de la chambre qu'il occupait à l'hôtel
George, à Ledlington. Après avoir disposé à sa conve-
nance l'abat-jour de sa lampe de chevet, puis ses
oreillers, il saisit le volume d'occasion des poèmes de
Lord Tennyson qu'il avait découvert, ce jour-là, chez
Bannerman's, à Market Square, et en tourna les
pages. Puisque Mr. John Robinson avait fait deux
citations, l'une provenant du début, l'autre de la fin
d'un poème, et que Miss Silver y avait décelé une
signification, qui, pour sa part, lui échappait complètement, il se sentait tenu de résoudre la devinette
qu'elle semblait avoir pris un malin plaisir à lui soumettre.

Il se mit à feuilleter le livre, s'attardant sur les premiers vers de chaque poème jusqu'à ce qu'il tombe
sur *Enoch Arden* - interminable poème, tout en vers
blancs victoriens. Il trouva la première citation :

Là où la crête immense de la falaise, s'effondrant,
A laissé un gouffre, bouillonnant d'écume et de
*   [sable jaune.*

Si, sur le moment, cela ne lui avait fait penser à
rien, il en allait de même maintenant.

Il commença à se plonger dans l'histoire d'Enoch, plein de bonne volonté à défaut d'enthousiasme. En l'absence de Miss Silver, il osait se dire que c'était une lecture d'un ennui mortel. A se demander pourquoi ces longs poèmes narratifs avaient connu le succès. Puis, d'un coup, la lumière jaillit. Il commença, mentalement parlant, à se redresser et à faire attention. C'était donc ça, vraiment ? Certes, rien à voir au sens strict avec l'affaire. Il aurait eu du mal à lui reprocher d'avoir dissimulé des preuves. Mais c'était intéressant — tout à fait intéressant.

Il suivit Enoch sur son lit de mort, et rencontra la seconde citation de Mr. John Robinson :

... et rarement le petit port
Avait connu plus coûteuses funérailles...

Il referma le livre, le posa près de la lampe, et se laissa bientôt agréablement glisser sur la pente douce du sommeil.

Miss Silver, pendant ce temps, était assise dans sa chambre. Elle s'était déshabillée, avait fait sa toilette du soir, lu son chapitre quotidien, et entrebâillé la porte qui permettait de communiquer avec la chambre de Jennifer. Ensuite, elle eut un bref moment d'hésitation, puis enfila sa robe de chambre bleue, bien chaude, ornée d'une passementerie au crochet et s'installa près du chauffage électrique. L'achat, par Mr. Craddock, d'un appareil aussi puissant témoignait d'une prévoyance digne d'éloges. C'était un moyen si pratique, si propre, si confortable de lutter contre le froid et l'humidité des mois d'hiver à la campagne. Après y avoir réfléchi quelques instants elle continua à suivre le fil de sa pensée.

La journée avait été non seulement très intéressante, mais bien remplie. Le malaise de Mrs. Craddock n'avait pas disparu. Non pas qu'elle se fût d nouveau évanouie, mais elle était restée très faible, au bord de la crise de larmes, et n'avait pas tenté de quitter son canapé, ou même de faire quoi que ce soit. Elle ne fit pas d'objection quand on lui suggéra qu'elle serait mieux dans sa chambre. Ce comportement mit Peveril Craddock de très mauvaise humeur. Pour qui avait séjourné avec lui dans la maison, ne serait-ce que quelques jours, il était vain d'espérer le voir se rendre utile, mais la faiblesse de son épouse semblait provoquer chez lui un tel ressentiment que ce fut un immense soulagement quand il annonça qu'il travaillerait tard et qu'il se retira, son repas du soir sur un plateau, dans son bureau du bâtiment principal.

Miss Silver dut ensuite faire dîner et coucher les enfants, s'occuper d'Emily Craddock, la réconforter et la persuader de partager la bonne soupe au lait qu'elle lui avait préparée. Vint ensuite le moment de remettre de l'ordre dans la maison, ce qui est sans doute la plus ingrate et la moins gratifiante de toutes les tâches domestiques. Il n'est donc pas étonnant que Miss Silver eût, pour la première fois, le loisir de faire le point sur les événements des deux derniers jours.

S'il y avait un rapport entre les meurtres commis dans les banques et la Colonie, dont le cœur était Deepe House, à un moment ou à un autre d'infimes indices apparaîtraient, aussi ténus et apparemment inutiles que ces fils de la Vierge, que l'on voit flotter dans l'air, juste après l'aube, les matins d'été. Ils n'ont rien de particulier, on ignore leur origine et on a l'impression de toucher quelque chose dépourvu de substance, qui disparaît aussitôt. Mais ce que l'on a senti une fois, on peut se le rappeler. Sans vouloir pousser trop loin la métaphore, Miss Silver voulait vider son esprit de toute hypothèse et se souvenir de certains épisodes, de conversations, de scènes. Elle savait, par expérience, que la mémoire, pour peu

qu'on ne la sollicite pas et qu'on la laisse produire se
propres images, vous fournissait souvent des détail
passés inaperçus sur le moment. Tranquillemen
assise, les yeux clos, les mains croisées sur le
genoux, elle se rémémora son entretien en ville, ave
Mr. Craddock, son arrivée à Deepe House, son pre
mier contact avec chacun des membres de la famille
Elle avait toujours accordé une grande importanc
aux premières impressions. Avant que l'expérience n
joue son rôle correcteur, on pouvait déjà en retire
quelque chose.

Elle revit sa première rencontre avec Emily Crad
dock, exemple banal et pathétique d'une femm
dominée au point d'avoir abdiqué toute volonté et tou
jugement. Ou presque — à certains moments, l
pauvre hypnotisée reprenait vie et se réveillait à dem
plongée dans une douleur et une terreur inimag
nables.

Jennifer n'était pas hypnotisée. Elle avait ador
Peveril Craddock. Maintenant, elle le détestait et l
craignait — une haine et une peur muettes. Qu
s'était-il passé pour que naissent ces deux sentiment
pour qu'ils se réfugient dans les zones les plu
sombres et les plus secrètes de son esprit ? Ving
années passées à s'occuper d'enfants avaient appris
Miss Silver que si un enfant a très peur de quelqu
chose il n'en parlera jamais.

Les demoiselles Tremlett, Miranda, Auguste
Remington, Mr. John Robinson — avec tous, ell
avait pu se faire une impression, nette et précise, lo
de leur prise de contact. Les images défilèrent dan
son esprit avant de disparaître.

Quand elle en eut fini avec eux, elle fit le vide pou
celui qu'elle avait gardé pour la fin, le meurtrier de
banque, rapidement entraperçu dans la rue. Elle s
revit marchant dans le couloir du bus et posant le pie

sur le sol. Deux personnes seulement se dirigeaient vers la gare, des femmes d'un certain âge, portant des paniers à provision. Les autres passagers, sept ou huit, partaient dans la direction de High Street. Elle les avait laissé prendre de l'avance, car elle ne voulait pas être vue en compagnie d'un beau jeune homme, au volant d'une voiture. Elle avait ouvert son sac et fait mine de consulter ce qui aurait pu passer pour une liste de commissions. Quand le dernier passager eut quitté la cour de la gare, elle commença à gravir à contresens la rampe qui y menait, et elle en était à la moitié, quand elle fut dépassée par l'homme aux bandages. La scène lui revint avec netteté — la claudication, la main gantée tenant la canne. Une toute petite déchirure, triangulaire, apparaissait entre l'index et le majeur. Elle ne s'en était pas souvenue jusqu'alors, mais l'image de sa mémoire la lui montrait. A cet endroit, la couture était défaite, formant comme un triangle. A sa gauche, trois points étaient distendus et un bout de fil pendait. C'est la main gauche qui s'appuyait sur la canne. Sur la tête, son bandage lui faisait une sorte de coiffe, couvrant toute la chevelure et la majeure partie du profil droit. Le col du vieil imperméable trop grand était remonté. Comme il l'avait dépassée sur sa gauche, elle n'avait vu que son côté droit. Son profil droit — rien qu'un gros bandage — le col de l'imperméable dissimulant le cou et le menton — une manche ample et une main gantée. La main tenait une mallette. C'était tout ce qu'elle avait observé sur le côté qu'il lui offrait — le droit. Le bandage lui entourait l'autre côté de la tête, sans qu'elle puisse le voir, le col de l'imperméable était relevé, la manche pendait, et une main gantée s'appuyait sur une canne. Elle n'avait rien vu d'autre et ne put se souvenir d'autre chose. L'image était bien là, dans son esprit, mais sans fournir de détails supplémentaires.

Elle commença à s'intéresser à la canne. Elle était des plus communes — d'un bois foncé uni, avec une crosse pour poser la main. De nos jours, très peu d'hommes utilisent une canne. Mais le meurtrier voulant se faire passer pour un homme blessé, la canne était donc un accessoire important de son déguisement. Cependant, il l'avait sans doute toujours sous la main, il devait l'avoir encore. Car il s'agissait d'une vieille canne, qui montrait des traces d'usure autour de la virole. Il ne l'avait pas achetée à cette occasion. Elle lui appartenait. Il l'avait donc probablement toujours. N'importe qui pouvait posséder une telle canne. C'était un modèle trop répandu pour constituer un danger pour son possesseur. Un modèle si peu original qu'il ne fournirait aucun détail permettant de l'identifier formellement. Tout au plus pouvait-on estimer qu'il donnait légèrement plus de valeur à un autre indice, bien plus significatif.

Quel indice ? Elle continuait à étudier l'image que lui présentait sa mémoire, quand lui revint soudain un écho qui datait d'à peine deux jours — Maurice et Jennifer se chamaillaient.

— Il porte toujours des gants.

— Il a peur de s'abîmer les mains.

Et Benjy de s'en mêler :

— Moi, j'ai pas peur d'abîmer mes mains !

Maurice avait alors ri bruyamment et grossièrement :

— Toi, faudrait d'abord que tu aies quelque chose à abîmer !

Cela ne menait nulle part. Une bribe de conversation entendue par hasard, sans qu'aucun nom soit prononcé. Quelqu'un qui portait des gants, sans plus. Un homme. Le gant dans l'image de l'homme au bandage, le gant de la main gauche qui serrait la crosse de la canne — un vieux gant en peau de chamois, aussi vieux et usé que la canne — un gant tellement disendu à force d'être porté que la couture entre l'index et le majeur s'était défaite. Le bout de fil qui dépassait, en formant une boucle, du petit accroc triangulaire était vieux et sali. Oui, c'était un vieux, vieux gant. Si l'on pouvait trouver à qui appartenaient cette canne, et ce gant...

Elle en était à ce point de sa réflexion quand un coup de feu assourdi fit voler en éclats l'image et brisa le silence.

34

A la campagne, il n'est pas rare d'entendre un coup
de feu, même au beau milieu de la nuit. Si Miss Silver
était née et avait été élevée à la campagne, elle
n'aurait guère prêté attention à cette détonation. Peut-
être n'y aurait-elle prêté aucune attention du tout.
Mais il y avait une telle concomitance entre ce bruit et
ses pensées qu'elle en resta tout interdite. Citadine
confirmée, elle avait néanmoins souvent séjourné à la
campagne et, si le manque d'habitude l'empêcha de
se montrer indifférente à ce coup de feu, la finesse de
son ouïe lui permit de deviner qu'il n'avait pas été tiré
en plein air. La détonation n'avait pas claqué, elle
n'était pas assez franche. Il avait probablement été
tiré entre les quatre murs d'une des pièces de Deep
House. Elle ouvrit sa porte et se tint debout, aux
aguets.

Une faible lueur provenait du palier de l'escalier.
Au-delà, le couloir menant au bâtiment principal était
plongé dans l'ombre. Le silence était total.

C'est alors que retentit la seconde détonation.

Cette fois, on ne pouvait douter de sa provenance.
Cela venait de derrière le mur qui séparait l'aile habi-
tée de la partie abandonnée. Elle perçut un mouve-

ment dans son dos et sentit la main de Jennifer sur son bras.

— Retournez vous coucher, mon enfant. Votre mère dort, dit-elle d'une voix calme mais ferme.

— C'était un coup de feu !

— Je pensais qu'il s'agissait de Mr. Robinson. Il est souvent dehors la nuit, n'est-ce pas ?

— Il ne tire pas, répondit-elle à voix basse, avec une note de mépris. Il ne *tue* pas, il ne fait qu'observer. Ce coup provenait de la maison. Qu'est-ce que vous allez faire ?

— Je vais m'assurer que tout va bien.

Jennifer lui répondit par une sorte de chuchotement véhément.

— Vous ne pourrez pas y aller. Il ferme la porte à clef. Elle est toujours fermée. Moi, j'ai la clef. Je l'ai trouvée. Il l'avait laissée dans la serrure. Il n'a jamais su où elle était passée. J'y suis allée... une fois.

La main qui agrippait le bras de Miss Silver était aussi dure et froide que de la glace. Elle était trop rigide pour trembler. D'une voix très lente, frissonnante, Jennifer dit :

— J'ai... vu... la... main.

Et d'ajouter :

— La main de Clarice... celle qui a été coupée net... je l'ai vue.

— Ma chère, si vous avez une clef, voudriez-vous bien me la donner ? Rapidement.

— Il a dû croire qu'elle était tombée de sa poche, dit Jennifer de la même voix tendue. Il m'a demandé si je l'avais vue, je lui ai menti.

— Ma chère, la clef ! Et *vite* ! Vous m'avez assez fait perdre de temps !

La pression de la main sur son bras se détendit. Jennifer était partie, sans un bruit, et elle était revenue, sans bruit aucun. Elle tendit la clef.

— Vous ne pouvez pas y aller ! dit-elle.

Miss Silver lui prit la clef des mains.

— Mais bien sûr que si ! Et j'aimerais que vous m'aidiez. Pourriez-vous vous glisser dans la chambre de votre mère et demeurer auprès d'elle jusqu'à mon retour ? Cela ne lui ferait aucun bien d'être dérangée. Je vous demande de ne pas la laisser seule. Prenez un édredon pour ne pas attraper froid.

Elle alla chercher elle-même l'édredon, ouvrit la porte de la chambre de Mrs. Craddock, fit entrer Jennifer. Une veilleuse brûlait sur la table de toilette, et un petit radiateur électrique fonctionnait. La chambre était tranquille et bien chauffée. Mrs. Craddock dormait de ce sommeil qu'on dit à très juste titre réparateur. Miss Silver referma la porte, traversa le palier et emprunta le sombre couloir qui conduisait aux pièces abandonnées. Dans la poche de sa robe de chambre elle avait mis l'excellente torche qu'elle emportait toujours à la campagne. Dans les vieilles demeures l'électricité tombait parfois en panne de façon inopportune. Il était hors de question de risquer un accident dans une maison endommagée par un bombardement.

Elle tourna la clef dans la serrure, entra, sans refermer la porte derrière elle. Il n'y avait pas de commutateur électrique, mais, à la lumière de sa lampe, elle découvrit un court passage menant à un petit palier puis à un escalier qui descendait. Tout en descendant silencieuse dans ses pantoufles de feutre, elle était consciente de l'atmosphère de ruine poussiéreuse qui se dégageait — murs sur lesquels pendaient des bandes de papier peint, trous dans le plâtre, odeur humide suggérant la présence d'araignées et de souris. Elle avait les nerfs solides et ne manquait certes pas de courage, mais elle avait une sainte horreur des araignées. Plusieurs, très grandes, étaient collées sur le murs rongés par l'humidité, et, après avoir franchi la dernière marche, comme elle suivait l'un des couloirs du rez-de-chaussée, quelque chose couina et détala. Elle espéra vivement qu'il ne s'agissait que d'une souris.

Le couloir donnait sur un vestibule. Devant elle, d'autres couloirs, d'autres portes. Elle éteignit sa lampe et resta immobile à contempler les ténèbres. D'abord, elles semblèrent impénétrables, tel un rideau noir devant les yeux. Puis une légère, très légère impression que le noir était moins noir. Elle faisait face au fond du hall et, en un endroit, les ténèbres étaient moins opaques. Une faible lueur venait d'un des couloirs donnant sur la droite. Comme le parquet lui avait paru solide, elle se dirigea vers cette lueur, le doigt sur le bouton de sa torche.

Il lui fallut environ une vingtaine de pas pour atteindre l'entrée du couloir. La lueur, d'abord très faible, devint un peu plus vive, la lumière plus concentrée. Elle avança encore d'un pas et découvrit ce qui en était la cause. Au milieu du couloir se trouvait une forme faiblement éclairée. Cela était suspendu dans l'air et remuait. Cela avait la forme d'une main — d'une main cherchant à l'aveuglette.

Miss Silver enfonça le bouton de sa lampe et dirigea le rayon lumineux sur la main suspendue. Sa propre main ne bougea ni ne trembla.

A la lumière très blanche de la torche, Miss Silver découvrit un plafond couvert de taches et des murs sales. La main était suspendue au plafond par un cordon élastique — c'était une main moulée dans une sorte de matière plastique translucide, éclairée de l'intérieur. Du beau travail — les doigts, légèrement tendus en arrière, comme s'ils tâtonnaient avant de s'emparer de leur proie, la lumière, très intelligemment disposée de manière à suggérer plus qu'elle ne montrait. De la belle ouvrage, sans aucun doute, idéa lement pensée pour perpétuer la légende des Everly e tenir à distance les intrus.

En examinant la chose de plus près, elle vit que l cordon était fixé au niveau du parquet, puis remonta le long du mur, jusqu'au crochet du plafond qui soute nait le tout. La main pouvait donc être installée pa tout dans la maison où on trouvait un point de fixa tion. Elle se demanda où Jennifer avait bien pu l rencontrer.

Toutes ces pensées avaient surgi dans son espr avec une extrême rapidité. De fait, il ne s'était pa écoulé plus de trois minutes depuis qu'elle ava refermé la porte de la chambre d'Emily Craddoch Elle considéra le couloir devant elle et découvrit un porte sur la gauche. Elle perçut une présence humain derrière cette porte. Elle éteignit de nouveau sa lamp avança et tourna la poignée.

Elle avait promis à Frank Abbott de ne pas prendr de risques. Il ne lui vint même pas à l'esprit qu'el était en train d'en prendre un. Plus tard, quand il le l reprocha, elle fit tout simplement remarquer qu'el n'avait pas vu les choses sous cet angle-là.

— Vous auriez donc fait preuve de moins de per picacité que d'habitude ?

— Mon cher Frank !

— Mais enfin ! Qu'espériez-vous trouver derriè cette porte ? Logiquement, cela ne pouvait être qu'u seule personne : le meurtrier.

Sur le moment, bien qu'elle fût certaineme consciente de cette éventualité, elle ne considéra pa cela comme une prise de risque. Elle se sentait e pleine confiance, et capable de se tirer de n'impor quelle situation.

Elle tourna la poignée et la porte s'ouvrit sur u pièce éclairée. On y voyait un bureau, des chaises, d livres. D'épais rideaux, un tapis moelleux, et un puissant radiateur électrique. Il y avait une longue traînée de sang sur le tapis.

Le sang provenait du corps de Peveril Craddock. Il était étendu face au bureau. Une chaise était renversée par terre. Un revolver était posé près de la main droite, grande ouverte.

Mr. Peter Brandon était penché sur le corps.

35

Totalement aveuglée, Thomasina étouffa un cri et se protégea les yeux de la main. La plupart des femmes auraient crié, mais elle était très maître de ses nerfs. Un cri risquait d'être entendu, pas ce hoquet de surprise.

A peine avait-elle levé la main qu'on lui saisit le poignet, la tirant dans la pièce. La personne qui tenait la lampe détourna le faisceau de lumière de ses yeux et claqua la porte d'un coup de pied. Le bruit résonna dans la pièce vide et se répercuta entre les murs nus, suivi aussitôt d'un autre, plus sec, plus net, plus horrible — le bruit d'une détonation.

Sur le moment, Thomasina n'identifia pas ces bruits. Elle était incapable de penser. Elle regarda, respira profondément, avant de s'exclamer :

— Anna !

L'emprise sur son poignet se resserra.

— Dépêche-toi... dépêche-toi... nous n'avons pas le temps !

On la tirait vers une porte de l'autre côté de la pièce. Il y avait de la poussière partout — en tapis moelleux sur le sol, formant un nuage irrespirable dans l'air, et dansant en millions de particules sous le aisceau de la lampe. Et la voix d'Anna, et la main 'Anna sur son poignet.

Pendant un court instant, son esprit resta sans réac-on. Elle était venue chercher Anna et l'avait trouvée. Elle n'aurait pas dû ressentir un tel choc, mais c'était e cas. Après tout, elle savait qu'elle n'avait jamais réellement cru qu'Anna puisse être à Deepe House — lle n'avait jamais pensé la trouver. Elle s'était dispu-ée avec Peter parce qu'il voulait la voir partir. Pour ester, elle avait inventé cette fable ridicule : Anna nfermée dans une cave. Puis elle avait eu le courage e venir vérifier. Elle avait pris le risque, mais elle ne 'attendait pas à trouver quelque chose.

Et, maintenant, c'était vrai. Non pas la cave, mais Anna — Anna qui fuyait — la voix d'Anna, dure, ressante.

— Vite, vite... nous parlerons plus tard ! Pas le emps maintenant ! Nous avons à parler !

Ce fut une autre pièce poussiéreuse, un couloir, une orte ouverte et claquée, puis le garage de Peveril Craddock.

Anna Ball éteignit sa lampe et alluma le plafonnier. lles avaient quitté la partie en ruine et délabrée de la aison pour pénétrer dans ce qui avait dû être un arage de la proche campagne — sol cimenté, murs assés à la chaux, établi avec des outils, bidons 'essence et de lubrifiants, deux pneus de secours, et ne petite voiture ordinaire. Un endroit absolument anal.

Mais, quand Anna se retourna, après avoir fait de la mière, tout changea. Car elle avait devant les yeux ne Anna qu'elle n'avait jamais vue auparavant. Ce 'était pas seulement à cause de ses vêtements — et ourtant, Anna en pantalon et pull rouge flamboyant, 'était déjà quelque chose de peu ordinaire, pour celle ui l'avait si bien connue dans le passé —, c'était le

personnage d'Anna en lui-même. La fille lourde e
déprimée, au teint cireux, qui s'accrochait à se
basques avait disparu. Elle avait devant elle une jeun
femme élancée, pleine d'énergie, à la chevelure abon
dante mise en valeur par une permanente récente, a
visage portant un fond de teint d'une pâleur veloutée
les lèvres d'un rouge éclatant, une lueur incendiair
dans les yeux. Ses yeux avaient toujours été c
qu'Anna avait de plus beau. Peter avait été mauvais
langue quand il avait prétendu qu'ils louchaient. Il
étaient d'une belle couleur gris sombre, surmontés d
grands cils, et vous regardaient d'un air quelque pe
songeur. A cet instant, ils n'étaient pas du tout son
geurs. Ce qui couvait en eux venait d'éclater. E
c'était de la haine — une haine brute et incontrôlable

Personne n'aurait pu s'y tromper. Tout d'abor
Thomasina ne ressentit que de la surprise. Commer
Anna pouvait-elle la regarder ainsi ? Elles, qui avaier
toujours été amies ! Elle, dont elle avait toujours été l
seule amie ! Elle avait pris sur elle d'être son amie, l
seule, pendant toutes ces années au lycée et à l'uni
versité, elle avait tout supporté, les scènes d'auto
apitoiement, les réactions blessantes, les crises d
jalousie ou de sentimentalité qui étaient la conceptio
que se faisait Anna de l'amitié. Tout cela pour en arri
ver là ! Et pourquoi ?

Elle n'allait pas tarder à l'apprendre. Insensible
ment, elle se recula et s'adossa au mur. Anna ne bou
geait pas, à un ou deux mètres, le regard haineux. Ell
se mit à parler d'une voix parfaitement inconnue d
Thomasina. Elle jubilait. Elle se délectait — elle s
délectait de la haïr et de pouvoir le lui dire. Car c'es
ce qu'elle était en train de faire.

— Je t'ai toujours détestée... toujours... toujours.
toujours ! Pourquoi ? Serais-tu donc assez stupid
pour ne pas le savoir ? Tu avais tout, et je n'avais rie

— sauf ta misérable charité ! Tu avais tout ce que je désirais, et, de temps en temps, tu me faisais l'aumône — tu me faisais l'aumône d'une robe que tu n'aimais plus, ou d'un chapeau dont tu ne voulais plus ! Sans cesser de te goberger de ta grande générosité — et de la reconnaissance que je te devais !

Thomasina leva la tête et affronta ce regard haineux.

— Non, Anna ! Oh, *non* !

Anna Ball éclata de rire.

— Mais bien sûr que si ! C'est tellement agréable ! Et ça ne coûte rien — juste quelques affaires dont on veut se débarrasser, et on se sent la reine du monde, et comme on est généreuse et magnanime ! « Cette pauvre Anna... je dois être gentille avec elle. » Crois-tu que je ne t'ai pas surprise des centaines de fois en train de le penser ? Oh, comme elle a de la chance, cette pauvre Anna que personne n'aime, d'avoir une amie comme Thomasina, si riche et si gâtée par la vie, et si prévenante !

— Anna... *s'il te plaît* ! Tu ne sais pas ce que tu dis.

De nouveau, Anna fit entendre son horrible ricanement.

— Ma chère Thomasina, je sais parfaitement ce que je dis ! Cela fait si longtemps que j'y pense, tu ne sais pas le plaisir que ça me fait ! Et maintenant, tu vas m'écouter ! J'ai trop souvent dû supporter tes prêches et tes airs suffisants.

— Ce n'était pas mon intention.

— Oh, mais bien sûr que non... mais c'est ce que tu as fait ! A mon tour maintenant ! Il ne t'est jamais venu à l'esprit que la pauvre Anna pouvait faire quelque chose de sa vie, après tout... qu'elle pouvait avoir un amant, et vivre une vie qui en valait la peine — excitation, aventure, et un homme qui lui donnerait tout cela !

— Mr. Sandrow, dit Thomasina d'un air grave.

— Je vois que cette pauvre idiote d'Emily Craddock a parlé !

— Anna, on te croyait morte. Pourquoi m'as-tu laissé le croire ? Pourquoi n'as-tu pas écrit ?

— Parce que ça m'arrangeait. Parce que Mr. Sandrow...

Le nom fut dit avec un inflexion ironique.

— ... parce que Mr. Sandrow et moi profitions bien de la vie et que nous voulions éviter que tu ne viennes fourrer ton nez et semer la pagaille dans mes affaires. Maintenant j'ai des habits à moi, j'ai de l'argent, et j'ai un homme ! Crois-tu que j'ignorais que tu demandais à tes amis de danser avec moi ? Je pourrais tout te pardonner, sauf ça, jamais !

Son visage était déformé par la rage. Puis le regard de triomphe réapparut.

— Mais, vois-tu, désormais tu ne seras plus *recherchée*.

C'est au cours de cette diatribe que survint la seconde détonation. Anna l'entendit. C'est alors que la lueur triomphale réapparut. Elle releva la tête et son intonation se durcit.

Thomasina aussi l'entendit, mais sans y prêter attention. Pas de manière consciente. Elle l'entendit et un frisson glacé la parcourut, mais sa pensée ne s'y attarda pas, pas encore. C'était un coup de feu. Elle ne fit pas le rapport avec elle ou Anna. Anna — son esprit était entièrement occupé par Anna. Elle avait été choquée, au sens propre du terme. Elle n'avait pas peur. Pourquoi avoir peur d'Anna qu'elle connaissait depuis si longtemps et si bien ?

En fait, elle ne l'avait jamais connue. Sous son apparence maussade et peu loquace, qui, pensait-elle, témoignait de douleurs qu'elle avait tenté d'atténuer en faisant preuve de toute la gentillesse et de tout l éconfort dont elle était capable, se dissimulait une jalousie et un ressentiment pathologiques. Elle n'avait pas peur — pas encore —, mais elle savait, maintenant, qu'il y avait quelque chose dont elle devait avoir peur.

— Je suis désolée, Anna, dit-elle sobrement, tranquillement. Je ne savais pas, je vais m'en aller.

Elle tendit la main en arrière pour trouver la poignée de la porte. Son instinct lui commandait de ne pas tourner le dos à Anna.

Celle-ci mit la main dans la poche de son pantalon et en ressortit un revolver — une de ces petites choses qui ressemblent à un jouet mais qui peuvent expédier dans l'autre monde une demi-douzaine de personnes. Elle pointa l'arme sur Thomasina.

— Sûrement pas, dit-elle. Si tu touches cette poignée, je tire ! Je ne te tuerai pas, parce que je n'en ai pas encore fini avec toi. Je te briserai l'épaule. Je tire à la perfection — encore une chose que tu ignorais. J'ai appris en Allemagne, où j'ai rencontré Mr. Sandrow. C'est lui qui m'a appris — ça, et d'autres choses. Je peux t'en dire quelques-unes. Si le monde te frappe, redresse-toi et rends-lui ce qu'il t'a fait. Si tu n'as pas d'argent, prends-le où il se trouve. Si quelqu'un te gêne, tue-le. C'est facile à apprendre quand tu as détesté les gens toute ta vie. Je suis donc entrée en Angleterre où j'ai attendu qu'il prépare ses plans, puis je suis venue ici. Bien sûr, Emily Craddock était d'un ennui insupportable — et ses horribles gosses ! Mais je m'éclipsais en douce et rencontrais Mr. Sandrow...

Ici encore, sa voix prit une intonation ironique.

— Et puis, comme tu le sais, ça n'a pas tardé. Notre disparition a été organisée de main de maître, n'est-ce pas ? Moi et mon chapeau rouge, quittant Dedham, et pratiquement toute la Colonie qui me voit

279

partir dans la voiture de Peveril. Et puis, à la gare j'étais si nerveuse et déprimée que le chef de gar s'est inquiété, et Peveril lui a dit que j'étais un névrosée, et que tout le monde était bien content qu je m'en aille. Tu sais, je ne suis pas allée très loin. J'a fourré le chapeau rouge dans ma valise, noué un mou choir autour de ma tête et j'ai profité de la premièr correspondance. Je ne te dirai pas où je suis allée mais ce n'était pas à plus de cent cinquante kilomètre d'ici. Avec Mr. Sandrow, nous avions tout prévu. E maintenant, je suppose que tu aimerais savoir qui est vraiment. Tu seras surprise. Tu as droit à troi réponses. C'est quelqu'un que tu connais. Tiens... j viens de te donner un indice! Quelqu'un que t connais très bien. Allez, Thomasina... tente ta chance

Les lèvres de Thomasina disaient : « Non. » So esprit disait : « Elle ne me raconterait pas tout cela s elle avait l'intention de me laisser partir. »

Tout à l'heure elle n'avait pas réussi à trouver l poignée de la porte. Elle était suffisamment près d mur, mais trop décalée d'un côté. Maintenant, si ell bougeait ou essayait d'atteindre la poignée, Anna lu tirerait dessus. Même si elle n'était pas un tireu d'élite, elle pouvait difficilement la manquer. Il n' avait rien d'autre à faire que gagner du temps.

Rien ne pouvait l'y aider. Elle était seule ave Anna, dans cet endroit désert, et personne ne sava qu'elle s'y trouvait. Elle pensa à Peter. Il lui sembl qu'elle l'avait connu il y a longtemps, dans un pay éloigné. Leur dispute lui parut aussi stupide que futil

La voix d'Anna interrompit ses pensées.

— Si tu ne devines pas, je vais te le dir Quelqu'un que tu connais vraiment bien. Est-ce qu tu savais comme il est bon tireur, ou est-ce qu'il te l' caché ? Je crois qu'il y a pas mal de choses que t ignorais sur lui. Tu croyais qu'il te suffisait d'un cla quement de doigts pour le faire accourir, pas vrai ? Il prétendait ne pas m'aimer. Tu ne te doutais pas à quel point c'était un bon acteur, et tu ne te doutais pas qu'il était à moi. Pas à toi, ma chère Thomasina... à moi... à *moi* .

« Elle est folle, pensait Thomasina, c'est épouvantable, mais elle est folle. Elle ne sait plus ce qu'elle dit. »

— Anna, s'il te plaît, arrête. Je ne sais plus où j'en suis. Je ne sais pas de quoi tu parles et je ne crois pas que tu le saches non plus. Il est horriblement tard. Je vais me coucher.

Anna fit un pas en avant. Si elle approchait encore un peu, elle avait une chance de lui attraper le poignet et de lui arracher le revolver.

Mais Anna s'immobilisa. Elle énonça, d'une voix menaçante :

— Oh, non, il n'en est pas question ! Tu vas faire exactement ce que je vais te dire, et quand j'en aurai fini avec toi — quand j'en aurai vraiment fini avec toi — tu pourras dormir, aussi longtemps que tu voudras.

Elle ricana et changea de ton.

— Je te parlais de Mr. Sandrow, n'est-ce pas ? Tu devrais être contente puisque tu cherchais à te renseigner à son sujet. Comme la police. Ils donneraient cher pour savoir ce que je suis en train de te raconter, mais tu n'auras pas l'occasion de le leur répéter. Mr. Sandrow est un homme très intelligent, et il sera bientôt très riche. Il peut disposer de quelques milliers de livres chaque fois qu'il lui en prend l'envie, il lui suffit d'entrer dans une banque et de les demander. Et tu sais la meilleure ? On ne lui dit jamais non — c'est un trop bon tireur. Puis nous filons ensemble avec l'argent — tu ne savais que j'étais une aussi bonne conductrice, n'est-ce pas ? Il saute dans la voiture et nous partons, et ces flics stupides n'ont aucun indice. La première fois, à Enderby Green, j'étais déguisée en garçon, avec un maquillage très sombre, un cache-nez vert et un chapeau noir. A Ledlington j'étais une belle blonde — j'ai une perruque magnifique. Et un jeune homme qui passait aurait bien aimé me faire la causette. J'attendais devant la banque. Bien sûr, je ne l'ai pas laissé me dévisager. J'ai fait mine d'arranger mes cheveux, me cachant le visage de la main. Pour te dire comme j'ai les nerfs solides, elle n'a pas tremblé du tout. Puis Mr. Sandrow est ressorti de la banque, et nous sommes partis. Allez, dis-le-moi maintenant... tu n'as pas deviné son nom?... pas encore? Franchement, je ne te croyais pas si bête. Eh bien, c'est Peter... Peter... Peter Brandon... que tu croyais avoir mis dans ta poche! Tu ne peux pas savoir comme ça nous a fait rire, lui et moi! A ton tour maintenant! Tu ne trouves pas que c'est une bonne blague? A toi de rire, Thomasina... je veux t'entendre rire... rire... *rire*

36

En entendant la porte s'ouvrir, Peter Brandon lâcha
e poignet de Peveril Craddock et se releva. Il vit Miss
Silver en robe de chambre bleue, garnie d'une passementerie blanche crochetée, les cheveux impeccables
dans la solide résille en soie qu'elle portait la nuit,
'air grave et interrogateur. Quand il se tourna, elle lui
demanda, avec calme et sérieux :

— Que faites-vous ici, Mr. Brandon ?

Il aurait été en droit de lui retourner la question,
mais cela ne lui vint pas à l'esprit. Il se sentait dans la
peau du garçonnet de huit ans qu'on surprend la main
dans le buffet aux confitures.

— Je cherchais Thomasina.

— Est-elle ici ?

— Je ne sais pas. Je craignais qu'elle n'y soit.

Miss Silver toussota légèrement.

— Nous parlerons de cela plus tard. Mr. Craddock
est-il mort ?

— Je crois que oui. Il ne l'était pas quand je suis
arrivé, mais je ne sens plus le pouls.

Elle s'avança dans la pièce, s'agenouilla, et
comprit, après avoir saisi le poignet, que le pouls ne
battrait plus jamais. Elle laissa passer quelques
secondes.

— C'est fini, dit-elle. Il est mort. Depuis combien de temps êtes-vous ici ?

— J'étais venu en quête de Thomasina. Cet après midi, elle a laissé entendre qu'Anna Ball pouvait être ici, enfermée dans une cave. J'ai trouvé cela absurde et nous nous sommes disputés. Je voulais qu'elle s'en aille. Je pensais que...

— Mr. Brandon, je vous ai demandé depuis combien de temps vous êtes ici.

Il la regarda fixement.

— Je la cherchais et la porte était entrouverte. À peine étais-je dans le couloir qu'il y a eu un coup de feu. Je ne saurais vous dire où. J'ai essayé deux couloirs avant de trouver celui qui conduit à cette fausse main. Je la regardais quand le deuxième coup de feu est parti, de cette pièce. J'ai ouvert la porte en un rien de temps, mais il n'y avait plus personne, sauf Craddock. Je devais tenter de faire quelque chose pour lui. J'ai essayé d'arrêter l'hémorragie avec mon mouchoir.

Miss Silver avait déjà remarqué le mouchoir. Peveril Craddock portait une de ces blouses amples qu'il affectionnait, couleur bleu foncé. On l'avait ouverte en la déchirant sur la poitrine, et le mouchoir de Mr Brandon faisait tampon entre la blouse et le gilet qui se trouvait au-dessous. Ce mouchoir était rouge foncé, et on ne se rendait pas compte tout de suite de son degré d'imprégnation.

— Était-il conscient ? A-t-il parlé ? demanda-t-elle

Il secoua la tête.

— Le pouls était très faible. S'il respirait encore, il était pratiquement mort.

Miss Silver avait consulté sa montre après la seconde détonation. Elle l'avait de nouveau consultée avant d'ouvrir la porte de la pièce. A l'entendre, Peter Brandon était demeuré seul avec le mort, ou le mou

284

rant, moins de trois minutes, temps mis à profit, dans un souci d'humanité bien compréhensible, pour tenter de freiner l'hémorragie de la ou des blessures. A l'entendre...

Peut-être disait-il la vérité, peut-être pas. Il y avait eu deux détonations. Il pouvait être là lors de la première, et un peu avant aussi. Elle suspendit son jugement. Elle avait enregistré tous les détails de la scène.

A la façon dont la chaise était renversée, on aurait dit que Peveril Craddock était assis à la table de travail. Du côté du bord le plus éloigné de la table se trouvait une autre chaise, poussée dans un coin de la pièce. Sa position semblait indiquer que quelqu'un s'y était assis pour discuter avec Mr. Craddock. Ils avaient discuté, puis, après certaines paroles, ou certains gestes, deux hommes, installés dans une pièce confortable, de part et d'autre d'une table, étaient devenus pour l'un victime, pour l'autre son meurtrier. Tous les deux avaient bondi, et Peveril Craddock s'était si violemment reculé que sa chaise s'était renversée. L'autre homme lui avait tiré dessus. Si sa victime était tombée après le premier coup de feu, le meurtrier avait dû contourner la table et se tenir au-dessus de lui pour s'assurer qu'il était mort.

Elle tenta d'évaluer l'intervalle entre les deux coups de feu. Elle avait sursauté. Elle avait écouté. Elle s'était levée de sa chaise, avait glissé la lampe dans la poche de sa robe de chambre, s'était approchée de la porte, écoutant, immobile. Qu'avait-il bien pu se passer dans cette pièce pendant tout ces faits et gestes ? Peveril Craddock est tombé. Le meurtrier doit s'assurer qu'il est bien mort. Il contourne la table. Il n'est pas encore mort, il remue. Il tire une seconde fois. Oui, cela avait dû se passer ainsi. Si Mr. Brandon était le meurtrier, l'arme devait se trouver dans la pièce. S'il était le meurtrier, il n'avait aucune raison de s'attarder sur le lieu du crime ou d'essayer d'arrêter l'hémorragie. Entre le moment où elle eut toutes ces pensées et celui où elle parla il ne s'était même pas écoulé quelques secondes.

— Je vois qu'il y a un téléphone sur la table. Il faut immédiatement informer la police.

Elle appela l'hôtel de Frank Abbott. L'irritante et insistante sonnerie du téléphone le tira d'un lourd sommeil sans rêves. Son « Allô? » trahissait l'homme à moitié endormi. La voix de Miss Silver lui fit l'effet d'une douche glacée.

— L'inspecteur Abbott?

Il sursauta, complètement éveillé.

— Miss Silver! Que se passe-t-il?

— Peveril Craddock a été abattu — ici même dans son bureau de Deepe House, dans le corps principal du bâtiment. La porte de devant est entrouverte et, quand vous avancerez dans le couloir, vous verrez un couloir éclairé, à votre droite. Le bureau est tout au bout. Mr. Brandon est avec moi. Inutile de vous dire de faire vite. Que l'inspecteur Jackson demande un mandat de perquisition pour toutes les maisons de la Colonie. Il faut rechercher une canne en bois plein avec poignée, et le gant de la main gauche, en peau de chamois, avec un accroc triangulaire entre l'index et le majeur. On peut venir d'un instant à l'autre. Je raccroche.

Tout en reposant le récepteur, elle se tourna vers Peter Brandon et s'aperçut qu'il la considérait très attentivement.

— Pourquoi lui avoir signalé ma présence?

— Parce que c'est un fait, Mr. Brandon, et je crois que la police voudra en connaître la raison.

— Je vous l'ai dit. Je cherchais Thomasina.

— Avez-vous une bonne raison de penser qu'elle est ici?

Plus il essayait de s'expliquer, moins cela semblait convaincant, et il devint évident que la raison n'y était pour rien. Lui-même se surprit à penser : « Celui qui me raconterait une fable pareille, je le traiterais d'imbécile et de menteur... »

Il ne trouvait plus ses mots. Miss Silver le considérait pensivement.

— Vous vous faisiez du mauvais sang pour Miss Elliot parce que vous craigniez qu'elle ne se mette dans la tête de fouiller Deepe House pendant la nuit. Vous avez quitté votre chambre en passant par la fenêtre et vous vous êtes rendu chez les Tremlett, où vous avez vu qu'il y avait encore de la lumière dans une chambre. Quand vous en avez eu assez de la contempler, vous êtes venu à Deepe House.

Ainsi raconté, cela semblait encore pire qu'il l'avait imaginé. Un enfant demeuré aurait pu inventer une histoire plus vraisemblable. Il avait l'impression que Miss Silver lisait en lui à livre ouvert. Le sang lui monta au visage. Ses oreilles le brûlaient.

— Il est très facile de savoir si elle est chez elle. Il suffit d'appeler les sœurs Tremlett, dit-elle, conciliante.

Ce fut Miss Gwyneth qui répondit. Elle semblait énervée et fâchée.

— Mon Dieu !... mais que se passe-t-il ?... Miss Silver ? Rien de grave, j'espère ? Nous sommes au beau milieu de la nuit tout de même... Miss Elliot ? Ha !... Mais bien sûr qu'elle est là ! Où pourrait-elle être à une heure pareille ? Franchement, Miss Silver... Bien, bien, si vous insistez. Mais je dois vous dire que...

Elle ne le dit pas car, à ce moment, Miss Gwyneth posa le récepteur, trouva ses pantoufles, referma d'un geste brusque sa robe de chambre, s'engouffra dans un couloir, ouvrit toute grande la porte de la chambre de Thomasina.

Personne.

Le lit n'était pas défait. Aucun des vêtemen(
qu'elle portait. Ni chaussures ni manteau.

C'est une voix extrêmement effrayée qui repr
contact avec Miss Silver dans le bureau de Deep
House.

— Mon Dieu, Miss Silver... elle n'est pas là ! Ell
n'a pas défait son lit ! Je ne vois pas son manteau.
elle a dû sortir ! Mon Dieu, mon Dieu... que dois-
faire ?

— Miss Tremlett, je vous demanderai de ne rie
faire, dit Miss Silver d'un ton ferme.

Elle raccrocha et se tourna vers Peter :

— Elle n'est pas à la maison.

Il se tenait tout près d'elle.

— Je sais, j'ai entendu. Cette maison est une vra
garenne. Elle peut être n'importe où.

« Elle est peut-être morte. » Son esprit formu
cette phrase. Les mots insistaient. Il referma toutes l
issues, mais ils étaient sortis, et il ne pouvait plus l
oublier.

— Puisque vous avez entendu la seconde déton;
tion alors que vous vous trouviez de l'autre côté de
porte, il doit y avoir une autre sortie dans cette pièc
Combien de temps s'est-il écoulé avant que vo
n'entriez ?

— Oh, rien du tout. Trente secondes. Vous i
savez trop quoi faire dans ce cas. J'ai allumé n
lampe, mais je n'en avais pas besoin.

Miss Silver ne s'occupait plus du bureau. U
grande baie vitrée occupait tout un côté de la pièc
Les vitres étaient dissimulées par d'épais rideaux (
velours brun. Du côté gauche, ils débordaient sur
mur. Elle se demanda s'il n'y avait pas une porte da
la partie du mur qu'ils recouvraient. L'homme q
avait tiré le second coup de feu avait eu à peine

temps de s'enfuir. Il savait probablement qu'il pourrait filer par cette porte, il devait en avoir profité. Il pouvait avoir eu le temps de se glisser derrière les rideaux sans être vu. S'il y avait bien une porte derrière, il avait sans doute déjà filé. S'il n'y avait pas de porte, il était peut-être toujours là, derrière les plis épais du velours, tout contre le mur ou la fenêtre, écoutant tout ce qui se passait. Dans ce cas, ils étaient dans une situation très dangereuse.

Sans laisser à Peter le temps de deviner ce qu'elle allait faire, elle s'avança vers la fenêtre et écarta le rideau de gauche.

37

Il y avait une porte. Les derniers plis du rideau de velours glissèrent et elle apparut. Mais ce n'est pas la porte qui éveilla la méfiance de Miss Silver. « Éteignez, Mr. Brandon », dit-elle brusquement, et, quand la pièce fut plongée dans le noir, ils purent voir la partie du garage qui faisait saillie sur le devant et la lumière qui en provenait. Les portes du garage étaient fermées. La lumière provenait d'une fenêtre latérale.

Miss Silver remit le rideau en place.

— Il semblerait qu'il a filé par ici et qu'il est toujours là. Rallumez, Mr. Brandon.

Quand la lumière fut revenue, elle parla sobrement :

— Je pense que vous avez noté l'existence de la porte. Elle communique certainement avec le garage. Si le meurtrier de Mr. Craddock est toujours là, il doit se sentir aux abois, ce qui le rend dangereux. La police n'arrivera pas avant une demi-heure. Nous devons prendre une décision immédiate.

— Miss Silver, je dois retrouver Thomasina, ne l'oubliez pas.

Elle lui posa la main sur le bras.

— Je vous prie de réfléchir un peu. Miss Elliot est peut-être sur le point de rentrer chez les Tremlett.

Mr. Craddock est mort, la personne que vous avez dérangée, sans doute son meurtrier, est probablement toujours dans le garage. Nous ignorons pourquoi il a retardé sa fuite. Peut-être est-il en train de détruire des preuves, ou d'attendre un complice. Quoi qu'il fasse, m'étonnerait qu'il ait du temps à consacrer à Miss Elliot. Si elle n'est pas dans le garage, elle ne risque rien. Je crois que nous devrions nous en assurer, et, du même coup, découvrir l'identité du meurtrier.

Peter approuva de la tête.

— Les fenêtres ne semblent pas un obstacle... je le crois du moins. La lumière ne filtrait pas franchement. Il y a des stores.

Miss Silver toussota très légèrement.

— Exact, je l'ai remarqué. Essayons de savoir où nous mènera cette porte. Espérons qu'elle n'est pas fermée à clef.

Le meurtrier n'en avait pas eu le temps. Il avait bien ôté la clef de ce côté-ci de la serrure, mais, dans la précipitation, il n'avait pas eu le temps de la réintroduire de l'autre côté.

Ils se tinrent sur le seuil et regardèrent dans une des pièces en ruine. Le puissant faisceau de la lampe de Miss Silver révélait une épaisse couche de poussière qui recouvrait tout, sauf l'étroit sentier de terre battu menant à la porte du garage. Miss Silver éclaira à gauche et à droite.

— Regardez, Mr. Brandon, souffla-t-elle.

A un mètre à peine, on distinguait des traces dans la poussière, sur la gauche — des empreintes de pas, aux contours nets, qui s'éloignaient vers la porte d'un mur situé à leur gauche.

— Il n'est pas allé au garage, fit remarquer Peter. Cette porte donne sur le couloir où se trouve la main. Il a dû filer par là dès que je suis entré dans le bureau. Mais alors, qui est dans le garage ?

— C'est ce que nous ferions mieux de découvrir

Dans le garage, Thomasina se tenait debout contr
le mur. Anna Ball parlait toujours. Elle aurait p
continuer une bonne heure, car elle avait à pein
commencé à vanter la réussite de son association ave
Mr. Sandrow, à exprimer la haine et le mépris qu
leur inspiraient tous les pauvres imbéciles qu'il
avaient si facilement roulés.

— Peveril commençait à se dégonfler, il falla
qu'il lui dise deux mots. Ce n'est qu'un fanfaron — i
n'a pas les nerfs qu'il faut. Mr. Sandrow avait décid
d'avoir une explication. J'espère que cela a un rappo
avec les coups de feu que nous avons entendus.
voulait maquiller cela en suicide, mais, s'il n'y arri
vait pas — d'après lui il est très difficile de laisser de
empreintes convaincantes sur une arme, vois-tu —
nous avions prévu de le mettre dans la voiture et d
faire croire à une chute dans la carrière de Quarr
Hill. Ensuite, évidemment, on aurait brûlé la voitur
— un ou deux bidons d'essence suffisent amplemen
— et Peveril aurait été définitivement éliminé. Je n
crois pas qu'Emily l'aurait beaucoup regretté.
essayait de se débarrasser des enfants, vois-tu. Mais
n'était bon à rien... pas de nerfs. Si Mr. Sandrow s'e
était personnellement occupé, ça aurait été autr
chose... mais il disait que ce n'était pas ses affaires,
que Peveril n'avait qu'à faire son sale boulot tou
seul.

— *Anna!*

Au moment même où Thomasina cria le no
d'Anna, Peter Brandon tourna la poignée de la por
et ouvrit. Ce n'était pas la porte qui se trouvait de
rière Thomasina, mais celle située de l'autre côté d
garage. Il se tenait derrière, en compagnie de Mi
Silver, et avait entendu les éclats de voix d'un
femme. C'est au moment où il tournait la poignée

poussait la porte qu'il entendit Thomasina lancer le nom d'Anna, comme un cri d'horreur et de refus. Son cœur s'arrêta de battre. Il avait eu peur — il avait connu la peur de sa vie.

« Anna! » cria-t-elle et il ouvrit la porte.

La première chose qu'il vit fut Anna Ball, en pantalon et chandail rouge, qui lui tournait le dos, et, plus loin, Thomasina, devant le mur opposé, contre lequel elle semblait tétanisée, le visage blême. Ses yeux sombres, exorbités, fixaient le revolver d'Anna. C'était bien le plus incroyable — Anna Ball pointait une arme sur Thomasina. Elle parlait :

— Il sera là d'un instant à l'autre et tu pourras rejoindre Peveril dans la voiture. Un petit vol plané dans la carrière, suivi d'un joli feu de joie — voilà ce qui t'attend, ma *chère* Thomasina.

Quand Peter s'avança dans le garage, Anna tourna la tête. Thomasina saisit la lampe qui se trouvait dans sa poche et la projeta de toutes ses forces. Elle avait le poignet solide et un bon coup d'œil. Peter lui avait appris à viser juste. Sa vie en dépendait, et la sienne aussi. Le boîtier de la lampe toucha Anna de plein fouet. Ce n'était pas un coup dangereux, mais suffisant pour lui faire perdre l'équilibre. Elle cria et trébucha, un coup de feu partit dans le vide. Peter l'avait saisie aux poignets.

Thomasina s'élança et lui arracha l'arme de la main.

38

Thomasina ne sut jamais quel avait été le momen
le plus pénible, la dernière demi-heure passée face
une Anna haineuse, qui la menaçait d'un revolver, o
la suivante, quand ils durent attendre l'arrivée de l
police.

Ils retournèrent dans le bureau, où ils patientèren
— le cadavre de Peveril Craddock à leurs pieds, l
tache de sang sur le sol. Il y avait des sièges confor
tables dans la pièce. Anna fut attachée sur l'un d'eu
avec le cordon de la robe de chambre de Miss Silver
Elle se tenait tranquille, sans mot dire, les paupière
mi-closes, laissant filtrer de temps à autre un regar
de haine. On se serait cru dans un cauchemar e
comme il arrive dans les rêves, la sensation du temp
qui passe avait disparu.

Thomasina et Peter ne se regardaient pas. Quand o
aime quelqu'un on ne veut pas le voir participer à c
genre de cauchemar. On ne veut pas l'y rencontre
On veut se réveiller et savoir que rien de tout cela n
s'est produit.

Miss Silver était assise sur une des chaises à dos
sier droit, les mains sur son giron. Elle semblait calm
et résolue. Les pans de sa robe de chambre, privée d
son cordon, pendaient sans grâce.

Personne ne parlait. Le silence était tel que l'arrivée de la voiture de police les fit tous sursauter.

En un instant, la bâtisse vide et délabrée résonna de bruits de pas et d'éclats de voix, et l'inspecteur Jackson, l'inspecteur Abbott et le médecin légiste pénétrèrent dans la pièce silencieuse, où gisait le cadavre.

L'enquête de routine pouvait commencer.

Miss Silver put s'échapper suffisamment longtemps pour s'assurer que tout allait bien dans l'aile où dormaient les Craddock. Dans sa chambre, chaude et tranquille, elle trouva Emily Craddock profondément endormie, récupérant de ses fatigues. Dans le grand fauteuil, Jennifer aussi dormait, la tête posée sur un bras, l'édredon quelque peu de travers à hauteur des épaules, la respiration calme et régulière. On était bien loin du spectacle qu'offrait le bureau de Peveril Craddock. Miss Silver y retourna après avoir refermé la porte.

Anna était assise, muette. Elle assista, immobile, et sans piper mot, à la déposition de Miss Silver, à celles de Peter Brandon et de Thomasina, à l'arrivée du photographe de la police et de l'homme chargé de relever les empreintes. Miss Silver avait récupéré le cordon de sa robe de chambre. Libre de bouger ses bras, Anna se tenait aussi raide que lorsqu'elle était ligotée. C'est au moment où on lui signifia qu'elle allait être emmenée au poste, inculpée de complicité, qu'elle lança un regard à l'inspecteur Jackson — un regard qui se voulait aguichant sous les paupières mi-closes.

— Et vous ne voulez pas que je vous dise ce que je sais ? Je peux vous en apprendre beaucoup, si ça me chante ! J'en connais à qui ça déplaira, mais ce n'est pas cela qui va m'empêcher de parler !

Il lui dit qu'elle pouvait faire une déposition et l'assura que ce qu'elle dirait serait enregistré et pourrait ensuite servir de preuve. Elle lui rit au nez.

— Si je suis complice, je dois bien l'être d'
quelqu'un, pas vrai? Pourquoi ne l'arrêtez-vous pas
lui? Je n'ai pas tiré de coups de feu lors de l'attaqu
des banques, j'ai uniquement conduit la voiture! Et j
n'ai pas tué Peveril Craddock non plus!

Elle fit un mouvement de tête dans la direction d
Thomasina.

— Elle est au courant, parce que nous étion
ensemble quand les deux coups de feu ont retenti.

— Oui, confirma Thomasina.

Un seul mot, prononcé avec une infinie tristesse
Anna redressa la tête.

— Alors! Qu'est-ce que vous dites de ça? Pou
quoi n'allez-vous pas l'arrêter? Je n'irai pas seule e
prison! Et je ne serai pas seule à être jugée — mo
amant sera avec moi! Elle vous a parlé de Mr. Sa
drow, dans sa déposition, n'est-ce pas? Eh bien, pou
quoi n'allez vous pas l'arrêter? Il est ici!

Et, cette fois, elle désigna de la tête Peter Brando
qui la fixa, aussi surpris qu'en colère.

Thomasina quitta précipitamment son siège et all
s'asseoir près de lui. Elle lui prit le bras. Leu
regards ne se croisèrent pas.

Assis au bureau, l'inspecteur Abbott observait l
scène en silence. Personne n'aurait pu deviner qu'un
demi-heure à peine avant de pénétrer dans cette pièc
il était dans son lit, à l'hôtel *George*, à Ledlingto
Comme à l'ordinaire, son costume sombre éta
impeccable, son nœud de cravate parfait, ses cheveu
blonds admirablement lissés en arrière. Il tenait négl
gemment un crayon entre deux doigts. Ses yeux clai
observaient calmement Anna Ball. Il s'était conten
de faire passer une note au brigadier qui se tenait jus
derrière lui. Maintenant, il observait Anna Ball.

Il en allait de même pour l'inspecteur Jackson.

— Vous prétendez donc que Mr. Peter Brando

serait l'auteur du hold-up de la County Bank, qui s'est déroulé hier, et qui a vu la mort du directeur et d'un employé, et que votre rôle a consisté à l'attendre dehors au volant d'une voiture et à vous enfuir avec lui après les faits. Est-ce bien cela que vous voulez nous signifier? énonça-t-il.

Elle lui décocha un regard moqueur et rit, avant d'imiter sa façon très formelle de s'exprimer.

— Quelle belle intelligence, inspecteur! C'est effectivement ce que j'avais l'intention de vous signifier! Comment avez-vous deviné? Mais c'est qu'ils sont forts, dans la police! Inspecteur Jackson... Mr. Sandrow... Mr. Peter Brandon Sandrow! Peter chéri, nous sommes faits, rends-toi!

— Eh bien, Mr. Brandon?

Peter haussa les épaules.

— Tout ça, c'est du bluff! lâcha-t-il.

Miss Silver intervint, calme, mais déterminée :

— Il aurait été impossible à Mr. Brandon d'être l'homme au bandage qui m'a dépassée près de la gare l'autobus. Il est trop grand et trop large d'épaules, et l chausse au moins deux pointures de plus.

— Où étiez-vous hier après-midi, Mr. Brandon? demanda Jackson.

— J'étais en route, venant de la ville. Je suis arrivé à Ledlington à seize heures quarante-cinq et j'ai pris le bus de dix-sept heures pour Deepe House. Miss Gwyneth Tremlett, Miss Silver et Mr. Remington étaient dans le même bus que moi.

— Mais pas dans le même train.

— Non. Mais, depuis le départ de Londres, j'ai voyagé avec un passager dans mon compartiment. Il m'a dit qu'il tenait une librairie à Market Square. Un grand type mince et voûté, portant des lunettes, qui connaissait tout un tas d'anecdotes sur le comté. Nous avons beaucoup parlé, il devrait se souvenir de moi.

— Ce devait être Mr. Bannerman, dit l'inspecteur Jackson. Il se couche tard... je vais l'appeler.

Mr. Bannerman n'était pas encore couché. Il répondit sans tarder. Une brève conversation s'engagea, à l'insu des protagonistes présents, hormis le maître d'œuvre, l'inspecteur Jackson, qui commença par un « Je crois savoir que vous étiez en ville, hier après-midi » et poursuivit, s'interrompant quand le téléphone produisait des bruits étranges, parmi lesquels on pouvait distinguer un filet de voix lointain, irrégulier. Seul Frank Abbott, assis près de l'appareil, put entendre Mr. Bannerman donner une description précise de Mr. Peter Brandon, qu'il conclut par un « Très agréable jeune homme — un écrivain. J'ai beaucoup aimé ses livres ».

L'inspecteur Jackson raccrocha.

— Mr. Bannerman confirme vos déclarations, Mr. Brandon. Je lui demanderai plus tard de vous identifier, c'est une simple formalité.

Tandis qu'il parlait, on perçut une sorte de soulagement discret dans la pièce. Sur sa chaise, Anna ne dit mot. Miss Silver inclina très légèrement la tête. Thomasina ôta sa main du bras de Peter et regagna sa place. Quand Anna l'avait accusé, dans le garage, cela faisait partie intégrante du cauchemar. Quand elle avait répété ses accusations, devant tout le monde, un mouvement de protestation véhément l'avait portée à ses côtés. Elle s'était rassise à sa place. Elle avait été traumatisée. Elle se sentait faible, vidée.

L'inspecteur Jackson poursuivit :

— Miss Ball, avez-vous oui ou non une déclaration à faire ? Il ne servira à rien de porter un faux témoignage ou d'essayer de tromper la police. Nous sommes ici pour enquêter sur la mort de Mr. Craddock. Si vous savez qui l'a tué...

Le rire sauvage d'Anna lui coupa la parole.

— Bien sûr que je le sais! Mais je ne vous le dirai pas! Pourquoi le ferais-je?

Tandis qu'elle parlait, un policier ouvrit la porte du couloir et introduisit Mr. John Robinson. Il demeura un moment interdit, regardant autour de lui — les deux inspecteurs, Thomasina Elliot et Peter Brandon, Anna Ball, Miss Silver dans sa robe de chambre bleue, et le corps de Peveril Craddock sur le sol. Il ne sursauta pas, car il savait se contrôler. Cela ne lui fut pas facile, on le sentit se raidir.

— Craddock! Qui a fait ça? dit-il au bout d'un moment.

— Nous nous demandions justement si vous pourriez nous aider à ce propos, lança Frank Abbott avec sa désinvolture coutumière.

— Moi?

— Oui, vous. Vous ne vous appelez pas John Robinson, n'est-ce pas?

— Qu'est-ce qui vous fait dire cela?

— Rien qu'une citation ou deux. Voyez-vous, vous auriez mieux fait de ne pas vous y risquer — Miss Silver est incollable sur Tennyson. Vous vous êtes trahi en citant *Enoch Arden*, j'en ai peur. Je m'en suis procuré un exemplaire d'occasion, hier après-midi, et j'ai décortiqué l'histoire. C'est celle d'un marin qu'on disait perdu en mer. Quand il revient chez lui, sa femme a épousé quelqu'un d'autre, et il doit prendre une décision : va-t-il tout fiche par terre ou non? Ma foi, je crois que vous êtes dans le même cas. J'ignore simplement votre véritable nom.

Mr. Robinson haussa les épaules.

— Après tout, je commençais à me lasser de ce petit jeu. Je m'appelle Verney... John Verney.

— Et vous êtes le mari de Mrs. Craddock?

— Oui, la pauvre!

— Ce qui fait que vous aviez un sérieux motif pour tuer Mr. Craddock.

Mr. Robinson haussa de nouveau les épaules. Tou
le monde avait les yeux braqués sur lui, mais il sem
blait tout à fait détendu. Quand il s'expliqua, il n'y
avait plus trace d'accent campagnard dans sa voix.

— Moi? dit-il. Et pourquoi donc? S'il avait été u
bon mari pour Emily, j'aurais débarrassé le plancher
Je suis venu voir comment les choses se passaient
J'ai eu un accident d'avion aux États-Unis. L'avion à
brûlé, et tous les passagers... croyait-on. Je ne sai
comment j'ai survécu, car je ne me souviens de rien
C'était dans un de ces coins perdus, pratiquemen
inaccessibles. J'ai dû errer pendant des kilomètres, e
la première fois où j'ai repris conscience, c'était si
mois plus tard, et j'étais officiellement considéré
comme mort. Des gens m'avaient recueilli — je cou
pais du bois et m'occupais de leur maison. De cela
non plus je n'ai aucun souvenir. Quoi qu'il en soit
j'estimais qu'Emily serait mieux sans moi, alors je
suis resté. Je me suis intéressé à la vie des animaux
des oiseaux particulièrement. J'ai fait un livre
comportant des illustrations. Cela a bien marché e
j'ai gagné un peu d'argent. Le second a été un succè
extraordinaire, ne me demandez pas pourquoi. Il s'es
vendu comme des petits pains et je me suis dit qu'i
valait mieux que je rentre au pays, pour voir commen
se portaient Emily et les enfants. Elle avait hérité e
s'était remariée. J'estimais que je n'avais pas
m'immiscer dans ses affaires si tout allait bien pou
elle, c'est pour cela que je suis venu ici. Il étai
évident que Craddock n'était qu'un âne prétentieux
mais tout le monde prétendait qu'elle l'adorait. Mai
cet automne, j'ai eu un choc quand j'ai rencontré le
enfants qui ramenaient des champignons vénéneux
la maison, ils étaient accompagnés de cette jeun
femme... Miss Ball, n'est-ce pas?

Anna Ball eut un rire menaçant.

— Si tu penses t'en sortir comme ça, c'est fini entre nous ! « Miss Ball, n'est-ce pas ? » Non, mais sans blague !

Il la regarda, interloqué.

— Êtes-vous folle ?

— Folle ? Pas du tout, je vais parfaitement bien. Tu te serais débarrassé de moi... est-ce que tu oserais... prétendre que tu ne me connais pas... que nous n'avons jamais été amants !

— Ma pauvre fille !

— Écoutez-le !

Elle se tourna vivement vers Jackson.

— Il se prétend innocent ? Qui plus que lui avait une bonne raison de tuer Peveril Craddock ? Penser qu'il allait perdre Emily *et* son argent ! Il s'appelle peut être John Verney — je ne dis pas le contraire — mais il est aussi mon Mr. Sandrow, et vous feriez bien de lui demander où *il* se trouvait hier après-midi ! En train d'étudier les petits oiseaux dans les bois ? Ou camouflé sous un bandage pour attaquer la County Bank ?

Les deux inspecteurs avaient gardé en tête le fait que Mr. Robinson n'avait pu fournir d'alibi pour l'après-midi de la veille. Selon ses dires, il avait eu l'intention de se rendre dans le bois de Rowbury, mais avait changé d'avis en découvrant la présence d'un chasseur. Il avait fini par se rendre à Ledlington où il avait passé du temps au musée du comté, s'intéressant à une collection d'oiseaux, la collection Hedlow. Peut-être était-ce la vérité, mais peut-être était-il en train de tirer sur le directeur de la banque et son employé, le visage enveloppé d'un bandage. Par contre, depuis des mois il avait eu l'occasion, sans prendre grand risque, de tuer Peveril Craddock. Enfin, pourquoi le tuer ? Il lui suffisait d'apparaître au grand jour et de repartir avec sa femme et sa fortune. Si son livre était vraiment un best-seller, même le mobile financier tombait à l'eau et, cela mis à part, quelle personne de bon sens serait capable de tuer pour les beaux yeux de cette pauvre Emily Craddock?

John Verney semblait jouir de toutes ses facultés. Il devait avoir suivi leurs pensées — sans doute. Il montra Anna, et dit, sans prendre de gants:

— Elle raconte n'importe quoi. Emily et moi formions un couple très détaché. Elle avait besoin de quelqu'un qui s'occupe d'elle, et, si Craddock avait été à la hauteur, je n'aurais rien eu contre lui. Mais je devais en être sûr. Dans le cas des champignons vénéneux, on pouvait facilement invoquer l'ignorance. Puis, un des enfants a parlé d'une noyade évitée de justesse. Là aussi, il pouvait s'agir d'un accident. Je n'ai vu Emily que de loin — elle semblait malade. Les garçons allaient bien, mais pas Jennifer. Je venais de décider de ne plus me cacher quand Miss Silver est arrivée. Elle était si compétente et si digne de confiance que j'ai préféré attendre un peu. Maintenant, je crois que je n'aurais pas dû. Toute cette histoire pour faire croire que j'ai attaqué la banque, c'est un tas d'inepties.

Anna lui jeta un regard méprisant.

— Qui d'autre alors? Je suis la seule à le savoir, tu ne l'ignores pas, et j'affirme que c'est toi!

— Il y a deux secondes vous affirmiez que c'était Mr. Peter Brandon, fit remarquer l'inspecteur Jackson.

Elle se retourna vers lui.

— Oh, c'était juste un petit plaisir personnel! Je lui devais ça pour le remercier de la manière dont il me regardait quand nous sortions ensemble, lui, Thomasina et moi... comme si je n'étais pas assez bien, comme s'il regrettait que l'on ne m'ait pas noyée à la naissance! Quel dommage que personne n'y ait pensé!

Frank Abbott la fixa durement.

— Et qu'avez-vous contre Mr. Verney? Est-ce qu'il vous aurait regardée d'une façon déplaisante ou... est-ce qu'il ne vous aurait pas même regardée?

Un voile rouge sombre passa sur son visage, effaçant l'abondant maquillage et colorant jusqu'à la racine des cheveux. Elle criait plus qu'elle ne parlait.

— Bien sûr qu'il m'a regardée! Puisqu'il était mon amant! Puisque c'est lui, Mr. Sandrow! Puisque c'est lui qui a attaqué la banque! Puisque c'est lui l'assassin de Peveril Craddock! Je suis la seule à savoir, et je vous dis que c'est lui... Mr Sandrow... Mr. Verney Robinson Sandrow! Si ce n'était pas lui, qui était-ce? Qui...

Elle n'alla pas plus loin. La porte venait de s'ouvrir.

Ce fut au tour d'Augustus Remington d'entrer, conduit par un des agents. Il semblait irrité et était emmitouflé dans une sorte de grande cape dont il se débarrassa aussitôt. Il portait dessous une blouse violette et un pantalon de veloutine noir. Il regarda, hagard, autour de lui, frémit en apercevant le corps de Peveril Craddock, et recula, une main devant les yeux.

— Oh, non!... C'est trop! Qu'est-il arrivé? Est-ce qu'il est mort? C'est extrêmement choquant! On aurait dû me prévenir. Je suis totalement allergique à la violence, sous toutes ses formes... cela me perturbe dangereusement. Peut-être qu'un verre d'eau...

Il s'effondra sur le premier siège venu et ferma les yeux.

Jackson s'adressa à lui sans ménagements :

— Je crains que nous n'en ayons pas. Remettez-vous, Mr. Remington! Est-ce vraiment un tel choc pour vous?

— Terrible! souffla-t-il entre ses lèvres.

Sa blouse violette se souleva sous l'effet d'une série de halètements douloureux.

L'agent s'approcha du bureau et y posa quelque chose.

— L'était en train de brûler ça! dit-il brièvement et il se recula.

Sur le sous-main de cuir vert qui recouvrait le bureau se trouvait une paire de gants sales, en peau de chamois. Les deux inspecteurs se penchèrent avec une vive curiosité vers l'objet. Tout le monde regarde dans la même direction. Anna, muette sur sa chaise regardait, la bouche entrouverte, comme à la seconde où elle s'était interrompue.

Frank Abbott saisit le gant de la main gauche et le déplia. Il sentait le brûlé, et on distinguait des marques de roussi. Une partie du petit doigt avait été complètement brûlée. Il y avait un petit accroc en forme de triangle entre l'index et le majeur. La couture, à cet endroit, était défaite, et un petit bout de fil pendouillait.

— Miss Silver... dit-il.

Elle vint se placer entre les deux inspecteurs.

— Cela vous rappelle-t-il quelque chose?

Elle considéra le gant.

— Oui.

— Pourriez-vous le jurer?

— Oui, répéta-t-elle, avant de se tourner pour regagner sa place.

La tension, qui était à son comble, retomba - quelques secondes chacun avait braqué ses regards vers elle, et le gant, à l'exclusion de toute autre chose. Toute autre chose, ou toute autre personne. Maintenant que l'attention était moins forte, on s'intéressa à l'homme qui avait tenté de brûler le gant.

Il avait disparu.

Quelques secondes auparavant, il haletait sur

chaise, près de la porte. Il n'était plus là. Envolée, la blouse violette, envolé Augustus Remington, au nez et à la barbe de toute l'assemblée. La porte dans son dos devait être entrouverte, peut-être pas. A cet instant, elle l'était, et il avait filé.

39

Miss Silver ne participa pas aux recherches. Elle resta dans le bureau avec Thomasina et le brigadier chargé de surveiller Anna. Ce fut une nouvelle attente éprouvante.

Anna n'avait absolument pas bougé. Devant la rigidité de son visage, Miss Silver ressentit de la compassion. Un être si frustré, si perverti, et pour l'heure si malheureux. Et, à l'origine de tout, le venin mortel de l'envie et de la jalousie. Vraiment, il fallait, dès l'enfance, apprendre à s'en protéger, puis s'en méfier, y remédier lorsque l'esprit se développait. De combien de vies malheureuses, de combien de crimes était-il responsable ?

Thomasina aussi était songeuse. Tant de choses lui revenaient à l'esprit. Elle avait essayé d'être gentille avec Anna. Mais la gentillesse sur commande ne touche pas les gens. Elle se sentait humble et honteuse. Elle avait été très contente de sa petite personne. Elle avait pensé beaucoup de bien de Thomasina Elliot. Si jamais cela devait lui arriver de nouveau, elle se souviendrait d'Anna Ball.

Le temps passait. A vrai dire, ce ne fut pas très long. Frank Abbott et Peter Brandon revinrent.

— Il a filé, annonça Frank. La fille avait une voiure. Nous avons juste eu le temps de sortir du garage pour voir ses feux arrière disparaître vers le nord. Jackson et Thomas le suivent dans la voiture de Craddock. Cela aurait pris trop de temps de contourner la maison pour prendre un de nos véhicules. Ils l'auraient perdu.

Anna poussa un profond soupir :

— Il est parti... Il s'est échappé ! Il est bien trop malin pour vous ! Il a toujours été trop fort pour vous !... Il le sera toujours !

Sa voix perdit son accent triomphal — progressivement, puis complètement.

— Il est parti...

Ce n'était plus qu'un murmure. Qui s'interrompit. Elle regarda tout autour d'elle, hésitante, déconcertée, se tordant les mains au-dessus des genoux. Elle se tut.

On allait et on venait dans tous les sens. Une ambulance arriva et on emporta le corps. Le brigadier s'installa au bureau pour lancer une série d'appels téléphoniques. Il communiqua le portrait d'Augustus Remington à toutes les gares. Mais on ne possédait aucune description de la voiture qu'il avait empruntée. Interrogée, Anna ne prit pas la peine de répondre. Elle se tordait les mains et regardait tout le monde fixement. Finalement, elle fut emmenée par la femme policier qui était venue avec l'ambulance de Ledlington.

Peter raccompagna Thomasina chez les Tremlett, et Miss Silver retourna dans l'aile occupée par les Craddock. Deux agents furent chargés de la surveillance du bureau.

Thomasina et Peter traversèrent le parc sans dire un mot. Quand il y a trop à dire, il est plus facile de ne rien en dire du tout. Ils ne parlèrent pas. Thomasina était vivante, elle avait vu la mort de près. L'ambulance aurait pu ramener deux cadavres à Ledlington. Peter avait beau essayer de s'ôter cette vision de la tête, elle revenait sans cesse.

Thomasina ne pensait pas à la chance extraordinaire qu'elle avait eue. Elle pensait à Anna Ball. Elle la revoyait, en train de se tordre les mains, elle entendait cette voix misérable : « Il est parti... »

Retrouver les sœurs Tremlett fut comme changer de monde. Elles pleuraient, elles parlaient, elles voulaient tout savoir, elles proposaient du thé. A la deuxième tasse, elles commencèrent à affirmer qu'elles avaient toujours eu un doute sur Augustus Remington.

Mr. John Verney prit Miss Silver à part avant de retourner dans son aile.

— Pourriez-vous parler à Emily... pour Mr. Craddock ?

— Je le lui annoncerai... Quant à votre véritable identité, Mr. Verney, je pense pouvoir vous dire qu'elle vous a reconnu et que ce fut la raison de son évanouissement. Votre déguisement était excellent. Ces vêtements négligés, trop grands, la barbe, l'accent campagnard — oui, il aurait été difficile de vous reconnaître. Sauf que, pendant que Mr. Craddock discourait, vous n'avez pu vous empêcher de rire, d'un rire tout à fait naturel. Elle l'a reconnu.

— Il était si prétentieux...

— Cela a été un choc terrible pour elle.

Il y avait une note de reproche dans l'intonation de Miss Silver.

— Mrs. Verney est extrêmement fragile. Il faudra la soigner.

— Je sais, je sais... J'ai été un mari déplorable. C'est pour cela... Je voulais être sûr que... Vous ferez au mieux pour elle, n'est-ce pas ?

Il lui prit la main, la garda très fort entre les siennes, et la libéra brusquement.

Chacun partit vers l'aile où il était logé.

40

En dépit du manteau qu'il avait enfilé et d'une perruque noire qui dissimulait ses cheveux décolorés, Augustus fut trahi par sa blouse violette. Il dut s'arrêter pour prendre de l'essence, car Anna n'avait pas suivi son conseil. Comme elle n'allait pas loin, soit elle avait oublié de remplir le réservoir, soit elle avait estimé que c'était inutile. Quand l'aiguille de la jauge se bloqua sur zéro, il fut bien obligé de tenter sa chance dans la première station de nuit. Au moment où il tendait la main pour payer, la manche du manteau découvrit une pointe de tissu violet à hauteur du poignet.

Toutes les stations-service avaient été prévenues et l'homme qui l'avait servi était du genre musclé. « Un instant, monsieur ! » dit-il en lui saisissant le bras, et l'affaire fut entendue. Il n'eut pas l'occasion de se servir du revolver que l'on trouva dans la poche du manteau.

Quelques jours plus tard, Frank Abbott vint rendre visite à Miss Silver.

— Bien sûr, il n'avait jamais eu l'intention de s'enfuir, sinon il n'aurait pas porté ces vêtements ridicules et il ne serait pas tombé en panne d'essence. C'est Anna qui devait disparaître, mais elle ne devait

pas aller loin, et je crois qu'elle ne s'est pas inquiétée
Il devait pouvoir compter sur elle à Deepe House, au
cas où il n'aurait pas réussi à faire passer l'assassina
de Craddock pour un suicide. J'ignore ce qui s'es
passé entre les deux hommes. Il est certain que Crad
dock était devenu dangereux et devait être éliminé. L
gentil petit monologue d'Anna Ball dans le garage e
apporte la preuve. Et si Augustus n'avait pas p
maquiller la mort de Peveril en suicide, ils l'auraien
mis dans la voiture et emmené jusqu'à Quarry Hill
avec suffisamment d'essence pour effacer tous le
indices. Augustus n'aurait pas pu soulever le corps
lui tout seul. Anna devait lui donner un coup de main
— elle est plutôt gaillarde. Quand tout aurait été ter
miné, Augustus serait revenu se glisser dans la pea
de l'amateur de broderie, et Anna aurait travaill
quelque part, dans les environs. Il semble qu'elle ava
toute sa confiance. On a retrouvé tous les billets volé
à Ledlington et près de la moitié de ceux d'Enderb
Green planqués dans la voiture. Il y avait des double
fonds dans les vide-poches du tableau de bord ains
que dans le coffre. C'est là qu'on a retrouvé la pe
ruque blonde d'Anna. Il y en avait aussi une autre
rousse, et une fausse barbe, utilisées par Augustus
Enderby Green, et à Ledlington, quand ils ont voul
rendre crédible l'existence de Mr. Sandrow et se son
montrés à Miss Gwyneth. C'est Anna qui conduisait
Enderby Green. Elle était habillée en homme. Nou
avons trouvé tout son attirail.

— Ainsi, elle le connaissait avant de venir ici, d
sobrement Miss Silver.

— Exact. Longtemps auparavant. Ce n'est encor
qu'une hypothèse, mais nous allons tirer ça au clai
Nous allons télégraphier au général et à Mrs. Dartre
dans l'Est — souvenez-vous, elle travaillait chez eu
en Allemagne. Nous allons téléphoner dans la zon

310

l'occupation britannique, nous avons pas mal de renseignements à exploiter. Nous sommes pratiquement sûrs de pouvoir relier cette affaire à deux vols de bijoux sensationnels en Allemagne. Anna Ball était sur les lieux — qui aurait soupçonné la gouvernante anglaise de Mrs. Dartrey? En revanche, nous ignorons encore — et peut-être ne le saurons-nous jamais — à quel moment intervient Augustus. Était-il cette vieille Française à la santé délicate qui cherchait à retrouver son petit-fils et qui s'était prise d'une telle affection pour la fille des Dartrey? Était-il quelqu'un d'autre? Il est certainement très fort pour les déguisements. Il est significatif que, juste après le second vol, Mrs. Dartrey ait rendu une courte visite à sa grand-tante, la comtesse de Rochambeau, en France. Elle était avec sa fille, et Anna les accompagnait. Quoi de plus facile que de faire franchir la frontière à ces bijoux, dissimulés dans les affaires de la petite? Nous ne pourrons jamais le prouver, mais je crois qu'ils ont procédé ainsi. Puis les Dartrey vont s'installer dans l'Est, et il est temps de changer de territoire. Je ne sais pas si Augustus avait déjà travaillé avec Craddock, mais je le crois. On ne monte pas une affaire pareille en une demi-heure. Craddock fabriquait déjà de la fausse monnaie, à petite échelle — il se faisait la main, pourrait-on dire. Il a eu l'idée de s'occuper d'un bâtiment en ruine, à la campagne, où monter une affaire plus ambitieuse. Mrs. Verney et son argent sont tombés à pic. Il a fait étalage de ses recherches occultes, vanté la Colonie qu'il allait fonder et installé la puissante installation électrique qui a aussitôt attiré votre attention.

Miss Silver tricotait une paire de chaussettes dont Maurice avait bien besoin. Ses aiguilles cliquetaient sur un rythme soutenu.

— C'est Mrs. Verney qui me l'a fait remarquer... tout à fait innocemment bien sûr, pauvre femme.

— Oui. Les enfants et elle, quelle magnifique cou
verture cela faisait ! Sans parler des sœurs Tremlett –
des vieilles filles tout ce qu'il y a de respectable
fofolles juste ce qu'il faut et toutes prêtes à admirer l
grand Peveril. Miranda, enfin — nous n'avons pas d
certitudes sur elle, mais je doute qu'elle ait été a
courant. Elle a un petit côté escroc, bien sûr. Elle
reconnu avoir simulé une transe, pour faire part
Thomasina, mais c'était à la demande d'Augustu
Thomasina perturbait ses vibrations, à l'entendre — j
crains qu'elle ne soit amoureuse de lui.

— Je le crains aussi. Je suis allée la voir. Elle e
très malheureuse.

Frank s'inclina bien bas.

— Très révérée préceptrice, rien ne vous échapp
Mais pouvez-vous me dire pourquoi deux femmes a
moins devraient se perdre à cause de ce misérabl
petit rat ? Et m'est avis que Miss Gwyneth n'y est pa
insensible non plus.

— Plus maintenant, dit Miss Silver. Elle est tro
sous le choc. Quant à Miranda et Anna Ball, il est,
a toujours été pratiquement impossible d'expliqu
pourquoi certains criminels exercent une telle fascina
tion. Leur victimes sont généralement des femme
seules qui n'ont pas su se faire d'autres relation
C'est tragique, et cela ne se produirait pas si ces pe
sonnes comprenaient que leur besoin maladif d'affe
tion va à l'encontre du but recherché. Si elles acce
taient de donner, plutôt que de se contenter d
recevoir, elles établiraient de véritables liens amicau
et ne seraient pas victimes du premier aventurier q
sait profiter de leur vanité.

Frank écoutait respectueusement. Les grands prin
cipes de Maudie, comme il les avait qualifiés un jo
qu'il se sentait d'humeur irrévérencieuse, ne laissaie
pas de le ravir, et ses moqueries dissimulaient n

seulement de l'affection, mais un véritable respect. Car Maudie était l'incarnation vivante de ce qu'elle avançait. Elle ne se contentait pas de prêcher, elle pratiquait. C'est en tant que préceptrice, pauvre de surcroît, qu'elle avait affronté le monde. En dépit d'un statut, plus que vague, qui l'exposait à la condescendance de ses employeurs et au dédain du personnel domestique, elle avait conquis une indépendance confortable et, ce faisant, avait réuni autour d'elle un cercle très fourni d'admirateurs et d'amis fort dévoués. Elle le devait à son intelligence, à son courage et à son sens du devoir. Elle se souciait des autres avant de se soucier d'elle, elle voulait la justice et aimait la clémence, et jamais elle n'avait cessé de s'en remettre, modestement, à ce qu'elle désignait sous le doux nom de Providence. Elle en avait été récompensée, non pas parce qu'elle l'avait désiré, mais parce qu'elle le méritait. Il lui adressa un sourire :

— Miranda s'en remettra. Il me semble qu'elle est douée d'un bon sens inaltérable. Cela ne l'a pas gênée de simuler une fausse transe pour rendre service à Augustus, mais je crois qu'elle n'aurait jamais accepté de tremper dans l'affaire de fausse monnaie, et les meurtres dans les banques l'ont profondément choquée.

Miss Silver continuait tranquillement son ouvrage.

— Les Verney vont rentrer à Wyshmere, dit-elle. Il est heureux que leur maison ait seulement été louée et non vendue. Elle m'a dit qu'elle n'avait pu se résoudre à s'en séparer, car les trois enfants y sont nés, et puisque ses locataires désirent retourner à Londres, elle peut y revenir quand bon lui semble. Mr. Verney s'est montré très bon. Elle a besoin de tendresse, et il pourra lui en donner. Les enfants lui ont déjà tout acquis, on ne reconnaît plus Jennifer. Les sœurs Tremlett aimeraient aussi retourner à

Wyshmere, j'en conclus qu'elles en trouveront le moyen. Deep End est définitivement un endroit peu engageant. Miss Elaine a raté ses cours de danse folklorique, et toutes les deux aimeraient revoir leurs amis. Elles ont l'occasion d'obtenir un cottage plus grand et plus spacieux, et je crois qu'elles ne la laisseront pas passer.

— Et Thomasina Elliot? demanda Frank. Croyez bien que je suis désolé pour elle. Elle s'est lancée fleur au fusil et est retombée de très haut.

Les aiguilles de Miss Silver cliquetaient.

— Elle a agi en parfaite connaissance de cause.

Frank haussa les sourcils.

— Je sais. C'est un engrenage fatal. Considérez les conséquences. Au lieu de rester tranquillement à Londres, chose que nous lui avions tous les deux conseillée, et d'accepter les bons offices d'un inspecteur de police d'avenir, de dîner avec lui discrètement et, qui sait, de gagner doucement son affection, la voilà qui se précipite tête la première dans une affaire de meurtre qui a failli lui coûter la vie et qui lui vaudra sans doute d'épouser ce Brandon.

Miss Silver eut un sourire indulgent.

— Ils formeront un très beau couple, dit-elle.

Thomasina était très malheureuse. Elle aurait voulu mettre six cents kilomètres entre elle et Deep End. Ou, à défaut de l'Écosse, s'enterrer à Londres et ne plus voir aucune de ses connaissances pendant une éternité. Plus que tout, elle refusait d'avoir affaire à Peter Brandon. Il avait proclamé, et tout le monde avec lui, qu'elle se mettrait dans le pétrin si elle insistait pour venir à Deep End et, maintenant, il n'y avait rien à faire : il fallait les entendre, tous — Peter le premier —, avec leurs « Je vous l'avais bien dit ». Certes, cela venait de leur bon cœur. Mais elle était bien sûre d'une chose : Peter n'avait pas du tout un cœur comme ça. Non content de l'accabler d'un « Je te l'avais bien dit », il était capable de le lui répéter tout au long de sa vie et elle ne le supporterait pas. Qu'elle le supporte ou non, elle devait séjourner à Deep End, chez les Tremlett, tant que l'enquête sur la mort de Peveril Craddock n'était pas close. Cela prendrait encore un jour ou deux maintenant. Elle pourrait ensuite rentrer à Londres, mais elle devrait témoigner au procès.

L'idée seule l'épouvantait. Outre celui de Peveril Craddock, Augustus Remington serait accusé des meurtres commis dans les banques, et Anna Ball de complicité. Il est évidemment normal de ne pas laisser des meurtriers courir dans la nature, mais, s'agissant d'une personne que vous connaissez, le rapport que vous avez avec elle passe avant les faits qu'on lui reproche. Son seul réconfort était de pouvoir payer un avocat à Anna, et peut-être pourrait-on prouver qu'elle était folle. Car, à l'évidence, elle devait l'être. Il fallait l'être pour parler comme elle l'avait fait dans le garage, et si elle était reconnue telle, elle éviterait la corde. Rien que le mot la fit frissonner.

Les sœurs Tremlett se faisaient beaucoup de souci. Leur pensionnaire avait perdu ce teint de pêche qu'elles admiraient tant. A la voir le matin, pâle, les yeux cernés, elles étaient sûres que leur chère Ina n'avait pas fermé l'œil. Au petit déjeuner, elle refusait même les scones de Gwyneth ou la confiture d'oranges à l'ancienne d'Elaine.

— Il est bien évident qu'une tasse de thé ne remplace pas un petit déjeuner, même si vous vous rattrapez à midi, ce qui n'est pas le cas — elle trouve toujours que son assiette est trop remplie et en laisse la moitié. Nous sommes très inquiètes, Mr. Brandon...

Miss Gwyneth s'interrompit pour faire remarquer que Mr. Brandon n'avait pas non plus beaucoup d'appétit pour le petit déjeuner.

— Oui, nous sommes très inquiètes, fit Miss Elaine en écho.

— Mais elle refusera de vous voir, dit Miss Gwyneth. Inutile d'essayer, Mr. Brandon, elle refuse absolument.

— Elle a fermé sa porte à clef, précisa Elaine.

Elles étaient assises, côte à côte, dans leurs blouses les moins tape-à-l'œil. L'absence de colliers témoignait de la déférence due au tragique de l'événement. Elles regardaient Peter, graves, mais ne pouvaient rien faire pour lui. Thomasina s'était enfermée dans sa chambre et n'en sortirait pas.

Cela dura trois jours.

Le quatrième marquait le début de l'enquête, et, tout de suite après, Thomasina devait rentrer à Londres pour voir un avocat et préparer la défense d'Anna.

Le soir du troisième jour, Peter, après s'être assuré qu'il y avait de la lumière dans la chambre de Thomasina, pénétra dans la maison sans sonner, se faufila dans l'escalier comme un voleur, et s'introduisit dans la chambre de Thomasina, qu'il trouva en train de changer de robe pour le dîner. Les plis soyeux du vêtement, d'une belle laine grise, lui recouvraient entièrement la tête et le visage, et elle n'avait aucun moyen de savoir pourquoi la porte avait été ouverte et refermée. La robe était merveilleusement chaude et très confortable, le tout était de la passer, ce qui n'était pas une mince affaire, et elle avait choisi ce moment pour rester coincée. Elle essayait en vain de la faire glisser quand une main ferme la fit descendre des deux côtés à la fois, et sa tête apparut par l'ouverture.

Peter vérifia que la robe tombait bien, recula d'un pas et lança, plus agressif que jamais :

— On se demande bien comment les femmes peuvent porter des trucs aussi incroyables !

Une partie d'elle-même, jusqu'alors froide et malade, se réchauffa un peu en Thomasina. Cette chaleur, c'était un signe de colère — du moins le pensat-elle —, mais cela valait mieux que cette souffrance glacée.

— Ils n'ont rien d'incroyable ! se surprit-elle à répondre. Et, nous, au moins, nous n'avons pas tous ces boutons et ces machins.

Et puis :

— Va-t'en, Peter !

Il se réfugia près de la porte, contre laquelle il s'adossa.

— Jamais de la vie !

— Peter !

— Ça ne peut plus du tout continuer comme ça ! Je viens ici trois fois par jour et tu refuses de me voir ! Tu refuses de me voir ! Je n'ai jamais entendu pareille absurdité de toute ma vie ! Je ne sais pas combien de temps tu comptais me faire poireauter, mais maintenant c'est marre ! Je te tiens et tu vas m'écouter jusqu'à ce qu'on ait réglé le problème !

Quand le visage de Thomasina avait réapparu dans l'ouverture de la robe, Peter s'était senti furibond. On aurait dit qu'elle avait passé la nuit dehors sous la pluie — la pluie glaciale de janvier qui plus est. La voir maintenant recouvrer ses couleurs lui faisai chaud au cœur. Certes, ses yeux n'avaient pas encore leur éclat habituel, mais on sentait qu'ils n'attendaien que la première occasion. La peur impalpable, horrible, que quelque chose d'irrémédiable — mais pourquoi ? mais comment ? — fût arrivé entre eux s'éva nouit. Et s'ils devaient se disputer, à la bonne heure Ce ne serait pas la première fois, ni la dernière. Ce disputes n'avaient d'ailleurs aucune importance toutes ces prises de bec ne faisaient pas oublier un sentiment durable, fort — extrêmement fort. Ces dis putes se nourrissaient de leur amour-propre, de leu esprit indépendant et honnête, et du peu d'importanc qu'ils leur accordaient. Entre eux, un affrontement n se transformait pas en duel, c'était une simple pass d'armes. A tout instant ils savaient rompre et reparti main dans la main. Mais, cette fois... cette fois-là i avait eu vraiment peur. Maintenant il n'avait plu peur. Il demeura appuyé à la porte et dit :

— Tamsine, ne fais pas l'idiote !

C'était la première fois au cours de ces horrible journées passées ensemble à Deep End qu'il l'appelai ainsi... la première. Cela ne la laissa pas insensible et elle fut incapable de dissimuler. Sa fière colère disparut, et quand Peter en eut assez d'étayer la porte, s'approcha d'elle et la prit dans ses bras, elle fondit en larmes. Comme elle ne faisait rien à moitié, cela ne passa pas inaperçu.

Miss Gwyneth, qui se tenait derrière la porte depuis un moment, fut si inquiète qu'elle ouvrit. Pas en grand, bien sûr, mais suffisamment pour s'assurer que rien d'*horrible* n'était survenu. Elle découvrit Thomasina pleurant à chaudes larmes sur l'épaule de Mr. Peter Brandon et, entre deux sanglots, elle put entendre :

— Peter, Peter, je suis tellement malheureuse !

A quoi Mr. Brandon répondit :

— Chérie, tu as besoin d'un mouchoir. Tiens, mouche-toi bien fort, tu te sentiras mieux.

Elle fut si rassurée qu'elle referma et se retira, suivie de Miss Elaine, qui regardait par-dessus son épaule.

Quand elles furent à bonne distance, elle dit, sur le ton de celle qui admire certains phénomènes défiant l'imagination :

— On dirait que les hommes ont toujours un mouchoir sur eux. A cause de toutes ces poches, sans doute !

Miss Elaine la considéra avec indignation.

— Gwyneth, comment peux-tu être aussi triviale ? Parle-moi plutôt de *fleurs d'oranger*. Oh, ce serait tellement *merveilleux* s'ils nous invitaient à leur mariage !

Cet ouvrage a été réalisé par la
SOCIÉTÉ NOUVELLE FIRMIN-DIDOT
Mesnil-sur-l'Estrée
pour le compte des Éditions 10/18
en avril 2000

Imprimé en France
Dépôt légal : avril 2000
N° d'édition : 3127 – N° d'impression : 50705

E